비행계획을 위한 운항관리실무

한국항공교통학회

비행계획을 위한 운항관리실무

발　행 | 2024 년 8 월 12 일
저　자 | 장효석
펴낸이 | 한건희
펴낸곳 | 주식회사 부크크
출판사등록 | 2014.07.15.(제 2014-16 호)
주　소 | 서울특별시 금천구 가산디지털 1 로 119 SK 트윈타워 A 동 305 호
전　화 | 1670-8316
이메일 | info@bookk.co.kr

ISBN | 979-11-419-0058-8

www.bookk.co.kr

제 1 장 운항관리 개요

항공사의 운영은 매우 복잡한 과정으로, 수백 대의 항공기를 노선에 배치하고, 다양한 기종의 승무원 일정을 조율하며, 많은 승객을 안전하게 운송하는 것은 세밀한 계획과 완벽에 가까운 수행 능력이 필수적이다. 운항 당일 항공사는 고객에게 안정적인 서비스를 제공하기 위해 다양한 자원을 효율적으로 관리하고, 최적의 의사결정을 내리기 위해 모든 계획과 일정을 한 곳에서 관리한다. 그러나 항공사는 다양한 이유로 항공기의 스케줄을 변경하거나, 위험 기상 같은 예측할 수 없는 외부 요인으로 인해 계획을 수정하고 복원해야 하는 경우도 있다.

유럽의 항공교통관제서비스를 제공하는 EUROCONTROL에 따르면, 2022년 3분기 평균 비행 지연 시간이 5년 만에 최고치인 23분으로 증가했다고 한다. 이러한 지연은 항공사에게는 항공기의 대당 가동 시간 감소, 연료 추가 소모 등으로 인해 직접적인 비용 증가를 초래하며, 이는 항공사의 손실을 가져온다. 2023년 국제항공운송협회(IATA: International Air Transportation Association)의 보고서에 따르면 항공편 지연으로 인해 항공사는 연간 약 300억 달러의 손실을 입은 것으로 추정하고 있다. 항공사는 안정적인 스케줄 제공을 위해 운항통제센터를 구축하여 이러한 지연을 최소화하는 노력을 통해 고객에게 신뢰받는 기업을 목표로 한다. 운항통제센터에서 항공기의 정시 운항을 위하여 지연, 결항 등 통제 업무를 수행하는 운항관리사는 항공기의 이동을 안전하고 효율적으로 관리하기 위해 노력하는 자격을 갖춘 항공종사자이다.

1. 항공기 운항에 관한 법적개념

국제항공법의 법체계는 다양한 국제기구와 국가별 규정에 의해 구성되며, 이들 간의 상호작용을 통해 항공 안전과 효율성을 보장하는데, 주요 기구와 규정은 표 1-1과 같다

국가 또는 기관	관련 부속서, 주요 법령	내용
ICAO (국제민간항공기구)	ANNEX	1944 년 시카고 협약으로 설립된 유엔의 전문 기구로, 국제항공 운송의 안전과 질서를 유지하기 위하여 총 19 개의 부속서를 채택하여 규정과 표준을 제정한다. ICAO는 회원국 간의 협력을 촉진하고, 항공 안전, 보안, 환경 보호 및 경제 개발을 위한 정책을 수립
대한민국	항공안전법	국제민간항공협약과 그 부속서에 따른 표준과 방식을 준수하며, 항공기 항행의 안전을 도모하고, 항공운송사업의 질서를 확립하는 것을 목적으로 한다. 이는 항공사업법, 항공안전법, 공항시설법 등을 포함하여 국내 항공 활동을 법으로 규정
FAA (미국 연방항공청)	FAR (연방항공규정)	FAA 는 미국의 항공 안전을 관장하는 기관으로, 항공기의 설계, 제조, 운항, 그리고 항공 인력의 자격과 훈련에 대한 규정을 담당. FAA 는 또한 미국 내 항공 트래픽 관리와 항공사의 운영을 감독
EASA (유럽항공안전청)	Basic Regulation	유럽연합의 항공 안전을 담당하는 기관으로, 항공기의 설계, 제조, 유지보수 및 운항에 대한 기술적 요구사항과 인증 절차를 제공한다. EASA 는 회원국들의 항공 안전 기준을 조율하고 통합

표 1- 1 국가, 기관별 주요 법령 및 내용

이러한 국제기구와 국가별 규정은 서로 상호 보완적인 역할을 하며, 전 세계적으로 항공 안전과 효율성을 높이기 위해 협력한다. 각 기구와 법체계는 특정 지역 또는 국가의 요구사항에 맞춰져 있지만, 국제항공운송의 글로벌한 특성을 고려하여 국제적인 협력과 표준화를 추구한다. ICAO 부속서 1, 항공종사자의 면허에는 국제민간항공기구가 채택한 표준 및 권고 가운데 항공종사자의 면허에 대한 요구 사항을 제시하고 있다. 여기에는 운항승무원, 항공교통관제사, 정비사와 함께 운항관리사의 자격 요건을 제시하고 있다.

1.1 항공안전법, 항공안전법 시행령, 항공안전법 시행규칙

우리나라는 국제민간항공협약 및 같은 협약의 부속서에서 채택된 표준과 권고되는 방식에 따라 항공기, 경량항공기 또는 초경량비행장치의 안전하고 효율적인 항행을 위한 방법과 국가, 항공사업자 및 항공종사자 등의 의무 등에 관한 사항을 항공안전법에서 규정하고 있다. 항공안전법 시행령은 항공안전법에서 위임된 사항과 그 시행에 필요한 사항을 규정하고 있다. 항공안전법 시행규칙은 항공안전법 시행령에 따른 세부적인 실행 규정을 제공하고 있다.

1.2 운항기술기준(Flight Safety Regulations)

항공안전법 제 77 조 항공기의 안전운항을 위한 운항기술기준에서 항공기 안전운항을 확보하기 위해 항공운송사업자를 비롯한 관련 기관, 항공종사자 등이 준수해야 할 법과 국제민간항공협약 및 부속서에서 정한 범위에서 다음의 사항이 포함된 운항기술기준을 정하여 고시할 수 있다. 이 법을 기준으로 행정규칙인 국토교통부 고시로 고정익항공기를 위한 운항기술기준과 회전익항공기를 위한 운항기술기준을 고시하고 있다.[1] 운항기술기준에는 자격증명, 항공훈련기관. 항공기 등록 및 등록부호 표시, 항공기 감항성, 정비조직인증기준, 항공기 계기 및 장비. 항공기 운항, 항공운송사업의 운항증명 및 관리 등에 관한 내용이 포함되어 있다.

1.3 비행 인가(Flight Release)

비행 인가(Flight Release)는 항공기가 출발 공항에서 비행을 진행할 수 있도록 승인하는 문서이다. 일반적으로 운항관리사나 항공사의 운항통제센터에서 발부하며 설정된 절차 및 규정에 따라 비행이 계획되고 조정되었음을 확인하는 것이다. 비행 인가는 출발 및 도착 공항, 항로의 설정 계획, 예상도착시간, 연료 탑재량, 항공기의 무게 및 균형과 같은 항공기의 안전한 운항에 관한 중요한 정보가 포함된다. 그리고 기상 조건, 항공교통관제에 대한 제한 사항과 비행에 영향을 미칠 수 있는 여러 요인을

---

[1] 이 책은 항공운송사업의 운항관리사에 대한 내용을 다룰 예정이므로 이후 고정익항공기를 위한 운항기술기준을 기준으로 작성하고 운항기술기준으로 표기하도록 한다.

고려해야 한다. 비행 인가의 목적은 비행이 안전하고 효율적으로 수행되도록 하는 것이다.

비행이 시작하기 전에 승무원이 소지하고 있어야 하는 문서로 이를 검토하고 모든 정보의 정확성과 최신 자료인지를 확인해야 할 책임이 있다. 따라서 비행 인가(Flight Release)는 항공기가 공항에서 출발하여 비행을 진행할 수 있도록 승인하는 문서로 비행을 계획하고 조정하며 안전과 관련된 중요한 정보를 포함하는 것이다. 비행인가는 발부되기 위해 충족해야 하는 조건에 대하여 적용하여야 하는데 이러한 조건은 항공사, 항공기 및 규제에 따라 달라질 수 있다. 일반적으로 비행 인가에 대한 적용 조건은 표 1- 2 와 같다.

비행 인가에 대한 적용 조건	내용
운항통제업무를 위한 자격	운항증명소지자, 운항통제업무를 수행하는 운항관리센터, 운항통제에 자격을 갖춘 자, 기장은 안전한 운항을 보장할 수 있는 자격 및 교육을 포함하여 인증을 충족해야 한다.
항공기 감항성	항공기는 비행 인가를 발부되기 전에 감항 가능한 것으로 간주되고 모든 안전에 관한 요구 사항을 충족해야 한다.
시설과 항공고시보	출발 및 목적지 공항에서 공항과 조업서비스의 가용성과 적합성을 갖추어야 하고 안전한 항공기 운항에 영향을 미칠 수 있는 조건과 이벤트에 대한 정보를 제공해야 한다.
기상 요소 고려	지상에서의 착빙을 포함하여 항공기가 비행경로를 따라 현재 및 기상 예보에 대한 조건을 고려하고 비행이 안전하게 수행될 수 있도록 해야 한다.
운영 요소	법정 연료 공급량 이상 탑재해야 하고 항공기의 무게중심에 대한 운용한계와 최소성능요건 범위를 초과하지 말아야 하며 항로 상에서의 비행인가를 수정하거나 재 인가하여야 하는 등의 운영 요소를 고려해야 한다.
공역 제한	비행 인가는 공역 제한 및 항로에 대한 허가 사항을 포함하여 모든 항공교통관제에 대한 제한과 관련 규정을 준수해야 한다.

표 1- 2 비행인가 적용 조건

1.3.1 운항통제업무를 위한 자격자

항공사는 항공운송사업을 위한 비행을 위해 운항통제를 위한 업무를 하고 책임을 담당할 자격을 갖춘 직원을 지정해서 운영해야 하는데 운항관리사

자격을 가지고 있거나 운항관리업무 수행에 필요한 교육훈련을 이수한 자가 근무해야 한다. 기장은 모든 비행 단계에서 운항통제에 대한 공동 책임을 가지고 비행 중 운항통제에 관한 의사 결정시 상황에 따른 최종 결정 권한을 가지게 된다.

1.3.2 운항통제업무

항공사의 운항관리사는 다음과 같은 운항통제업무를 수행한다.

- 운항비행계획서를 작성하고 서명하여 기장의 비행준비를 지원하고, 비행계획서(ATS Flight Plan)를 기장에게 제공하고 비행에 관련되어 있는 항공교통관제기관에 제출한다.
- 결항, 지연 등 항공기의 운항에 대한 의사결정을 하고 기장과 합의하여 비행계획을 변경한다.
- 항공기의 비행에 대한 진행사항을 감시하고, 비행 중 안전 운항을 위하여 필요한 기상, 운항 정보를 기장에게 제공한다.
- 비상시 항공사의 운항규정에 규정되어 있는 절차에 따라 우선 초도 조치를 실시한다.
- 항공기 운항의 통제와 감시업무를 수행한다.

하지만 운항통제업무를 수행하다가 항공교통관제, 기상, 통신업무의 절차와 상반되는 조치를 하지 말아야 한다.

2. 운항통제센터와 운항관리업무

2.1 운항통제센터

항공사의 운항통제센터는 항공사에서 운영하는 항공기의 준비, 출발, 비행, 도착 등 운항 전과정에서 발생할 수 있는 상황을 고려하여 항공기 운항과 관련 있는 부서인 비행계획, 항공기 및 승무원 스케줄, 정비, 여객 운송, 화물 운송, 전세계 지점에 대한 운항 지원 부서를 중앙 집중화하여 관리하기 위한 Control Tower 이다.

통신과 소프트웨어의 발전으로 중앙 집중식 통제를 할 수 있게 되었고, 항공사의 각 부서에서 파견 나온 직원 상호 간 벽이 없는 곳에 위치하여 효율성을 높일 수 있었기 때문에 항공사에서 운항통제센터가 생기게 되었다. 항공사별로 다를 수는 있지만 기본적으로 세 개의 기능을 가진 그룹으로 구성되고 각 그룹은 다음과 같은 고유한 책임을 맡고 있다. 항공사 운항통제 그룹은 모든 항공기의 스케줄과 비정상 운항에 대한 관리업무를 맡고 있다. 운항관리 그룹은 항공편의 비행계획, 비행감시를 담당한다. 승무원 운영 그룹은 항공사 노선 네트워크를 통해 이동하는 승무원의 스케줄을 추적하고 모든 승무원의 스케줄을 최신 상태로 유지하며 필요에 따라서는 예비 승무원을 호출하는 업무를 담당한다.

최근에는 고객에게 비정상 운항 발생 시 고객에게 신속하고 정확한 정보를 전달하여 고객의 불편함을 최소화하도록 하기 위하여 네트워크센터를 운항통제센터에 포함하여 항공사의 전세계에 위치한 지점을 지원하고 있다. 전세계 항공사의 운항통제센터는 거의 모든 항공사의 표준 시설로 자리 잡았다. 이러한 운항통제센터의 주요 역할은 다음과 같다.

- 비행계획 및 일정: 운항통제센터는 비행계획/스케줄 시스템과 실시간 데이터를 활용하여 항공기 가용성, 승무원 일정, 공역 제한 및 날씨 조건과 같은 요소를 고려하여 효율적인 비행 일정을 작성한다.
- 승무원 스케줄 관리: 승무원 스케줄 관리를 통해 승무원의 법정근무시간을 지키고 휴게 시간을 보장한다.
- 실시간 모니터링 및 의사 결정: 기상의 변화, 항공 교통 혼잡, 정비 문제와 같은 요소를 실시간으로 모니터링하여 빠르게 대응할 수 있도록 한다.
- 항공기 유지보수 조정: 유지보수 일정을 감독하고 예정되지 않은 수리를 조정하며 각 비행 전에 항공기가 비행 가능한 상태인지 확인한다.
- 비용 효율성: 가용할 수 있는 자원을 효율적으로 운영하고, 최적화한다. 이를 통해 연료소비를 줄이고, 항공기 가동률을 높여 재무 안정성에 기여한다.
- 비정상운항: 항공기 비정상 운항 상황을 사전에 대처하고 비정상 상황이 발생하게 되면 실시간으로 대안을 제시하고 최적의 의사 결정을 수행한다.
- 정보 제공 및 공유: 항공기 운항에 영향을 미칠 수 있는 다양한 정보를 확보하고 이를 공유한다. 이는 항공기 운항에 필요한 비행계획 변경 사항, 항공기상 및 항공고시보 등의 정보를 포함한다.
- 고객 서비스 제공: 항공기의 운항 지연이나 취소가 발생하면 고객서비스센터에 즉시 정보를 제공하여 고객들의 불편을 최소화할 수 있는 합리적인 의사 결정을 수행한다.

2.2 운항관리업무

ICAO 부속서 6 항공기의 운항에 운항관리사는 flight operations officer/Flight dispatcher 라고 하여 운항자(대부분 항공사를 의미)가 운항 및 감독을 담당하도록 지정한 사람으로, 자격 여부에 관계없이 부속서 1 에 따라 적절하게 자격을 갖춘 사람이며, 안전한 비행을 위해 기장을 지원, 브리핑 및/또는 도와주는 사람이라고 정의하고 있다. 우리나라의 경우 운항관리사는 안전 비행을 위해 항공안전법에 의한 적절한 자격을 갖추고 운항감독 및 통제업무에 종사하기 위해 운송사업자에 의해 지정된 사람을 말한다.

운항통제센터 내의 비행계획, 운항통제, 비행감시 업무를 담당하는 운항관리사는 항공사 통제센터에서 안전 운항을 기본으로 고객 서비스를 위한 출발과 도착 항공기의 정시성을 목표로 한다. 운항관리사는 법에 따라 항공기 운항에 대한 책임을 조종사와 동등하게 분담한다. 미국, 대한민국을 비롯하여 여러 국가의 항공사는 법에서 운항관리사를 채용하여 업무를 해야 한다고 규정하고 있다. 즉 항공사 외부의 업체를 통해 운항관리 업무를 계약할 수 없다.

2.3 운항관리역사

1918 년 5 월 15 일, 미국에서 첫 상업 항공 서비스가 시작되었다. 이 서비스는 뉴욕과 워싱턴 사이에서 우편물을 비행기로 운송하는 것이었는데, 비록 상업적으로 성공하지는 못했지만, 항공 우편의 개념을 세상에 알렸다. 뉴욕에서 워싱턴까지의 이 노선은 대륙간 항공 우편 노선의 시초가 되었고, 이 노선의 길이는 2,680mile 에 달했다. 항공 우편 서비스는 제 1 차 세계대전 때 사용되었던 DH-4 비행기를 개조하여 운영하였고, 이 서비스를 위해 최초의 운항관리사를 포함한 총 745 명의 직원을 고용하였다.

운항관리사는 1926 년 4 월 15 일 시카고에서 세인트루이스를 운항하는 최초의 정기편 조종사인 Charles Lindbergh 와 항공우편서비스 무선국에서 근무하는 사람이 무선 라디오 통신으로 조종사에게 비행계획과 기상관측 정보와 출발, 도착 관련 정보를 제공해주었다는 데에서 유래하였다. 1928 년 무선전신 회선과 공지통신의 발달로 기상보고 및 비행정보의 전송, 수신이 가능하게 되면서 운항관리 업무가 점차 활발해지게 되었다.

이 초기 운항관리사의 주요 업무는 특정 비행기의 사용 가능 여부, 날씨 조건이 항공 운송에 적합한지, 아니면 우편물을 육상으로 배달해야 하는지를 결정하는 것이었다. 그들은 전화와 저주파 라디오를 통해 비행 전에 조종사들과 소통하며, 날씨와 항공로의 교통 상황에 대해 알려주었다. 1928 년에는 전신 회로와 공중-지상 라디오를 도입하여, 운항관리사가 날씨 보고서를 수신하고 전송하며, 비행 중인 비행기에 정보를 전달할 수 있게 되었다.

1935 년 11 월에는 시카고-클리블랜드-뉴어크 항공로를 운영하는 여러 항공사들이 참여한 상호 항공 교통 협정이 승인되었다. 이 협정에 따라 설립된 실험적인 센터는 각 항공사의 운항관리사로 구성되었다. 2 년 후인 1937 년에는 항공 상업국이 기존의 항공사 교통통제센터의 통제권을 인수하였고, 이로 인해 운항관리와 항공교통관제 기능이 분리되었다. 이때 최초로 선발된 15 명의 항공교통관제사는 모두 이전 항공사의 운항관리사였다. 운항관리사는 공항에서의 도착을 통제하고, 항공교통통제 센터와 함께 고도와 출발 시간을 협상하는 역할을 담당했다. 또한 그들은 날씨 변화에 대해 기장에게 경고하고, 필요한 경우 비행기를 다른 공항으로 재조정하는 역할도 담당했다. 비행기와 운항관리사는 전신과 전화를 통해 위치 보고서와 날씨 업데이트를 전달하였다.

1937 년 11 월에는 운항관리사에 대한 규제가 민간항공규정 27 에 적용되었고, 이는 1938 년 5 월에 수정되었다. 이 규제의 도입은 뉴 멕시코 주의 상원 의원을 태운 TWA 비행기가 캔자스 시티로 가던 중 추락하여 의원과 다른 사람들이 사망한 사고가 발생했기 때문이었다. 이 사고에 대한 의회 조사에서는 운항관리사가 캔자스 시티의 날씨가 최저 기준 이하였고, 비행기의 무선통신이 불안정했다는 것을 알고 있었음에도 불구하고, 비행기와 연락을 하지 않고, 비행기를 안전한 공항으로 우회 시키지 않았다는 결론을 내렸다.

운항관리사가 안전 운항을 위하여 내리는 결정은 항공교통관제 시스템과 뗄 수 없는 관계이지만 항공교통관제 기관은 특정 항공사만을 위하여 경제적이고 안전한 결정을 내릴 수 없다.

3. 운항관리사의 업무 내용

항공사별로 자체적인 업무 프로세스 차이가 있을 수 있지만 본질적인 업무는 동일하다. 운항관리사는 출발 시간별로 해당 항공편에 대하여 비행계획을 수립하는 목록을 가지고 있다. 운항관리사는 이 목록을 검토하여 국내선은 2 시간 전, 국제선은 3 시간 전까지 비행계획서를 운항승무원에게 제공하고, 관제기관에 ATS 비행계획을 제출하며, 연료량을 order 하는 등의 업무를 수행한다. 날씨와 같은 외부 요인이 항공편에 영향을 미치지 않는 한 운항관리사는 연료 및 경로 선택에 대한 모든 과정을 직접 진행한다. 운항관리사는 각 출발/도착공항에 대하여 사전에 구성된 Company route 를 가지고 있다.

일반적으로 비행계획 소프트웨어는 현재 상태의 바람과 온도 데이터를 고려하여 최적의 연료량을 산출한다. 운항관리사의 업무 수행을 위한 프로세스는 일반적으로 다음의 순서로 이루어진다.

- 항공사의 스케줄 시스템에서 운항관리사가 담당 항공편에 대하여 배정된 항공기, 출발 및 도착공항을 불러오고, 사전에 설정된 기본값인 교체공항, Company route, 고도 제한 등을 포함한 목록이 비행계획 소프트웨어에 표시된다.
- 운항관리사는 기본값으로 설정한 여러 항목의 적정성을 검토하고 필요시 변경한다. 적정성을 검토할 때 항공기의 MEL/CDL 을 확인하여 연료 추가 사항이나 고도 제한 사항을 판단하고, NOTAM 과 기상 등 운항 정보를 통해 항로, 출발 및 도착공항, 교체공항과 Company route 의 제한 사항을 검토해야 한다.
- SIGMET, AIRMET 등 기상 advisory 정보와 Radar 영상, 각종 기상 차트, 공항기상보고, 예보 등을 통해 기상에 대한 정보를 업데이트한다. 이러한 기상 자료는 그래픽으로 표현된 차트로 항로 위에 표시되며, 텍스트 기반의 기상 정보를 분석하여 위험 기상을 식별한다.
- 위험 기상이 영향을 확인한 다음, 별도의 운항 허가 없이 변경이 가능한 경우 항로를 변경하고, 그렇지 않은 경우 사전에 허가를 취득한 다음 항로를 변경하게 된다.

3.1 운항통제에 관한 의사 결정

운항기술기준 8.4.10.2 에 따르면 운항증명소지자는 항공운송사업을 위한 각 비행 편마다 운항통제를 수행할 자격을 갖춘 자를 지정해야 한다. 기장은 모든 비행의 운항통제에 대해 운항관리사와 공동 책임을 지며, 비행 중 운항통제에 관한 의사 결정 시 최종 결정 권한을 갖는다. 운항관리사는 항공기가 운항할 지역의 예상 기상 정보를 정확히 파악할 수 있어야 하며, 항로의 최신 기상 상태뿐만 아니라 도착 공항의 기상 및 항법 장비 상태를 확인하고 분석하여 기장에게 제공해야 한다.

이륙과 순항, 착륙 등 운항에 대한 모든 과정은 규정된 기상 제한치 내에서 이루어져야 하는데, 기장과 운항관리사가 도착예정시간(ETA: Estimated time of arrival)에 기상 상태가 운항 규정을 충족하고 기상 요건에 적합한지 판단하여 비행 가능여부를 결정해야 한다. 즉, 기장과 운항관리사는 ETA 에 착륙 최저치(Landing minimum)이상의 기상 요건이 예보된 자료를 확인한 후 항공기의 출발을 허가할 수 있다. 따라서, 확인된 정보가 규정된 범위를 벗어나는 경우, 비행계획을 취소, 변경, 지연하는 일차적인 권한과 책임은 운항관리사에게 있다.

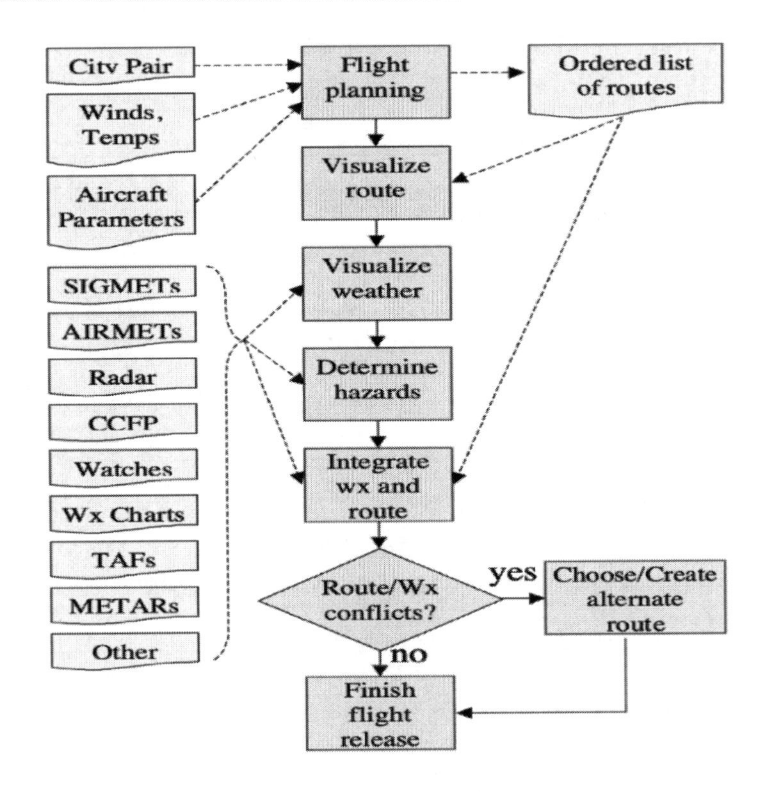

그림 1- 1 Dispatch Work Process

3.2 기상 및 항공정보 제공

기장은 비행을 시작하기 전에 수행할 비행과 관련된 모든 기상 정보를 파악해야 한다. 항공기 소유자 등은 운항승무원과 운항관리사에게 항공고시보(NOTAM), 항공정보간행물(AIP). 항공정보규정(AIRAC) 및 항공정보회람(AIC)에 수록된 정보를 배포하기 위한 적절한 절차를 수립해야 한다.

이, 착륙 기상 제한치(Take-off and Landing Minimums)[2]와 이륙 교체 공항, 착륙 교체 공항의 기상 제한치(Takeoff Alternate, Alternate airport Weather Minimums)를 고려해야 한다. 또한, 이륙시 교체공항의 지정이 필요한 경우가 있는데 출발 공항에서의 출발예정시간 시정이 착륙최저치 이하 일 때 이륙 교체 공항은 2 엔진 항공기 기준 정상 순항 속도로 1 시간 이내에 위치해야 한다. 이륙 교체 공항의 기상 상태는 그 공항의 도착 예정 시간에

---

[2] 항공안전법 시행령 제 188 조 1, FAR Part 121.617, 625 참조

운영기준(Operations Specification)[3]을 충족해야 한다. 단순히 규정 상의 착륙최저치를 만족하는 비행계획을 작성하기보다는 출발 교체 공항을 정할 때 정확한 예측을 통해 결정해야 한다. 예를 들어, 엔진 1 개가 작동하지 않을 가능성을 포함하여 법적 요건을 충족하면서 항공기 성능 특성상 Safety Margins 의 허용 범위까지 고려하여 가장 가까운 교체 공항을 선정해야 한다. 비행 중 착륙하고자 하는 공항의 현재 기상이 착륙 최저 기상치 이하로 착륙이 불가능할 경우, 운항관리사는 항공기를 체공하거나 교체공항으로의 회항 등 기장에게 조언을 제공하며 다음 과정을 준비하여야 한다.

운항관리사는 수정된 비행계획을 발행하고, 교체 공항 착륙 이후의 후속 조치를 결정해야 한다. 비상 상황에서 교체 비행장으로 착륙할 때는 수정된 운항 허가서가 우선적으로 필요하지는 않지만, 착륙 후 기장은 반드시 운항관리사에게 비행계획이 수정되었음을 알려야 한다. 이후 다시 비행이 시작될 때는 운항비행계획서가 반드시 필요하다.

3.3 비행계획 및 비행감시

운항관리사는 비행계획 전에 이착륙 공항과 교체 공항의 활주로 상태 보고(Field Condition Report)와 NOTAM 을 반드시 확인해야 한다. 활주로 표면이 얼음, 눈, 비 등으로 인해 정상적이지 않은 경우, 활주로 상태에 따라 이착륙 시 필요한 활주 거리가 달라지며, 각 항공기 기종 별 비행 규범(The Specific Airplane Flight Manual)에 제한치가 정해져 있다.

통신 기술의 발전으로 항공기의 안전을 감시하는 시스템이 지속적으로 향상되면서, 항공사들은 주요 자산인 항공기의 원활한 운항을 확인하고 향후 연결 편에 대한 영향과 각 운항 공항 상태를 실시간으로 자동 확인할 수 있게 되었다. 또한, 운항 중인 항공기의 엔진 상태, 연료량, 기타 문제점을 시스템으로 실시간 모니터링하여 예상되는 문제를 사전에 검토하고 해결함으로써 최악의 상황을 회피할 수 있도록 경고하여 안전 운항을 지원할 수 있다.

[3] 운영기준(Operation Specification)-각국의 항공교통분야를 관장하는 부가 국내에서 활동하는 항공사에게 안전운항을 위하여 준수해야 할 조건 및 제한사항 등이 포함되어 있는 것을 말한다. 우리나라에서는 국토교통부 항공정책실 항공운항과장이 교부한다.

운항관리사는 항공기로부터 발생하는 문제를 실시간으로 수신하여 적절한 해결 방안을 모색하고, 기내에서 자체 확보할 수 없는 정보를 제공하며, 승무원에게 도착 및 교체 공항의 기상 추이를 경고하여 적절한 운항 결정을 유도한다. 필요한 정보를 실시간으로 확인할 수 있도록 구성된 통합적인 안전 운항 지원 체제에 맞추어, 운항관리사의 역할은 더욱 확대되고 그 필요성이 검증되고 있다.

제 2 장 운항관리 관련 법규

운항관리업무와 운항관리사 자격제도에 관한 법규는 자격을 갖춘 운항관리사에 의해 운항관리업무가 수행되어야 함을 명시하고 있다. 따라서, 우리나라에서 운항관리사가 준수해야 하는 운항관리 관련 규정은 크게 항공안전법, 시행령, 시행규칙, 항공당국이 고시하는 항공기 운항에 관한 고시, 운항증명 교부 시 각 항공사별로 인가되는 운영기준(Ops-Spec: Operations Specifications)으로 구분된다. 이 중 실제 운항관리와 관련된 대부분의 규정은 행정규칙인 고정익/회전익 항공기를 위한 운항기술기준에 기반하며, 안전운항의 확립을 위해 항공안전법과 국제민간항공조약 및 동 조약의 부속서(ANNEX)에서 정한 범위 내에서 항공기 소유자 및 항공종사자가 지켜야 할 안전기준을 근거로 하고 있다.

항공안전법에서 명시된 포괄적인 규정 아래 운항기술기준을 따로 두고 있으며, 만약 운항기술기준에서 규정한 기준이 해석 상의 오류로 인해 상충될 경우, 항공법령의 기준을 우선하여 적용한다. 미국은 항공기 운항관리에 대해 FAR Part 121 과 AIM(Aeronautical Information Manual), 그리고 각 항공사별로 운항증명과 함께 인가되는 운영기준(Ops-Spec)에 법적으로 규정해 놓고 있다.

1. 운항관리사의 자격과 유지

1.1 운항관리사의 자격조건

운항관리사의 자격 증명을 받고자 하는 신청자는 운송용 조종사와 같은 만 21 세 이상인 자이어야 한다. 자격 신청자는 국어 또는 영어를 읽고 말하고 이해할 수 있어야 하며, 운항관리에 필요한 항공 지식을 소유해야 하는데, 이를 증명하기 위해 한국교통안전공단에서 주관하는 학과 시험과 실기시험을 통과해야 한다. 운항관리사 자격 증명 시험의 과목 및 범위는 표 2- 1, 실시시험 범위는 표 2- 2 와 같다.

과목	범위
항공법규	가. 국내 항공법규 나. 국제 항공법규
항공기	가. 항공운송사업에 사용되는 항공기의 구조 및 성능에 관한 지식 나. 항공운송사업에 사용되는 항공기 연료 소비에 관한 지식 다. 중량분포의 기술원칙 라. 중량배분이 항공기 운항에 미치는 영향
항행안전시설	가. 항행안전시설의 제원 및 기능에 관한 지식 나. 항행안전시설의 사용 방법 다. 운항상의 운용 방법 라. 공중항법에 관한 일반지식 마. 운항관리 분야와 관련된 인적수행능력에 관한 지식(위협 및 오류 관리에 관한 원리 포함)
항공통신	가. 항공통신시설의 개요, 통신조작과 시설의 운용방법 및 절차 나. 항공교통관제업무의 일반지식 다. 항공통신 및 항공정보에 관한 지식 라. 조난·비상·긴급통신방법 및 절차
항공기상	가. 풍계 기류의 요란, 구름, 착빙, 공전 및 안개 등 항공기의 운항에 영향을 미치는 기상현상에 관한 지식 나. 기상관측의 방법 다. 기상 통보 및 일기도 해독에 관한 지식

표 2-1 운항관리사 자격 증명 시험 과목 및 범위

가. 실기시험 (실습 및 구술 병행): 일기도의 해독, 항공정보의 수집·분석, 비행계획의 작성, 운항 전 브리핑 등의 작업을 하게 하여 운항관리 업무에 필요한 실무적인 능력 확인
나. 구술 시험: 운항관리 업무에 필요한 전반적인 지식 확인
(1) 항공전반의 일반지식
(2) 항공기 성능·운용한계 등
(3) 운항에 필요한 정보 등의 수집 및 분석
(4) 위험기상 상태 및 비정상상태·긴급상태 등의 대응
(5) 운항 감시 (Flight Monitoring)
(6) 운항관리 분야와 관련된 인적수행능력(위협 및 오류 관리능력 포함)

표 2-2 운항관리사 실기 시험 범위

운항관리사 자격증을 받기 위한 신청자는 특정 과목 범위에서 필요한 기량을 증명해야 한다. 또한, 시험 응시 전에 운항관리와 관련된 경력이나 훈련 요건을 충족해야 한다. 이러한 요건에는 항공운송사업 또는 항공기사용사업에 사용되는 항공기를 조종한 경력, 공중항법을 통한 비행 경력, 기상 업무 경력, 항공기에 승무하며 무선 설비를 조작한 경력 등이 포함되며, 이들 각각의 경력이 2 년 이상이거나, 이들 경력을 합쳐서 2 년

이상인 경우에 가능하다. 그리고, 항공교통관제사 자격증명을 취득하고 2 년 이상의 관제실무 경력이 있는 자, 전문대학 이상의 교육기관에서 운항관리사에 필요한 교육과정을 2 년 이상 이수하고 3 개월 이상의 운항관리 경력 또는 관제실무 경력이 있는 자도 가능하다. 고등교육법에 의한 전문대학 이상의 교육기관에서 운항관리사 학과시험의 범위를 포함하는 각 과목을 이수한 사람으로서 3 개월 이상의 운항관리경력(실습경력 포함)이 있어야 한다. 국토교통부장관이 지정한 전문교육기관에서 운항관리사에 필요한 과정을 이수한 사람(해당 정부가 인정한 외국의 전문교육기관에서 운항관리에 필요한 과정을 이수한 사람을 포함한다)도 해당된다. 그리고 응시일 현재로부터 최근 6 개월 이내에 근무일 기준 90 일 이상 항공운송사업체에서 운항관리사의 지휘감독 하에 운항관리 실무를 보조한 경력이 있는 자도 가능하다. 또한 외국정부가 발행한 운항관리사 자격증명을 소지한 사람도 가능하다. 항공교통관제사 또는 자가용조종사 이상의 자격증명을 취득한 후 2 년 이상의 항공정보업무 경력이 있는 사람도 가능하다.

1.2 운항관리사의 업무범위

운항관리사는 항공안전법과 자신이 속한 항공사의 규정을 준수하여 업무를 수행하며, 이에 따른 업무 범위와 책임을 가지고 있다. FAA 는 이들의 업무를 항공안전에 관련된 중요한 역할(Safety-sensitive functions in aviation)로 규정하며, 운항관리사는 운항기술기준에 따라 정해진 업무 범위를 준수한다. 운항관리사는 비행 준비 과정에서 기장을 지원하고, 필요한 비행 정보를 제공한다. 또한, 운항비행계획서(Operational Flight Plan) 및 ATS(Air Traffic Service) 비행계획서(표 2- 3)를 준비하고, 해당 비행계획서에 서명한다. 관제기관에 ATS 비행계획서를 제출하고, 항공기의 운항 여부(결항, 지연 등)를 결정한다. 변경 사항이 발생한 경우, 기장과 합의하여 비행계획을 변경한다.

비행 중인 기장에게는 안전한 운항을 위해 필요한 정보를 제공하며, 항공기 운항의 통제 및 비행진행 상황을 감시한다. 그리고, 항공기 위치가 위치추적기능으로 파악되지 않거나 통신 시도가 성공적으로 이루어지지 않을 경우 관할 항공교통관제기관에 보고하도록 하고 있다. 비상상황 발생 시, 항공교통관제기관의 운영 절차와 상충되지 않는 범위 내에서 운항규정에 따른 초동 조치를 취하며, 착륙공항 변경 등이 필요한 경우에는 비행계획 변경에 필요한 정보를 포함하여 기장에게 필요한 정보를 제공한다.

구분	용도	양식	내용
운항비행계획서 (Operational Flight Plan)	운항관리사가 조종사가 항공기의 안전한 운항을 위하여 확인해야 할 항공기, 탑재연료, 유상하중, 항로 등에 관하여 작성	항공사 별(비행계획소프트웨어)로 다른 양식 사용	항공기 등록기호, 기종, 속도, 비행예정일 및 시간, 승무원의 이름, 출발/도착/교체공항, 비행의 종류, 항로, 항로를 구성하는 FIX/WAYPOINT, 연료량, 유상하중 등
ATS (Air Traffic Service) 비행계획서	운항자가 항공교통관제기관을 비롯한 관련 기관에 비행안전, 항공교통관제, 수색 및 구조를 위해 제출하는 문서	PANS-ATM Doc 4444 에 따라 특정 양식과 내용 준수	항공기 식별(항공편, 등록기호, 기종 등), 운항의 형식, 항로, 속도, 고도, 장비, 출발/도착/교체공항 등

표 2- 3 운항비행계획서와 ATS 비행계획서

1.3 운항관리사 연령 제한

항공운송사업에 사용되는 항공기의 기장(PIC)은 연령제한을 규정하고 있으나, 운항관리사의 경우 법적으로 연령이 제한되어 있지 않으며, 소속된 항공사의 인사 규정에 의한다.

1.4 초기 항공기 지상 훈련

운항하고자 하는 항공기 형식에 대하여 항공당국으로부터 인가를 받은 초기지상훈련을 이수하지 못한 경우 승무원 또는 운항관리사의 임무를 수행할 수 없으며, 운항증명소지자 또한 이들에게 임무를 부여하지 못하도록 규정하고 있다. 여기서 초기항공기 지상 훈련이란 항공기의 성능, 중량배분, 운항전채, 시스템, 제한사항 및 정상, 비정상절차와 비상절차가 수록된 운항규정(Operations Manual)의 관련 부분이 포함한 교육훈련을 말하는 데, 운항관리사를 위한 초기항공기지상훈련은 항공기 형식별 비행준비절차, 성능, 중량배분, 시스템, 제한사항이 수록된 운항규정 관련부분을 포함하여야 한다. 항공기에 따른 초기 항공지상훈련 요구량은 터보제트, 팬 항공기의 경우 40 시간이다.

1.5 운항관리사 정기훈련

최근 12 개월 이내에 인가를 받은 정기 지상학 과정을 이수하지 못한 운항관리사는 해당업무를 수행할 수 없으며, 운항증명소지자 또한 이들에게 임무를 부여하지 못하게 되어있다. 각 항공사는 운항관리사 정기 지상훈련에 대한 과정을 항공당국에 인가를 받아서 운영해야 하며, 훈련에는 항공기의 특성에 따른 비행 준비, 운항관리사 자원관리(DRM)[4] 또는 초기 승무원자원관리(CRM)[5], 위험물 식별 및 운송에 대한 훈련이 포함되어야 한다. 또한 운항관리사의 항공기에 따른 지상훈련 요구량은 Turbo Fan, Turbo Jet 항공기 20 시간이고, 인가된 운항증명(AOC)[6] 및 운영기준에 명시된 비행운항 감독 및 통제의 방법에 관한 모든 특정 요소를 설명하는 운송사업자의 특별교육과정의 만족할 만한 이수가 필요하다.

1.6 운항관리사 실무자격심사

운항관리사가 최근 12 개월 이내에 비행준비와 그 후속 업무가 직무에 맞는 임무를 수행하는지 판단하기 위하여 운항관리사 훈련프로그램에서 정한 실무자격심사를 이수하지 못했을 시에는 임무를 수행할 수 없으며, 운항증명소지자는 이들에게 임무를 부여하지 못하게 하고 있다.

1.7 운항관리사 관숙비행

운항관리사가 최근 12 개월 이내에 운항승무원의 행동 관찰 및 내, 외부 통신 모니터를 위하여 운항노선 중 한 노선에서 조종실에 탑승하여 착륙을 포함하는 최소한 1 편의 비행 동안 관숙 비행을 하지 않은 경우 운항관리사의 임무를 수행할 수 없으며, 운항증명소지자 또한 이들에게

---

[4] 운항관리사 자원 관리(Dispatcher Resource Management)-운항에 관련된 모든 사람을 지원하기 위해 모든 자원을 최적화할 수 있는 운항관리사 개개인의 관리 능력과 그로 이루어진 시스템을 의미한다. DRM 의 주요 내용은 조종사와 항공기와 관련된 기계와의 최적화, 인적 요소들 간의 관계의 조정이며, 효과적인 정보의 활용, Teambuilding 과 teamwork 의 유지, 문제해결, 의사결정, 상황인지, 자동운항시스템의 관리 등 또한 포함된다.

[5] 승무원 인적자원 관리(Crew Resource Management)- 항공교통관제사나 기타 지상조업인력과의 의사소통 실패 또는 조종실 내 조종사들 간의 의사소통 실패를 방지하기 위한 시스템을 포괄하여 말하며, 항공기 운항에 관련된 모든 종사자들의 비행 전 후, 비행 중 협력을 포함하는 분야를 대상으로 한다.

[6] 항공운송사업의 운항증명(AOC: Air operator certificate)-항공운송사업자에게 각 국의 항공교통담당기관이 항공운송사업을 위한 운항을 허가하는 증명으로서 정기, 부정기 등 항공운송사업의 종류에 따라 발행된다.

임무를 부여하지 못하게 규정하고 있다. 운항관리사가 관숙 비행을 하는 경우 관숙 비행 요건을 충족할 수 있는 시간 동안 조종실에 위치하여야 한다.

2. 운항 업무에 관한 규정

2.1 비행근무시간 및 지상 휴식 시간

항공안전법 제 56 조에서는 승무원 등의 피로관리에서 항공운송사업자, 항공기사용사업자 또는 국외운항항공기 소유자 등은 운항승무원, 객실승무원 및 운항관리사의 피로를 관리하도록 하고 있다. 이를 위하여 운항승무원과 객실승무원의 비행근무는 운항기술기준 별표 8.4.9.3 비행근무 및 지상 휴식 시간에서 정한 기준을 초과하여 편성해서는 안 되고, 운항관리사의 근무시간을 제한하고 있다. 근무시간이란 운항승무원 또는 객실승무원이 항공기 운영자의 요구에 따라 근무보고를 하거나 근무를 시작한 때부터 모든 근무가 끝나는 때까지의 시간을 말한다.

승무시간(운항중)이란 비행기의 경우 이륙을 목적으로 최초 움직이기 시작한 시각부터 비행이 종료되어 최종적으로 정지한 시각까지의 전체 시간을 의미한다. 비행 근무 시간은 운항승무원 또는 객실승무원이 1 개 구간 또는 연속되는 2 개 구간 이상의 비행이 포함된 근무의 시작을 보고한 때부터 마지막 비행이 종료되어 최종적으로 항공기의 발동기가 정지된 때까지의 총 시간을 의미한다. 휴식 시간은 운항승무원, 객실승무원 또는 운항관리사가 근무 후 그리고/또는 전에 모든 근무로부터 벗어나 있는 연속적이고 한정된 시간을 말한다.

2.1.1 운항 승무원

연속되는 24 시간동안 승무 및 비행근무시간이 표 2- 4 를 초과하도록 운항승무원의 승무 및 비행근무시간을 계획하면 안 된다.

조종사 편성	승무시간	비행근무시간
기장 1 명	8	13
기장 1 명, 기장 외의 조종사 1 명	8	13
기장 1 명, 기장 외의 조종사 1 명,	12	15
기장 1 명, 기장 외의 조종사 2 명	12	16
기장 2 명, 기장 외의 조종사 1 명	13	16.5
기장 2 명, 기장 외의 조종사 2 명	16	20
기장 2 명, 기장 외의 조종사 2 명,	16	20

표 2- 4 조종사 편성에 따른 승무, 비행근무 시간

항공운송사업자는 운항승무원이 승무를 마치고 마지막으로 취한 지상에서의 휴식 이후의 비행근무시간에 따라서 표 2- 5 에서 정하는 지상에서의 휴식을 부여해야 한다. 그리고 운항승무원이 연속되는 7 일에 연속되는 30 시간 이상의 휴식을 취할 수 있도록 해야 한다. 단, 정규공항 이외에 운항 시 부득이한 경우 1 회에 한하여 최소 10 시간 휴식을 줄 수 있으며 나머지 휴식시간의 1.5 배를 다음 휴식시간에 가산하여야 한다. 운항승무원이 비행임무를 위하여 출두하는 경우 운항규정에 규정된 출두시각 직전에 최소한 연속되는 10 시간의 휴식을 취하도록 하여야 하며, 운항승무원 또한 이를 지켜야 한다.

비행근무시간	휴식시간
8 시간 미만	10 시간 이상
8 시간 이상 9 시간미만	11 시간 이상
9 시간 이상 10 시간미만	12 시간 이상
10 시간 이상 11 시간미만	13 시간 이상
11 시간 이상 12 시간미만	14 시간 이상
12 시간 이상 13 시간미만	15 시간 이상
13 시간 이상 14 시간미만	16 시간 이상
14 시간 이상 15 시간미만	17 시간 이상
15 시간 이상 16 시간미만	18 시간 이상
16 시간 이상 17 시간미만	20 시간 이상
17 시간 이상 18 시간미만	22 시간 이상
18 시간 이상 19 시간미만	24 시간 이상
19 시간 이상 20 시간미만	26 시간 이상

표 2- 5 조종사의 비행근무시간에 따른 휴식시간

2.1.2 객실승무원

항공운송사업자는 객실승무원이 연속되는 7 일에 연속되는 24 시간 이상의 휴식을 취할 수 있도록 해야 한다. 객실승무원의 비행근무 및 지상휴식시간 기준은 표 2- 6 과 같다.

객실승무원 수	비행근무시간	휴식시간
최소 객실승무원 수	14 시간	10 시간
최소 객실승무원 수에 1 명 추가	16 시간	14 시간
최소 객실승무원 수에 2 명 추가	18 시간	14 시간
최소 객실승무원 수에 3 명 추가	20 시간	14 시간

표 2-6 객실승무원의 비행근무 및 지상휴식시간 기준[7]

2.1.3 운항관리사

운항관리사의 근무시간은 연속 24 시간 내 연속 10 시간을 초과하도록 해서는 안 된다. 또한 계획된 근무시간 직전 최소한 8 시간의 휴식을 취해야 한다. 그리고, 객실승무원과 동일하게 연속되는 7 일의 기간 동안에 연속되는 24 시간의 휴식을 부여하도록 되어있다.

2.2 위험물 관리

항공운송사업자 등은 항공안전법 제 70 조(위험물 운송 등), 제 72 조(위험물 취급에 관한 교육 등) 그리고, 동법 시행규칙 제 209 조(위험물 운송허가 등)에 따른 항공위험물 운송기술기준을 준수해야 한다. 폭발성이나 연소성이 높은 물건 등 국토교통부령으로 정하는 위험물이라 함은 폭발성 물질, 가스류, 인화성 액체, 가연성, 산화성, 방사성, 부식성 물질류 및 독물류 등이다.

2.3 항공기의 감항성

항공기가 감항성이 없는 경우 이를 운항하여서는 안 되며, 기장은 운항하는 항공기가 안전하게 비행할 수 있는 상태에 있는 지를 판단하여야 한다. 감항성이란 항공기가 운항 중에 비행 중 운항 중 발생할 수 있는 모든 환경적 조건 하에서도, 장비품 또는 부품에 대하여 고장 없이 그 기능을

[7] 운항증명소지자가 지정한 장소에 객실승무원이 출두한 시각부터 예측 불가능한 운항 상황이 발생하는 경우 비행근무시간을 2 시간까지 연장할 수 있음. 단 승객의 지연도착, 객실서비스 품목 등의 지연도착 또는 승객의 위탁수하물 및 화물, 우편물 등으로 인한 지연은 예측 불가능한 운항 상황에 포함되지 않음

안전하게 운용할 수 있는 성능을 의미한다. 만약 항공기에 기계적, 전기적 또는 구조적으로 감항성에 적합하지 못한 경우 기장은 가능한 한 신속하게 당해 비행을 중지하여야 한다.

2.4 항공기 탑재 서류

운항증명소지자는 항공기 등록 증명서, 감항증명서, 항공기 탑재용 항공일지, 무선국 허가증, 승객 명단, 승하기 지점, 특별 탑재정보가 포함된 화물목록, 항공 운송 사업의 운항 증명 사본으로서 항공당국의 확인을 받은 것과 운영 기준 사본, 소음 기준 적합 증명서, 비행교범(AFM)[8], 업무수행에 필요한 운항규정의 관련부분, 최소장비목록(MEL), 정밀계기접근 제 2 종 또는 제 3 종(CAT-II 또는 CAT-III) 규정, 운항비행계획서(Operational Flight Plan) , 항공교통관제기관에 제출된 비행계획서(Filed ATS flight plan) [9] , 항공고시보(NOTAM), 브리핑 서류, 기상 정보 (Meteorological information) , 항공기 중량배분 서류(Mass and balance documentation) , 특별승객명단(Roster of Special situation passenger) , 운항하고자 하는 지역 및 회항에 대비한 노선지침서, 비행에 관한 보고양식, 국제선의 경우 세관신고서(General Declaration) , 비행경로의 변경까지 고려한 예상 비행경로에 적합한 최신의 항로지도 및 비행장 이착륙절차 차트(Terminal Chart)와 같은 서류를 항공기에 탑재하여야 한다. 항공기 탑재 서류는 인쇄된 종이 기반의 항공기 운항과 관련된 문서가 전자 장치로 대체되고 있다. Airbus 의 Electronic Flight Bag 이 대표적인 예로 지난 몇 년 동안 최신 기술을 조종석에 도입하고 있다.

2.5 항공안전 의무보고

항공안전법 제 59 조 항공안전 의무보고에서 항공기사고, 항공기준사고 또는 항공안전장애 중 국토교통부령으로 정하는 사항을 발생시켰거나, 항공기사고, 항공기준사고 또는 의무보고 대상 항공안전장애가 발생한 것을 알게 된 항공종사자 등 관계인은 항공당국에게 그 사실을 보고하여야 한다. 항공기사고란 사람이 비행을 목적으로 항공기에 탑승하였을 때부터 탑승한

---

[8] 비행교범(Airplane Fight Manual)-비행 중 반드시 항공기에 비치해야 하는 소속된 정부의 항공교통관련기관으로부터 승인된 교범으로, 속도한계, 무게와 균형, 허용 조작, 엔진 운용한계 그리고 특정 항공기에 적용되는 기타 한계에 대한 정보를 포함하고 있다.

[9] 반복비행계획서(RPL)를 제출한 경우에는 탑재하지 않아도 된다.

모든 사람이 항공기에서 내릴 때까지 항공기의 운항과 관련하여 발생한 다음 항목의 어느 하나에 해당하는 것을 말한다.

- 사람의 사망, 중상 또는 행방불명
- 항공기의 파손 또는 구조적 손상
- 항공기의 위치를 확인할 수 없거나 항공기에 접근이 불가능한 경우

항공기준사고란 항공안전에 중대한 위해를 끼쳐 항공기 사고로 이어질 수 있었던 것으로 국토교통부령으로 정하는 것을 말한다. 항공안전법 시행규칙 별표 2 에 항공기 준사고의 범위가 포함되어 있는데 표 2-7 과 같다.

항공안전법 시행규칙 별표 2	내용
항공기 준사고	항공기의 위치, 속도 및 거리가 다른 항공기와 충돌위험이 있었던 것으로 판단되는 근접비행이 발생한 경우(다른 항공기와의 거리가 500ft 미만으로 근접하였던 경우) 또는 경비한 충돌이 있었으나 안전하게 착륙한 경우
	항공기가 정상적인 비행 중 지표, 수면 또는 그 밖의 장애물과의 충돌(Controlled Flight into Terrain)을 가까스로 회피한 경우
	항공기, 차량, 사람 등이 허가 없이 또는 잘못된 허가로 항공기 이륙·착륙을 위해 지정된 보호구역에 진입하여 다른 항공기와의 충돌을 가까스로 회피한 경우
	항공기가 다음 각 목의 장소에서 이륙하거나 이륙을 포기한 경우 또는 착륙하거나 착륙을 시도한 경우 가. 폐쇄된 활주로 또는 다른 항공기가 사용 중인 활주로 나. 허가 받지 않은 활주로 다. 유도로(헬리콥터가 허가를 받고 이륙하거나 이륙을 포기한 경우 또는 착륙하거나 착륙을 시도한 경우 제외 라. 도로 등 착륙을 의도하지 않은 장소
	항공기가 이륙·착륙 중 활주로 시단(始端)에 못 미치거나(Undershooting) 또는 종단(終端)을 초과한 경우(Overrunning) 또는 활주로 옆으로 이탈한 경우(다만, 항공안전장애에 해당하는 사항은 제외
	항공기가 이륙 또는 초기 상승 중 규정된 성능에 도달하지 못한 경우
	비행 중 운항승무원이 신체, 심리, 정신 등의 영향으로 조종업무를 정상적으로 수행할 수 없는 경우(Pilot Incapacitation)
	조종사가 연료량 또는 연료배분 이상으로 비상선언을 한 경우(연료의 불충분, 소진, 누유 등으로 인한 결핍 또는 사용가능한 연료를 사용할 수 없는 경우)
	항공기 시스템의 고장, 항공기 동력 또는 추진력의 손실, 기상 이상, 항공기 운용한계의 초과 등으로 조종상의

	어려움(Difficulties in Controlling)이 발생했거나 발생할 수 있었던 경우
	다음 각 목에 따라 항공기에 중대한 손상이 발견된 경우(항공기사고로 분류된 경우는 제외한다) 가. 항공기가 지상에서 운항 중 다른 항공기나 장애물, 차량, 장비 또는 동물과 접촉, 충돌 나. 비행 중 조류(鳥類), 우박, 그 밖의 물체와 충돌 또는 기상 이상 등 다. 항공기 이륙·착륙 중 날개, 발동기 또는 동체와 지면의 접촉, 충돌 또는 끌림(dragging). 다만, 꼬리 스키드(tail skid: 항공기 꼬리 아래 장착되는, 지면 접촉 시 기체 손상 방지장치)의 경미한 접촉 등 항공기 이륙·착륙에 지장이 없는 경우는 제외한다. 라. 착륙바퀴가 완전히 펴지지 않거나 올려진 상태로 착륙한 경우
	비행 중 운항승무원이 비상용 산소 또는 산소마스크를 사용해야 하는 상황이 발생한 경우
	운항 중 항공기 구조상의 결함(Aircraft Structural Failure)이 발생한 경우 또는 터빈 발동기의 내부 부품이 외부로 떨어져 나간 경우를 포함하여 터빈 발동기의 내부 부품이 분해된 경우(항공기사고로 분류된 경우는 제외한다)
	운항 중 발동기에서 화재가 발생하거나 조종실, 객실이나 화물칸에서 화재, 연기가 발생한 경우(소화기를 사용하여 진화한 경우를 포함한다)
	비행 중 비행 유도(Flight Guidance) 및 항행(Navigation)에 필요한 다중(多衆)시스템(Redundancy System) 중 2 개 이상의 고장으로 항행에 지장을 준 경우
	비행 중 2 개 이상의 항공기 시스템 고장이 동시에 발생하여 비행에 심각한 영향을 미치는 경우
	운항 중 비의도적으로 항공기 외부의 인양물이나 탑재물이 항공기로부터 분리된 경우 또는 비상조치를 위해 의도적으로 항공기 외부의 인양물이나 탑재물이 항공기로부터 분리한 경우

표 2- 7 항공기준사고의 범위

항공기준사고 조사결과에 따라 항공기사고 또는 항공안전장애로 다시 분류할 수 있다. 항공안전장애란 항공기사고 및 항공기준사고 외에 항공기의 운항 등과 관련하여 항공안전에 영향을 미치거나 미칠 우려가 있는 것을 말한다. 항공안전위해요인은 항공기사고, 항공기준사고 또는 항공안전장애를 발생시킬 수 있거나 발생 가능성의 확대에 기여할 수 있는 상황, 상태 또는 물적, 인적요인 등을 말한다. 의무보고 대상 항공안전장애의 범위는 항공안전법 시행규칙 별표 20 의 2 를 참고하면 된다.

3. 운항증명 및 관리

항공운송사업자는 인력, 장비, 시설, 운항관리 지원 및 정비관리지원 등의 안전 운항체계에 대하여 국토교통부 장관의 검사를 받아 항공안전법 제 90 조 운항증명을 받은 후 운항을 하도록 되어 있다. 이러한 항공운송사업자의 업무는 운항증명을 받기 위한 요건 및 운항증명 소지자가 준수해야 되는 제반 요건 등에 대한 사항들은 다음과 같다.

3.1 운항증명(AOC-Air Operator Certificate)

항공운송사업자의 운항증명은 운항을 시작하기 전까지 국토교통부령으로 정하는 기준에 따라 인력, 장비, 시설, 운항관리지원 및 정비관리지원 등 안전운항체계에 대하여 국토교통부장관의 검사를 받은 후 운항증명을 받아야 한다. 운항증명을 하는 경우에는 운항하려는 항공로, 공항 및 항공기 정비 방법 등에 관하여 운항조건과 제한 사항이 명시된 운영기준을 운항증명서와 함께 해당 항공운송사업자에게 발급하여야 한다. 여기에서 운항조건과 제한사항을 정한 운영기준은 항공운송사업자의 주 사업소의 위치와 운영기준에 관하여 연락을 취할 수 있는 곳, 항공운송사업에 사용할 정규 공항과 항공기 기종 및 등록 기호, 인가된 운항의 종류, 운항하려는 항공로와 지역의 인가 및 제한사항, 공항의 제한 사항, 기체, 발동기, 프로펠러, 회전익, 기구와 비상장비의 검사, 점검 및 분해정밀검사에 관한 제한시간 또는 이를 결정하기 위한 기준, 항공운송사업자 간의 항공기 부품교환요건, 항공기 중량 배분을 위한 방법, 항공기 등의 임차에 관한 사항이 포함된다.

3.2 운항규정(Operations Manual)

항공운송사업자는 운항을 시작하기 전까지 항공안전법 제 93 조 항공기 운항에 관한 운항규정과 정비에 관한 정비규정을 마련하여 국토교통부장관의 인가를 받아야 하는데 운항규정과 정비규정은 운항증명에 포함하여 인가를 받을 수 있다. 항공안전법 시행규칙 제 266 조 운항규정과 정비규정의 인가 등에서 운항규정에 포함되어야 하는 내용은 별표 36 에 규정되어 있다. 인가를 받은 운항규정을 변경하려는 경우에는 신고로 가능하지만 최저비행고도 결정방법, 비행장 기상 최저치 결정방법, 항공기에 탑재된 항행장비에 사용되는 항행데이터(Electronic Navigation data)의 적합성을 보증하기 위한 절차 및 동 데이터를 적시에 배분하고 최신판으로 유지할 수 있도록 하는 절차, 성능기반항행(PBN)공역에서의 운항을 위한 요건을 포함하여 승인을 얻거나 인가를 받은 특별운항 및 운항할 비행기의 형식에 맞는 최소장비목록(MEL)과 외형변경목록(CDL), 최초 목적지 비행장 또는 교체 비행장으로 사용할만한 각 비행장에 대한 비행장 기상 최저치, 접근 또는 비행장시설의 기능저하에 따른 비행장 기상 최저치의 증가내용, 승무원 훈련프로그램은 인가를 받아야 한다.

3.3 항공기 운영교범(Aircraft Operating Manual)

운항증명소지자 또는 운항증명신청자는 운항하고자 하는 각 항공기의 정상, 비정상 및 비상절차가 수록된 운항기술기준 9.1.18.4 항공기 운영교범(Aircraft Operating Manual)을 항공당국에 제출해야 하며, 항공당국은 이를 검토한 후, 수정이 필요한 사항에 대해 운항증명소지자 또는 운항증명신청자에게 통보하여 개정하도록 해야 한다. 이 경우 운항증명소지자 등은 이를 개정안에 반영하여 시행하여야 한다. 항공기 운영교범은 운항증명소지자 등이 운항하고자 하는 해당 항공기의 제작사의 자료를 근거로 ICAO 에서 정한 ICAO Doc 8168 Volume Ⅰ(Flight Procedures)에 따라 제정하여야 하며, 운항증명소지자 등은 모든 운항단계(운항 전, 운항 중, 운항 후 및 비상상황 등을 포함)에서 필요한 절차(운영교범, 비행교범 또는 감항 증명과 관련된 기타 문서에 의하여 규정되는 절차를 포함)의 준수 및 이행여부를 확인하는데 사용할 수 있는 점검표(Check list)를 작성하고 이를 사용하게 하여야 한다. 점검표는 ICAO 에서 정한 ICAO Doc 9683(Human Factors Training Manual)에서 정하는 바에 따라 구성되어야 한다. 기종 별 항공기 운영교범은 조종사 및 운항통제업무 등 운항관련 업무를 수행하는 모든 부서에 배포되어 근무 중 쉽게 이용할 수 있어야 한다.

3.4. 운항증명소지자의 항공기 탑재용 항공일지-비행기록

운항증명소지자는 항공기 일정기록과 정비기록에 관한 내용이 포함된 항공기 탑재용 항공일지를 항공기에 탑재하여야 한다. 항공기 일정기록에 관한 사항은 항공안전법 시행규칙 제 108 조에 규정되어 있다. 항공기/항공기 부품의 결함 또는 기능불량이 보고되거나 확인되었을 경우 비행의 안정성에 중요한 조치를 행하는 사람은 탑재용 항공일지의 정비 기록 부분에 이에 대하여 기록하여야 한다. 운항증명소지자는 각 운항승무원이 쉽게 접근할 수 있는 장소에 요구되는 적정 분량의 기록부를 유지하도록 하는 절차를 가져야 하고, 이 절차를 운항증명소지자의 운항규정에 기재해 두어야 한다.

3.5 최소장비목록(Minimum Equipment List, MEL) 및 외형변경목록(Configuration Deviation List, CDL)

최소장비목록(Minimum Equipment List, MEL)이란 정해진 조건에서 특정 장비품이 작동하지 않는 상태에서 항공기 운항에 관한 사항을 규정한다. 이 목록은 항공기 제작사가 해당 항공기 형식에 대하여 제정하고 설계국이 인가한 표준최소장비목록((Master Minimum Equipment List, MMEL)에 부합되거나 또는 더 엄격한 기준에 따라 운송사업자가 작성하여 인가를 받는다.

MMEL 은 비행을 시작할 때 1 개 또는 그 이상 작동하지 않는 부품들이 있어도 운항할 수 있도록 항공기 제작국가의 승인 하에 제작자가 특정 항공기 형식에 대하여 설정한 요건을 말한다. MMEL 은 특별한 운항조건, 제한사항, 절차 등과 연관되어 있다. 최근 대부분 항공기의 주요 장비는 이중으로 장치되어 한쪽이 고장 나더라도, 운항 시에 비행안전이 보장되기 때문에, 운용자는 정시성을 유지하기 위해 감항성에 영향이 없는 장비의 수리, 교환 작업을 안정성이 유지되는 범위 내에서 다음 기지로 정비를 이월(carry over)하여 운항을 할 수 있다. MEL 에는 항공기에 장착된 구성부품의 숫자, 비행을 하기 위한 최소 구성 부품의 수, 부품의 고장 시 필요한 조치 내용 등이 기재되어 있다. 운항증명소지자는 운항승무원, 정비사 및 운항통제업무를 부여받은 종사자가 임무를 수행하는 동안 사용할 수 있도록 항공당국의 인가를 받은 최소장비목록(MEL)을 제공하여야 한다.

MEL 은 항공기 형식별로 작동하지 않는 부품, 장비 또는 계기를 가지고 항공기를 출발시키거나 계속적으로 비행할 수 있는 상황과 제한사항 및 절차를 명시하여야 한다. 최대이륙중량 5,700kg 이상의 항공기에 있어서 운항증명소지자는 운항승무원, 정비사 및 운항통제 임무를 부여받은 종사자가 임무를 수행하는 동안 사용할 수 있도록 항공기 형식에 맞는 외형변경목록을 제공하여야 한다.

외형변경목록(Configuration Deviation List, CDL)은 형식증명소지자가 해당 감항 당국의 승인을 받고 작성한 목록으로 비행을 개시함에 있어 누락될 수 있는 항공기 외부부품의 확인에 사용하고 필요한 경우 항공기 운항한계와 성능보정에 관한 정보를 포함한다.

3.6 항공기 성능교범(Aircraft Performance Manual)

항공기 성능 교범은 이륙, 상승, 순항(비행거리, 지속시간), 하강 및 착륙에 관련된 정보를 포함하며 다양한 속도, 무게, 공기온도, 압력 및 밀도에서의 항공기의 성능을 설명한다. 항공기 성능교범은 항공기 제작사에 의해 작성되며 해당 항공기의 특정 모델에 영향을 미치는 운영 절차와 제한사항이 포함되어 있다. 운항증명소지자는 운항승무원과 운항통제업무를 부여받은 종사자가 임무를 수행하는 동안 사용할 수 있도록 항공당국이 인정할 수 있는 항공기 성능교범을 제공하여야 한다. 운항기술기준 9.1.18.8 항공기성능교범은 모든 정상비행단계에서 항공기 성능을 정확히 계산할 수 있도록 형식별로 세분화하여 성능에 관한 적절한 정보를 포함하여야 한다.

3.7 성능자료관리시스템

운항증명소지자는 사용하고자 하는 각 항공기, 노선 및 공항에 대한 최신 성능자료를 산출하고 유지하여야 하며, 업무종사자에게 배포하기 위한 항공당국으로부터 인가를 받은 시스템이 있어야 한다. 운항기술기준 9.1.18.9 에 따라 시스템은 출발과 도착 성능계산을 위해 장애물에 대한 최신 자료를 제공하여야 한다.

3.8 항공기 탑재 및 처리교범

운항증명소지자는 운항승무원, 지상조업 종사자 및 운항통제업무를 부여받은 종사자가 임무를 수행하는 동안 사용할 수 있도록 항공당국이 인정할 수 있는 운항기술기준 9.1.18.10 항공기 탑재 및 처리교범을 제정하여 제공하여야 한다. 항공기 탑재 및 처리교범은 항공기 형식별로 항공기 조업 및 탑재에 대한 절차와 제한사항이 수록되어야 한다.

3.9 중량배분자료 관리시스템

운항증명소지자는 운항기술기준 9.1.18.11 에 따라 운항하고자 하는 각 항공기의 중량배분에 관한 최신 정보를 산출하고 유지하여야 하며, 관련 종사자에게 배포하기 위하여 항공당국으로부터 인가를 받은 시스템이 있어야 한다.

3.10 운항자료 관리시스템

운항기술기준 9.1.18.12 에서 운항증명소지자는 운항하고자 하는 공항에서의 안전운항을 위하여 사용 항로 및 공항에 대한 최신의 운항자료를 수집, 유지하고 이를 관련 종사자에게 배포하여야 한다. 이 같은 운항자료의 관리를 위하여 항공당국으로부터 인가를 받은 운항자료관리시스템이 있어야 하며, 표 2- 8 에 해당하는 사용 공항에 관한 운항정보를 종사자에게 배포하여야 한다.

시설	항목
공항	● 공항시설 ● 항법 및 통신장비 ● 이착륙 또는 지상운항에 영향을 미치는 공사 ● 항공교통시설
활주로, 개방구역 (Clearway), 및 정지로(Stopway)	● 크기 ● 표면 ● 표식 및 등화시설 ● 표고 및 경사도.
활주로 이설 시단	● 위치 ● 크기 ● 이륙 또는 착륙 또는 모두
장애물	● 이착륙 수행계산에 영향을 주는 사항 ● 통제장애물 ● 계기비행절차 ● 출발절차 ● 접근절차 ● 실패접근절차
특별정보	● 활주로 가시 거리 측정 장비 ● 저 시정 하에서의 바람

표 2- 8 공항을 사용하기 위해 필요한 운항정보

3.11 노선지침서

운항기술기준 9.3.3.8 에서 운항증명소지자는 운항승무원과 운항통제업무를 부여받은 종사자가 그들의 임무를 수행하는 동안 사용할 수 있도록 항공당국에게 신고한 노선지침서와 항공지도를 제공하여야 한다. 노선지침서와 항공지도는 항공운송사업자가 수행할 운항의 종류와 지역에 적합한 최신의 것이어야 한다.

3.12 기상자료의 사용

운항증명소지자가 비행준비, 항로선정 및 공항운항을 위한 운항결정시 사용하는 기상보고자료 및 예보는 기상관서 또는 그 외 승인된 기관으로부터 인가를 받은 시스템이어야 한다. 특히 정기 여객 항공운송사업을 위한 운항증명소지자는 운항하고자 하는 항로 및 공항에 대해 안전운항을 저해할 수 있는 위험 기상 예보나 보고를 수집할 수 있는 인가된 시스템이 있어야 한다.

운항기술기준 9.1.18.13 에서 비행계획과 운항통제를 원활히 지원하기 위한 기상자료의 출처는 기상청 또는 기상청장이 인정하는 민간 기상 사업자, 자동지상관측소, 항공교통관제탑에서 관측, 계약된 기상관측, ICAO 의 기준 및 조약에 서명한 외국이 운영하는 실제 활동하고 있는 기상청[10], 관계기관에 의해 승인된 군 기상보고 자료, 조종사보고, 레이더 보고, 레이더 요약 차트 그리고 상업용 기상자료 또는 관계기관이 특별히 승인한 다른 자료(원)에 의해 만들어진 위성 화상 보고와 같은 실시간 보고, 항공당국에 의해 승인한 기상보고시스템을 운영하고 유지하는 운항증명소지자로부터 제공받을 수 있다.

3.13 제빙과 방빙 프로그램

운항기술기준 9.1.18.14에서 서리, 얼음 또는 눈 등이 항공기에 결빙될 것이 예상되는 상태 하에서 항공기를 운항하고자 하는 운항증명소지자는 적합한 방빙 장비를 갖춘 항공기를 사용해야 하고, 운항승무원은 서리, 얼음 또는 눈 등의 상태에 대한 적절한 제빙과 방빙 교육을 이수해야 한다. 그리고, 이러한 지상 제빙과 방빙 프로그램은 인가를 받아야 한다. 또한 항공운송사업자의 지상 제빙 및 방빙 프로그램에 운항증명소지자는 서리, 얼음, 눈과 같은 기상조건에서 항공기 결빙을 예상하여 지상 제빙과 방빙 프로그램을 효과적으로 이행하는 방법, 지상 제빙 및 방빙 프로그램 책임자, 지상 제빙 및 방빙 프로그램을 수행하기 위한 절차, 지상 제빙 및 방빙 프로그램 수행시의 항공기 안전운항 달성을 위한 각 담당자 또는 그룹의 특정 임무 및 책임 등의 내용이 포함되어 있다.

---

[10] 기상청은 일반적으로 국제민간항공기구 지역항행계획에 있는 MET 표에 등재되어 있다.

제빙, 방빙 프로그램에는 기상상태 변화에 따른 방빙 지속시간의 연장 또는 단축 적용절차가 포함되어야 하고, 방빙 지속시간은 항공당국으로부터 승인할 수 있는 인가된 자료를 적용해야 한다. 그리고 최대허용 방빙 지속시간 초과시는 이륙 5 분전에 날개, 조종면 기타 프로그램에 명시된 주요 표면에 눈, 서리 또는 얼음이 결빙되지 않았다는 것을 결정하기 위해 결빙여부 점검을 항공기 외부에서 수행하여야 한다. 이는 감독기관에 의해 승인된 대체 절차에 의한 항공기 결빙유무 점검 방법으로 날개, 조종면 및 주요 부위에 눈, 서리, 얼음이 결빙되지 않았다는 것을 인가 프로그램에 의해 수행하게 된다. 그리고 제빙 작업을 다시 수행하여 방빙 지속시간을 보장해야 한다.

3.14 운항감시시스템[11]

운항기술기준 9.3.3.9 에서 운항증명소지자는 정기편을 운항하는 경우 항공기 출발관리 및 운항상황 감시 등 운항관리를 하는데 적합한 시스템을 운영하여야 한다. 이 경우 운항증명소지자는 동 시스템을 항공당국으로부터 인가를 받아 운영기준에 수록하여야 한다. 이와 같은 운항감시시스템에는 정기편의 운항준비, 출발관리 및 공지통신 등 운항관리업무를 수행하는데 필요한 각 지점에 충분한 운항관리센터(Dispatch center)들이 포함되도록 구성하여야 한다. 또한 적절한 운항관리가 이루어지도록 각 운항관리센터에 적정 인원의 운항관리사를 배치하여야 한다.

3.15 항공기 위치추적시스템

운항증명소지자는 자신이 운영하는 항공기의 위치를 전 지역에 걸쳐 추적해야 한다. 이를 위해, 항공기는 비행 중인 위치를 매 15 분마다 자동보고 기능을 이용하여 추적해야 하며, 이때 고주파(HF) 무선신호를 이용한 음성보고는 사용할 수 없다. 이러한 규정은 최대이륙중량이 27,000 킬로그램을 초과하고 탑승객좌석이 19 석을 초과하는 항공기를 운영하는 운항증명소지자에게 적용되며, 이들은 항공교통업무를 책임지는 항공교통관제기관에서 항공기 위치를 매 15 분 간격을 초과하여 확인하는 지역을 비행하는 경우에 해당한다. 일시적인 운용 제한으로 위치추적 요건을 충족할 수 없는 경우에도, 특정 조건 하에서는 항공기 혹은 항공편의 운항이 계속 가능하다. 이러한 조건에 해당하는 경우, 운항증명소지자는

---

[11] 국제항공운송사업, 국내항공운송사업 및 소형항공운송사업의 정기편 운항의 경우에만 해당

항공당국으로부터 인가를 받은 항공기 위치추적시스템을 운영기준에 수록해야 한다.

운항증명소지자는 항공기의 최종 위치를 결정하는 데 도움이 될 수 있는 위치추적 자료를 보관하는 절차를 운항규정에 포함시켜야 한다. 운항증명소지자에게는 조난 시 매 1 분 간격으로 위치정보를 송신할 수 있는 장비를 갖춘 항공기를 운영하고, 조난 시 경고를 보낼 수 있는 절차를 수립하는 의무가 있다. 또한, 항공기가 조난 상황에 처했다고 판단될 만한 이유가 있는 경우, 운항증명소지자나 항공교통기관은 항공교통관제기관과 협력하여 항공기 위치정보를 제공해야 한다. 항공기가 조난 상황에 처하면, 항공사는 해당 항공기의 위치를 명시하여 항공교통관제기관, 수색 및 구조기관, 그리고 그 밖의 관련 기관에 통보해야 한다. 항공기 위치추적에 대한 세부사항은 Aircraft Tracking Implementation Guidelines (ICAO Circular 347)에 기재되어 있다.

3.16 업무종사자 기록 등의 유지와 보관

운항증명소지자는 항공기 운항, 운항통제, 지상조업, 정비업무 및 기타 운항지원업무에 관한 기록 및 이에 종사하는 직원의 자격 및 훈련에 관한 최신기록을 유지해야 한다. 운항승무원, 객실승무원 및 운항관리사에 대하여는 임무 수행에 필요한 경험과 자격을 구비하였는지를 판단하는데 필요한 개인기록을 유지하고 정해진 기간 동안 보관해야 한다. 내용과 기간은 운항기술기준 9.1.15.2.5 에 따라 표 2- 9, 표 2- 10, 표 2- 11, 표 2- 12 와 같다.

구분	보관 기간
운항비행계획서(Operational Flight Plan)	3 개월
연료 및 오일에 관한 기록	3 개월
탑재용 항공일지(Aircraft Technical Log)	항공기 말소 등록 시까지
항공고시보(NOTAM)/운항정보(AIS)브리핑서류 (운항증명소지자가 내용을 수정 또는 변경한 경우)	3 개월
중량배분서류	3 개월
기장통보서(NOTOC)	1 개월

표 2- 9 비행준비에 사용된 정보 및 보관기간

구분	보관 기간
탑재용 항공일지	6 개월
사건을 상세히 기술한 사건보고서(Flight Incidents, 기술적 결함 또는 제한치 초과, 항공교통사고, 조류장애 및 충돌, 위험물 탑재에서의 비행 중 비상사태 발생, 불법방해, 지상 및 항행장비 비정상 및 장애상태), 또는 기장이 보고/기록이 필요하다고 판단한 사건	3 개월
근무시간 초과 그리고/또는 휴식시간 저감에 관한 보고서	마지막 기록일 후 3 개월

표 2-10 보고서와 보관기간

구분	보관 기간
승무시간, 비행근무시간, 근무시간 및 휴식시간(Flight time, Flight duty period, Duty period and Rest time)	15 개월
자격증명(License)	운항승무원이 운항증명소지자를 위하여 자격증명의 특권을 수행할 수 있는 기간 동안
전환훈련 및 심사 (Conversion training and checking)	3 년
기장 승격훈련 및 심사 (Command course including checking)	3 년
정기훈련 및 심사 (Recurrent training and checking)	3 년
좌, 우측 조종석 훈련 및 심사	3 년
최근 이착륙 경험 (Recent Takeoff and Landing Experience)	15 개월
공항 및 노선 자격 (Airport and Route Qualification)	3 년
특수운항훈련 및 심사 (ETOPS CAT II/III 운항)	3 년
적절한 위험물 훈련 (Dangerous Goods training as appropriate)	3 년

표 2-11 운항승무원에 관한 기록의 보관기간

구분	보관 기간
운항기술기준에 의하여 요구되는 승무원을 제외한 운항종사자를 위하여 인가된 훈련프로그램의 훈련/자격 기록	2 년

표 2-12 승무원을 제외한 운항종사자에 관한 기록

4. 비행계획과 감독

4.1 비행계획서(Flight Plan)

4.1.1 비행계획서의 제출

다음의 비행을 하고자 하는 경우 시계비행방식이나 계기비행방식의 비행계획서를 제출하여야 한다.

- 항공교통관제(ATC) 업무를 제공받는 비행
- 조언 공역 내에서의 계기비행방식에 의한 비행
- 항공당국이 지정한 공역 또는 항공로를 따라 행하는 비행으로서 비행정보업무, 경보업무, 수색 및 구조업무를 용이하게 하기 위하여 항공교통관제기관이 요구하는 경우
- 항공당국이 지정한 공역 또는 항공로를 따라 행하는 비행으로서 군기관 또는 인접국가의 항공교통관제기관과의 피아 식별을 용이하게 하기 위하여 항공교통관제기관이 요구하는 경우
- 국가간 경계선을 통과하는 비행

이러한 경우에는 항공기 출발 최소 60 분전에 제출되어야 한다. 비행 중 제출이 필요할 경우에는 관제구(Control Area) 또는 조언구역(Advisory Area)으로의 진입이 계획된 지점, 항로(Airway) 또는 조언항로(Advisory route)를 횡단하는 지점의 도착예정시각 최소 10 분전에 비행계획서를 제출하여야 한다.

4.1.2 비행계획서의 내용

운항기술기준 별표 8.1.9.1 에 따라 계기비행방식 또는 시계비행방식에 의한 비행계획서에는 항공기 식별부호, 비행규칙 및 비행 형식, 항공기 대수, 형식

및 후류요란 등급(Wake Turbulence 등급), 장비 및 성능, 출발비행장 및 시간, 항공로, 목적비행장 및 총예상 소요시간, 목적지 교체비행장, 기타 보충정보가 포함되어 있어야 한다.

4.1.3 비행계획의 계획된 재 허가

운항기술기준 8.1.9.2 에서 탑재된 연료(Fuel endurance) 소모에 따라 목적지 변경 가능성이 있으나, 비행계획상 최소 탑재 연료량 요건을 충족하는 비행계획을 수립하기 위해 항공교통관제기관에 비행계획서를 제출할 때 그 가능성을 함께 통보하여야 한다.

4.1.4 비행계획서의 변경

운항기술기준 8.1.9.3 조종사(운항관리사)는 관제기관의 관제 하에 비행하는 계기비행 또는 시계비행을 위하여 제출한 비행계획서에 변경사항이 발생한 경우 가능한 빠른 시간 내에 관련 항공교통관제기관에 이를 보고하여야 한다.

4.1.5 비행계획서의 종료

운항기술기준 8.1.9.4, 조종사(운항관리사)는 항공교통관제기관에서 자동적으로 비행계획서를 종료하지 않는 경우를 제외하고 도착 공항에 착륙한 후 가능한 빠른 시간 내에 항공교통관제기관에 도착보고를 하여야 한다. 목적지에 도착하지 않았으나 비행의 일부 구간에 대하여만 비행계획서를 제출하였을 경우, 항로상에서 관련 항공교통관제기관과 협의하여 해당 비행계획서를 종료해야 한다. 도착 공항에 항공교통관제기관이 없을 경우에는, 운항승무원은 착륙 후 가능한 빠른 시간 내에 가장 빠른 방법으로 인접한 항공교통관제기관에 연락을 취하여 비행계획을 종료해야 한다.

4.1.6 운항비행계획서

운항비행계획서는 모든 비행 시 작성하여야 한다. 운항비행계획서는 운항관리사가 작성하고 서명한 다음 기장이 확인 후 서명해야 비행을 시작할 수 있다. 운항비행계획서에는 기상 및 기타 예상되는 요소를 고려하여 목적지비행장까지의 비행과 모든 교체비행장으로의 비행에 필요한 항로 및 연료계산이 포함되어야 한다. 운항비행계획서에 서명하는 기장은 연료공급, 교체비행장, 항로와 공항에 대한 기상보고, 예보 및 항공고시보(NOTAM) 등과 같은 비행계획정보를 이용할 수 있어야 한다. 항공기가 중간 기착 공항에서 6 시간 이상 체류하였을 경우 새로운 운항비행계획서 없이 비행을 계속하여서는 안 된다.

4.1.7 비행계획서류의 배포 및 보존

항공운송사업에 사용되는 항공기의 기장은 항공기 출발 전 탑재 연료량, 항로상 운항성능, 목적지비행장 및 교체비행장에 대한 비행계획을 결정하기 위하여 사용된 항공고시보(NOTAM)와 적절한 기상자료 등이 첨부된 운항비행계획서, 탑재중량배분, 무게중심(C.G), 이륙 및 착륙중량과 최대운항중량 제한 및 성능분석에 대하여 적합성을 나타내는 탑재명세서, 이전의 비행에서 항공기의 기계적 결함이 탑재용 항공일지에 기록되고, 출발공항에서 정비 또는 점검이 수행되었거나 또는 출발공항에서의 정비확인(Maintenance release)이 이루어진 경우 탑재용 항공일지의 관련 페이지에 대한 서류를 확인하고 서명해야 한다.

4.2 비행방식에 따른 기상제한

4.2.1 계기비행방식 비행시 목적공항 기상

계기비행방식에 의한 비행을 계획하는 경우 다음의 항목에 대한 확인하여 수행해야 한다.

- 출발공항의 기상이 최저기상치 이상
- 교체비행장 요건에 따라 선정된 교체공항 또는 착륙예정공항의 기상보고 또는 기상예보가 공항사용예정시간에 최저기상치 이상

각각의 교체공항에서 접근 및 착륙이 안전하게 실시될 수 있도록 운항증명소지자가 수립한 공항 최저기상치에 운고 및 시정 증가분을 가산하여 적정한 안전에 대한 여유분을 설정하여야 한다.

4.2.2 계기비행방식 비행을 위한 교체비행장 요건

계기비행방식으로 비행을 계획할 때, 비행계획서에는 보통 최소한 하나의 목적지 교체비행장을 지정해야 한다. 그러나, 출발 공항이나 비행 중

재비행계획지점부터 목적지 공항까지의 비행 동안 모든 기상조건과 운항정보를 고려하여, 공항의 사용예정시간에 시계비행상태(VMC)하에서 접근과 착륙이 가능하다면, 교체비행장을 지정할 필요가 없다. 또한, 해당 공항이 하나 이상의 활주로에서 계기접근절차를 수행할 수 있는, 분리활주로를 사용할 수 있는 경우에 해당된다. 그리고 목적지 공항이 고립공항인 경우는 착륙하려는 공항에 표준계기접근절차가 수립되어 있고, 귀환불능지점이 결정되어 있으며 공항 사용 예정시간에서의 기상상태, 교통량, 기타 운항 상태가 안전한 착륙이 가능하여 귀환불능지점을 초과하여 비행이 가능하다면 교체비행장을 지정하지 않아도 된다.

4.2.3 계기비행방식 비행을 위한 교체비행장 선정기준

교체비행장 최저 기상치가 공표된 경우 운항관리사는 계기비행방식에 의한 비행계획 시 교체비행장 도착예정시간의 기상예보가 출발공항 이륙시점이나 재비행계획지점에서 운항증명소지자가 수립한 최저 기상치 이상이어야 한다. 교체비행장 최저기상치가 공표되지 않았고 계기비행방식에 의한 교체비행장의 사용이 가능한 경우 기장은 정밀접근인 경우 운고 600ft 및 시정 2 SM(statute mile)[12]이상이고 비정밀 접근인 경우에는 운고 800ft 및 시정 3 SM 이상임을 확인하여야 한다. 이러한 규정 외에도 항공운송사업에 사용되는 항공기의 경우에는 운영기준에 정하여 항공당국의 인가를 받은 경우, 승인을 받은 교체비행장 최저 기상치를 적용할 수 있다.

4.3 연료, 오일탑재 계획 및 불확실 요인의 보정

4.3.1 비행계획 시 연료 탑재 기준

항공안전법 시행규칙 제 119 조 별표 17(항공기에 실어야 할 연료 및 오일의 양)에 따라 항공기는 계획된 비행을 안전하게 완수하고 계획된 운항과의 편차를 감안하여 충분한 연료를 탑재하여야 한다. 그리고 탑재연료량은 연료소모감시시스템에서 얻은 특정 항공기의 최신자료 또는 항공기 제작사에서 제공된 자료와 비행계획에 포함되어야 할 예상항공기

[12] 육상 마일(Statue Mile): 영국 엘리자베스 1 세 시대에 성문법으로 정해진 거리 단위인 1SM 은 1760 야드 또는 5280 피트로 정의되었다. 법으로 정해졌기 때문에 법정 마일이라고도 불린다. 장거리 비행의 특성과 지구 좌표 표시 방법은 육상 마일 단위를 사용하지 않기 때문에 점차 사용이 줄어들고 있지만, 여전히 일부 육상 소형 항공기에서는 사용되고 있으며, 기상에서 시정(Visibility)을 예보할 때도 법정 마일을 사용하고 있다.

중량, 항공고시보(NOTAM), 현재 기상 보고나 기상보고와 기상예보의 조합, 항공교통업무 절차, 제한사항 및 예측된 지연, 정비이월, 외장변경의 영향, 항공기 착륙지연이나 연료와 오일의 소모를 증가시킬만한 운항 조건을 근거로 산출되어야 한다.

4.3.2 비행중 연료관리

기장은 착륙할 때 계획된 최종예비연료가 남아있고 안전한 착륙이 가능한 공항까지 도달하는데 필요한 연료보다 탑재된 사용가능한 연료량이 적지 않음을 지속적으로 확인하여야 한다. 최종예비연료(final reserve fuel)를 지키는 것은 기존의 계획대로 안전한 운항이 종료될 수 없는 예기치 못한 사건이 발생할 경우 어떠한 공항에도 안전하게 착륙할 수 있기 위함이다.

기장은 예기치 못한 상황으로 인하여 최종예비연료에다 교체공항까지 비행하는 연료를 더한 양 또는 고립공항까지 비행하는데 필요한 연료를 더한 양보다 적은 연료로 목적공항에 착륙이 예상되는 경우 ATC 로부터 지연정보를 요청하여야 한다. 특정 공항에 착륙하려고 할 때, 그 공항에 대한 기존 허가의 어떤 변경도 계획된 최종예비연료보다 적은 연료로 착륙할 수 있다고 예상될 때 기장은 Minimum Fuel 을 선언하여 최소연료 상태임을 ATC 에 알려야 한다. Minimum Fuel 선언은 특정공항에 착륙할 수밖에 없는 상황에서 기존 허가에 어떤 변경이 발생하면 계획된 최종예비연료보다 적은 연료로 착륙할 수 있음을 ATC 에 통지하는 것이다. 이는 비상상황은 아니지만 추가적인 지연이 발생하면 비상상황으로 될 수 있는 상황이다.

기장은 착륙이 안전하게 이루어질 수 있는 가장 가까운 공항에 착륙할 때, 예상되는 사용가능한 연료가 계획된 최종예비연료보다 적을 경우 MAYDAY MAYDAY MAYDAY FUEL 방송을 통해 연료 비상상황을 선언해야 한다. MAYDAY FUEL 이란 용어는 [국제민간항공협약 부속서 10, 제 2 권, 5.3.2.1 b) 3]에서 요구되는 조난상황의 특성을 표현한다.

4.4 항공기 적재 및 중량 관련 규정

4.4.1 항공기 적재 및 중량배분

기장은 탑재된 모든 짐이 적절히 배분되고 안전하게 고정되지 않는 한 항공기를 운항시키지 못하고, 항공기 중량에 대한 계산과 중량 중심의 위치가 예상되는 비행조건을 고려하여 해당 비행을 안전하게 수행할 수 없는 경우에는 운항이 불가능하다.[13] 항공운송사업을 위한 운항을 하는 경우에는 탑재명세서에 명시된 적재와 중량배분의 계산이 정확하게 항공기 제한범위를 충족하여야 운항이 가능하다.

4.4.2 모든 탑재명세서에서 고려해야 할 최대허용중량

기장은 이륙시간 대에 사용 가능한 특정 활주로 및 상태, 예상되는 연료 및 오일 소모량이 적용될 수 있는 항로상 운항성능, 착륙중량 및 목적 공항과 교체공항의 착륙을 위한 활주로길이 제한 등이 적합한 지의 여부를 확인하여 해당 비행편의 최대허용중량이 최대허용이륙중량을 초과하지 않도록 하여야 한다.

4.5 항공기 운항 관련 규정

4.5.1 고도계의 설정

항공기를 운항할 때 해면고도 14,000ft 미만에서는 항로상에서 항공기로부터 100NM 이내에 위치한 항공교통관제기관으로부터 통보된 고도계 수정치를 맞춘다.[14] 그러나, 항로상에 항공교통관제기관이 없는 경우, 근접한 항공교통관제기관으로부터 통보된 고도계 수정치를 맞추고, 항공기에 무선통신시설이 장착되지 않은 경우, 출발공항의 고도 또는 출발이전 이용 가능한 적정 고도계 수정치(Altimeter Set)를 기준으로 순항고도를 유지하여야 한다. 해면고도 14,000ft 이상의 고도에서는 29.92 인치를 맞춘다. 이용할 비행지역의 대기압에 의해 결정되는 최저 사용가능 비행고도는 표 2-13 과 같다.

---

[13] 항공운송사업을 위한 운항에서 운항증명소지자가 탑재관리사(Load master) 또는 자격을 구비한 자를 지정할 경우 기장은 이들에게 책임을 위임할 수 있으나 적재절차가 적절히 준수되었는지를 확인하여야 한다.

[14] 동 요건은 공역 내 및 항로상에서 운항하는 항공기가 해면고도 1 만 4 천 ft 미만에서 29.92 인치를 사용하도록 요구된 때에는 적용되지 않는다.

현재 고도계 Setting	최저 사용 가능한 비행고도(flight Level)
29.92 이상	140
29.91 - 29.42	145
29.41 - 28.92	150
28.91 - 28. 42	155
28.41 - 27.92	160
27.91 - 27.42	165
27.41 - 26.92	170

표 2- 13 최저사용가능 비행 고도

4.5.2 계기 비행방식 운항을 위한 최저고도

계기비행은 이 착륙을 제외하고 비행공역의 관할기관이 지정한 최저고도 이상에서 실시해야 한다. 지정된 최저 고도가 없는 경우 높은 지형이나 산악지역의 경우 항공기를 위치로부터 반지름 8km 이내에 있는 가장 높은 장애물로부터 600m(2,000ft)의 높이, 높은 지형이나 산악지역 이외의 경우 가장 높은 장애물로부터 300m 의 이상의 높이에서 비행하여야 한다. 최저항로고도(MEA)와 최저장애물통과고도(MOCA)가 설정된 항로의 경우 운항하는 항공기가 관련 항행안전시설(VOR, VORTAC, TACAN)로부터 22NM 이내에 위치하고 있다면 최저항로고도 이하로 강하하여 설정된 최저장애물통과고도까지 항공기를 운항 시킬 수 있다.

4.5.3 계기비행기상상태에서의 착륙

조종사는 비행시정이 해당 표준계기접근절차에 규정된 시정치 미만인 경우 착륙을 시도하면 안 된다. 조종사는 착륙하고자 하는 활주로의 시정 보고치 또는 활주로 가시범위(RVR)가 비행장 운영 최저치 미만인 경우 최종접근구간 또는 비행장 표고(aerodrome elevation)로부터 300m(1000FT)이하로 강하하면 안 된다.

최종접근구간에 관한 기준은 ICAO 기술지침 PANS-OPS(Doc 8168), Volume II를 적용한다. 조종사는 최종접근구간 진입 또는 비행장 표고 300m 이하로 강하한 후 시정 또는 RVR 이 최저치미만으로 떨어지면 결심고도(DH) 또는 최저강하고도(MDH)까지 접근비행을 행할 수 있다. 그러나 어떠한 경우에도 당해 비행장의 운항(기상)최저치의 한계를 초과하는 지점을 넘어서까지 진입착륙을 계속하면 안 된다. 기장은 활주로표면상태

정보를 득한 상태에서 항공기의 성능이 안전하게 착륙할 수 없는 상태라고 판단한 경우에는 비행장 표고로부터 300m(1,000ft) 미만으로 접근해서는 안 된다.

활주로표면상태를 평가하고 보고하기 위한 절차는 PANS-Aerodromes (Doc 9981)에 수록되어 있으며, 탑승 항공기의 활주로 표면 상태 정보 사용에 관한 절차는 항공기 성능 매뉴얼 (Doc 10064)에 수록되어 있다.

4.5.4 비행장 운영 최저치

운항증명소지자는 운항하려는 각 비행장마다 비행장 운영 최저치를 수립하여야 하며, 해당 최저치 결정방법에 대해 항공당국의 승인을 받아야 한다. 이러한 비행장 운영 최저치는 비행장이 위치한 국가가 특별하게 인가한 경우를 제외하고는 그 국가가 설정한 최저치보다 낮아서는 안 된다. 항공기운영자는 비행장 운영 최저치를 수립할 때 다음의 사항을 충분히 검토하여야 한다.

- 항공기의 형식, 성능, 조작특성 및 비행교범에 명시된 운항조건과 제한사항
- 운항승무원의 구성, 역량 및 경험
- 활주로 제원 및 특성
- 시각 및 비 시각 지상시설(Visual and non-visual ground aids) 적절성 및 성능
- 접근, 착륙 또는 실패접근을 수행하는 동안 항행, 시각참조물 확보, 비행경로 제어를 목적으로 비행기에서 사용할 수 있는 장비
- 진입, 복행구역 내 장애물 및 계기접근절차에 대한 장애물 격리(회피) 고도
- 기상조건의 보고 및 결정 수단
- 상승구역 내 장애물 및 필요한 격리(회피)폭
- 운영기준에 명시된 운항조건
- 비행장이 위치한 국가에서 고시한 최저치

4.5.5 이.착륙을 위한 시계 비행 최저 기상치

시계비행 기상상태(Visual Meteorological Condition, VMC)란 시정, 구름으로부터 거리, 운고로 표현되는 특정 최저치 이상의 기상조건을 말한다.

기장은 운고 1,500ft 이상, 그리고 보고되었다면 보고된 지상시정 3mile 이상인 경우 시계비행으로 관제권 안의 비행장에서 이륙이나 착륙을 하거나 관제권 안으로 진입할 수 있다. 지상 시정이 보고되지 않았을 경우 비행시정을 3mile 이상 유지해야 한다.

항공안전법 시행규칙 제 172 조 규정에 따라 항공교통관제기관의 허가가 없는 경우 평균해면으로부터 20,000ft 를 초과하는 고도로 비행하거나 천음속 또는 초음속으로 비행하는 경우 시계 비행을 할 수 없다. 야간에 시계비행방식으로 비행하는 항공기는 지방항공청장이나 해당 비행장의 운영자가 정하는 바에 따라야 한다.

4.5.6 이륙교체 비행장(TAKEOFF ALTERNATE AIRPORTS)

항공기가 이륙 후 출발공항으로 회항이 불가능한 출발공항의 기상조건이 착륙최저치 미만이거나 기타의 사유로 출발공항으로의 회항이 불가능한 경우 운항비행계획서에 적합한 이륙교체비행장을 명시해야 한다. 항공운송사업자가 이륙교체비행장을 선정할 때에는 예상되는 이용시간 동안의 기상 조건이 해당운항에 대한 비행장 운영 최저치 이상이어야 하고, 운항비행계획서에 명시한 이륙교체비행장은 아래에서 정한 거리 내에 위치해야 한다.

- 쌍발엔진 항공기: 실제이륙중량을 사용하여 무풍상태 및 국제표준대기(ISA)로 산정되고 항공기 운영교범에서 결정된 1 개 엔진 부작동시 순항속도로 1 시간의 비행시간.
- 3 발 이상 엔진 비행기: 실제이륙중량을 사용하여 무풍상태 및 국제표준대기(ISA)로 산정되고 항공기 운영교범에서 결정된 모든 엔진 작동 시 순항속도로 2 시간의 비행시간.
- 회항시간연장운항(EDTO) 승인을 받은 비행기: 실제이륙중량을 감안하여 운영자가 인가를 받은 최대회항시간.

4.5.7 회항 결정(DIVERSION DECISION)

기장은 항공기의 엔진고장 또는 손상을 방지하기 위하여 엔진을 정지시킬 경우에는 안전하게 착륙할 수 있는 가장 가까운 착륙적합비행장에 항공기를 착륙시켜야 한다. 엔진이 3 개 이상인 항공기가 1 개의 엔진이 고장 또는 정지된 경우 고장의 성격과 비행을 계속할 경우 발생할 수 있는 기계적

문제점, 엔진정지 시점에서의 고도, 중량 및 사용가능 연료, 항로 및 착륙가능 공항의 기상, 항공교통의 혼잡도, 지형의 종류, 사용하고자 하는 공항의 친숙도 등을 고려하여야 한다. 기장은 가장 가까운 착륙적합비행장 이외의 비행장에 착륙하였을 경우 가장 가까운 비행장 이외의 비행장을 선정한 이유를 설명하는 서면 보고서를 소속 항공운송사업자에게 제출하여야 하며, 해당 항공운송사업자는 조종사가 모 기지에 돌아온 후 10 일 이내에 보고서의 사본에 의견을 첨부하여 항공당국에게 제출하여야 한다.

4.5.8 안정된 착륙접근 요건

기장은 착륙형태에서 안정된 속도, 강하율, 그리고 수직/수평 비행경로를 유지하여야 한다. 다만 안정된 접근이 되지 않으면 착륙을 시도할 수 없고, 착륙접근 형태별 요건은 다음과 같다.

- 계기비행기상상태 하에서는 최종 접근 경로상 비행장 표고로부터 1,000ft 에서 항공기는 착륙을 위한 착륙형태, 강하 중이라면 안정된 강하율 유지 및 허용범위 안에서의 목표속도 또는 이전에 필요에 의하여 높은 속도를 유지하였을 경우에는 목표속도로 줄여 안정된 접근상태를 유지
- 계기비행기상상태 하에서는 비행장 표고로부터 1,000ft 에서 항공기를 강하 중이라면 분당 1,000ft 를 초과하지 않는 안정적인 강하율을 유지, 허용범위 안에서의 목표속도와 경로상에서 안정적인 상태 유지
- 안정적인 접근율을 위해서는 착륙 접지 시까지 유지되어야 하며 만일 비행장 표고로부터 1,000ft 이하에서 안정적인 상태가 유지되지 않으면 실패접근 시작

시계비행기상상태 하에서는 최종접근 경로상 비행장 표고로부터 500ft 에서 항공기는 착륙을 위한 착륙형태를 유지하여야 한다. 강하 중이라면 안정된 강하율 유지 및 허용범위 안에서의 목표속도 또는 이전에 높은 속도를 유지하였을 경우에는 목표 속도로 줄여 안정된 접근상태를 유지하여야 하며, 항공기는 비행장 표고로부터 500ft 에서는 다음의 상태를 유지해야 한다.

- 분당 1,000ft 를 초과하지 않는 안정된 강하율
- 허용된 범위 안의 목표 속도

- 활주로에 정대. 다만 계기접근이나 국지절차로 인해서 비행장 표고로부터 500ft 에서 활주로에 정대할 수 없거나 안전한 범위 내에서 기동이 필요한 경우에는 제외

기장은 다음 항목을 고려하여 안전하다고 결정되지 않는 한 500ft 이하에서 기동을 하여서는 안 된다.

- 과도하지 않은 범위 이내에서 강하 경로를 획득하기 위한 강하율 변경
- 활주로 중앙선에서의 이탈 정도
- 착륙 활주로 변경 시 착륙 활주로 진입말단의 거리차이가 있는 경우(Runway Threshold Stagger)
- 배풍/측풍 요소
- 가용한 활주로 길이

시계비행기상상태 하에서의 안정적인 접근을 위해서는 착륙 접근 시까지 유지되어야 하며 만일 비행장 표고로부터 500ft 이하에서 안정되지 않고 유지되지 않으면 실패접근을 시작해야 한다. 기장은 착륙 활주로 진입말단(Runway Threshold)의 통과할 때 다음과 같은 상태를 유지할 수 없을 경우에는 실패접근을 시작하여야 한다.

- 착륙 접지를 위하여 착지직전에 착륙 마무리를 위해 당김(Flare)을 시작할 때까지 허용된 범위 안에서 목표속도를 유지
- 정상적인 기동에 의한 안정적인 비행경로에 있어야 함
- 착륙접지구역에 정상적인 착륙을 할 수 있는 위치에 있어야 함

4.6 회항시간연장운항(Extended diversion time operation, EDTO)

4.6.1 정의

쌍발 이상의 터빈엔진 비행기가 운항 시 항로상 교체공항까지의 회항시간이 항공당국이 정한 기준시간 (Threshold Time)보다 긴 경우에 적용하는 비행기 운항으로 정의한다. 터빈엔진 비행기의 회항시간 연장운항을 포함하여 60 분을 초과하는 항로교체공항으로 운항하기 위한 요건으로 운항통제 및 운항관리절차, 운항절차, 훈련 프로그램을 필요로 한다. 항공운송사업자는 항공기에 인가된 회항시간 이내에서 이용 가능한 항로상 교체착륙적합비행장이 있는 지를 확인하고 확보해야 한다. 그리고 운항실황

및 기상상태를 포함해 확인된 항로교체공항에 관한 최신 정보를 운항승무원에게 제공해야 한다. 또한 쌍발 터빈엔진 비행기에 대해서는 항로교체공항의 조건이 사용 예상시간에 운영자가 수립한 공항 운영 최저 기상치 이상임을 확인할 수 있도록 운항승무원에게 최신 정보를 제공해야 한다.

4.6.2 회항시간 연장운항 요건

쌍발 터빈 비행기의 경우 1 개의 엔진이 작동하지 않고 쌍발 초과 다발 엔진 비행기의 경우 모든 엔진 작동 시, 무풍 및 국제표준대기 상태에서 순항속도로 항로의 한 지점에서 항로교체공항으로 회항하는 시간이 항공당국이 정한 기준시간(threshold time)을 초과해서는 안 된다. 회항시간이 기준시간을 초과할 경우, 회항시간연장운항으로 간주되고, 적정한 기준시간 설정과 EDTO 승인에 관한 지침은 국제민간항공협약 부속서 6, Part 1 부록 C(Attachment C) Doc10085(회항시간 연장운항 매뉴얼)에 수록되어 있다. 특정 항공기 형식을 EDTO 에 사용하고자 하는 운항증명소지자는 항공당국으로부터 최대 회항시간을 인가를 받아야 한다.

회항시간연장운항(EDTO)에 사용되는 특정 비행기 형식의 최대회항시간 인가를 위해 모든 항공기에 대한 회항시간연장운항(EDTO)의 시간 제한을 초과하지 않도록 비행교범에 명시해야 하고, 이 가운데 쌍발항공기는 회항시간연장운항(EDTO)에 대하여 항공당국으로부터 사용 인가를 받은 항공기만 가능하다.

운항증명소지자가 제시한 안전 위험도 평가 결과를 검토하여 안전성이 확인되는 경우에 최고 시간제한시스템(the most time limited system)의 시간제한을 초과하는 운항을 승인할 수 있으며, 운항증명소지자의 안전운항 능력, 항공기 성능의 신뢰도, 각 시간제한시스템의 신뢰도, 항공기 제작회사로부터의 관련 정보, 명확한 완화 조치를 통해 안전 위험도를 평가한다. 확인된 항로교체공항의 효용성에 대해 재평가되지 않을 경우, 기준시간을 넘어 지속될 수 없고, 대부분 최신 정보는 공항사용 예정시간 때 그 공항에서의 조건은 운항을 위한 운영자가 수립한 비행장 운영 최저치 또는 그 이상임을 명시해야 한다. 해당공항 사용예정시간 때 안전 접근 및 착륙이 불가능하게 되는 어느 조건이라도 확인되었을 경우, 운항의 대체방침이 결정되어야 한다.

4.6.3 회항시간 연장운항을 위한 항공로 교체비행장

회항시간연장운항 인가를 받은 쌍발 터빈엔진 비행기를 운항하려는 항공운송사업자는 항공로 교체비행장을 선정하고, 이를 비행계획서 및 운항비행계획서에 명시하여야 한다. 기장은 항공당국으로부터 인가를 받은 회항시간연장운항을 위한 항공로 교체비행장이 회항시간연장운항의 회항시간(Diversion Time)에 따라 선정되어 비행계획서 상에 명시되었는지를 확인하여야 한다.

회항시간연장운항을 위한 항공로 교체비행장 선정시의 해당 공항 기상조건은 항공기 출발예정시간을 기준으로 가장 빠른 착륙예정시간의 1 시간 전부터 가장 늦은 착륙예정시간의 1 시간 후까지의 사이에 다음 중 하나의 표준 최저 기상치 또는 운항증명소지자가 운영기준으로 인가를 받은 교체공항 기상 최저치 이상이어야 한다.

- 1 개의 정밀접근절차(A Single Precision Approach)가 가능한 공항의 경우 운고 600ft 및 시정 3,200m 또는 당해 공항의 가장 낮은 최저 기상치에 운고 400ft 및 시정 1,600m 를 더한 것 중 높은 기상치
- 2 개 이상의 정밀접근절차가 가능한 공항의 경우 운고 400ft 및 시정 1,600m 또는 당해 공항의 가장 낮은 최저 기상치에 운고 200ft 및 시정 800m 를 더한 것 중 높은 기상치
- 비정밀접근 절차만 가능한 공항의 경우 운고 800ft 및 시정 3,200m 또는 당해 공항의 가장 낮은 최저 기상치에 운고 400ft 및 시정 1,600m 를 더한 것 중 높은 기상치

4.7 항공기의 성능제한에 관한 규정

4.7.1 이륙성능제한

항공기의 최대허용이륙중량 결정시 이륙활주 소요길이가 활주로의 길이보다 더 길지 않아야 하고, 터빈엔진 항공기의 경우 이륙거리는 활주로의 길이에 개방구역(Clearway)을 더한 길이이내 이어야 하며, 계산에 포함된 개방구역 길이는 활주로 길이의 1/2 이내이어야한다. 개방구역이란 육상비행장의 경우

항공기가 이륙해서 일정고도까지 초기 상승하는데 지장이 없도록 하기 위해 활주로 끝 이후에 설정된 장방형의 구역으로 정의한다.[15]

가속정지거리는 활주로 길이와 정지로(Stopway) 길이를 더한 것을 초과해서는 안 되고, 왕복엔진 항공기는 가속정지거리가 이륙 중 V_1 에 도달할 때까지 활주로 길이를 초과해서는 안 된다. 정지로는 이륙을 하는 항공기가 이륙을 포기하는 경우 정지하는데 적합하도록 설치된 구역으로서 이륙활주가용거리(TORA)의 끝에 위치한 장방형의 지상구역을 의미한다. 만약 항공기가 V_1 속도 이후에 중요 엔진이 작동하지 않더라도 터빈엔진 항공기는 최소 수직으로 10.7m(35ft) 높이로 장애물을 통과할 수 있어야 한다.

이륙비행경로의 폭은 비행장 경계 이내에서는 수평으로 최소한 60m(200ft)이고 경계를 지나서는 수평으로 최소한 90m(300ft)이어야 하며, 이륙경로상의 모든 지점에서의 항공기 기울기는 15 도 각도 이내 등 장애물 통과를 위해 만족하는 이륙비행경로를 유지해야 한다. 그리고, 이용 가능한 활주로는 이륙 전 항공기 정대에 따른 길이 손실을 반영하여 계산해야 한다.

4.7.2 항로상 성능 제한: 모든 엔진 작동 시

모든 엔진 작동상태에서 운항예정 항로의 왼쪽, 오른쪽 10NM 이내 모든 지형 및 장애물 상공 최소 300m(=1,000ft) 고도에서 최소 6.9Vso 의 상승률이 허용되지 않는 중량으로 항공운송사업용으로 왕복엔진 항공기를 이륙할 수 없다.

4.7.3 항로상 성능 제한: 한 개 엔진이 작동하지 않을 경우

비행을 계획할 때, 계획된 비행항로 양쪽의 9.3km(5mile) 이내에 있는 모든 지형과 장애물을 상공 최소 300m(1,000ft) 고도에서 통과하며 상승각을 유지해야 한다. 또한, 순항고도에서 계획된 착륙비행장까지의 비행경로는 양쪽의 9.3km(5mile) 이내에 있는 모든 지형과 장애물을 상공 최소 600m(2,000ft) 고도에서 통과하는 순 비행경로(Net flight path)를 유지해야 한다.

[15] 공항, 비행장시설 및 이착륙장 설치 기준

착륙이 예정된 비행장에 접근할 때는 최저 450m(1,500ft) 고도에서 상승각을 유지해야 하고, 만약 항법 정확도가 95% 수준을 충족하지 못하는 경우, 모든 지형과 장애물 통과 마진은 9.3km(5mile)에서 18.5km(10mile)까지 연장될 수 있다.

4.7.4 항로상 성능 제한: 2 개 엔진이 작동하지 않을 경우

항공운송사업자는 계획된 항로(모든 엔진 작동 순항 추력으로)상의 어떤 지점에서 90 분 이내에 착륙적합비행장이 없으면 비행 중 임계지점에서 2 개의 임계엔진[16] 이 동시에 작동하지 않을 경우 비행을 지속할 수 없다. 하지만 터빈엔진 항공기의 경우 비행계획항로 양편 5mile(4.34NM) 이내의 모든 지형 및 장애물을 수직으로 최소 2000ft 이상으로 통과하는(비행경로를 따라 예상된 외기온도 고려) 순 비행경로 (Net flight path[17], 그림 2- 1)와 유지하여야 하고 계획된 착륙공항 상공 1,500ft 에서 양의 상승 각 유지하여야 하며 계획된 착륙공항 상공 1,500ft 에 도착한 후 순항 추력으로 15 분 동안 더 비행하기에 충분한 연료로 항공기가 착륙적합비행장으로 계속 비행하는 경우에는 가능하다.

---

[16] 쌍발 엔진 이상에서의 임계 엔진이란 엔진에 고장이 발생하였을 때 항공기의 성능에 가장 나쁜 영향을 주는 엔진을 말한다. 보통 엔진 한 개가 고장이 나면 고장이 난 엔진과 그렇지 않은 엔진 사이에 추력이 불균형 하게 발생하게 된다. 통상적으로 왼쪽 엔진이 쌍발 엔진 프로펠러 항공기에서 임계엔진으로 고려된다.

[17] 1 개 엔진 부작동의 경우, Gross Flight Path (1 개 엔진 부작동의 Actual Path)의 상승성능보다 제한한 Net Flight Path 설정을 요구한다. (1.1% - 2 엔진 항공기, 1.4% - 3 엔진 항공기, 1.6% - 4 엔진 항공기)
2 개 엔진 부작동의 경우에도, Gross Flight Path (2 개 엔진 부작동의 Actual Path)의 상승성능보다 제한한 Net Flight Path 설정을 요구한다. (0.3% - 3 엔진 항공기, 0.5% - 4 엔진 항공기)

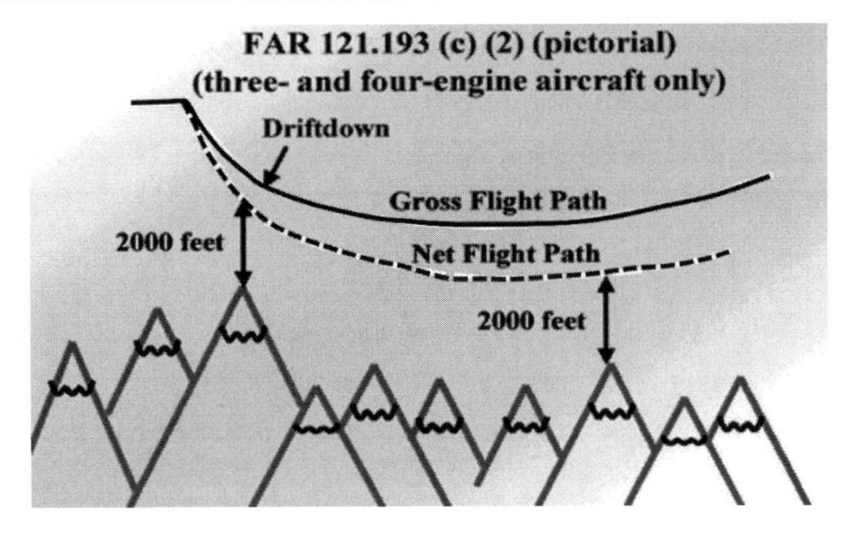

그림 2- 1 Gross Flight Path & Net Flight Path

4.7.5 착륙성능제한

항공운송사업자는 목적지 또는 교체비행장의 착륙 접근로에서 모든 장애물을 회피하여 착륙공항의 이용가능 착륙거리 내에서 착륙이 불가능한 공항을 운항해서는 안 된다. 목적지 또는 교체비행장 도착시의 비행기 중량이 비행기가 활주로 말단 상공 50ft 지점부터 다음에서 정한 거리 내에서 완전착륙정지 할 수 있지 않는 한 항공운송사업에 사용되는 비행기가 이륙하면 안 된다.

- 건조 활주로(Dry Runways): 터보제트 비행기는 착륙가능거리(LDA)의 60% 이내
- 습윤 활주로(Wet Runways) 또는 오염된 활주로(Contaminated Runways): 도착예상시간의 활주로가 젖어 있거나 미끄럽다고 예보되었다면 착륙가능거리(LDA)는 건조한 활주로에 요구되는 착륙거리의 115 % 이상이 되어야 한다. 다만, 비행교범(Flight Manual)에 습윤 활주로에서 착륙거리에 대해 별도로 규정하는 경우 짧은 착륙거리를 사용할 수 있으나 이 경우에도 건조한 활주로에 요구되는 착륙거리보다 짧아서는 안 된다. 목적지 비행장의 허용 착륙중량을 결정하기 위하여 착륙성능제한을 결정할 때는 무풍 기준으로 가장 유리한 활주로와 방향으로 항공기를 착륙하고, 비행기는 예측 가능한 풍속과 풍향, 활주로의 상태,

지상운용특성(Ground handling), 착륙보조시설, 지형 등을 고려하여 가장 적합한 활주로에 착륙해야 한다.

5. 계기비행방식 비행을 위한 최소연료 탑재량

항공기를 운항하려는 운항증명소지자는 항공안전법 제 53 조 항공기의 연료와 항공안전법 시행규칙 제 119 조 및 별표 17 항공기의 연료와 오일의 양에서 반드시 탑재해야 하는 연료에 대해 정의하고 있다. 운송사업용 비행기의 계기비행방식 비행을 위한 최소연료탑재량은 운항기술기준 8.1.9.15 에서 비행 전 요구되는 탑재 연료량 산정에 대해 지상활주연료, 운항연료, 보정연료, 목적지교체공항연료, 최종예비연료, 추가연료, 재량연료로 구분하여 설명하고 있다.

5.1 지상활주연료(Taxi Fuel)

이륙공항의 현지조건 및 보조동력장치(APU)의 연료소모량을 고려하여 이륙 전에 소모될 것으로 예측되는 연료를 의미한다. 일반적으로 시동 전 보조동력장치 사용, 엔진 시동과 지상 이동하는데 사용된다. 항공사에 따라 공항 별, 항공기 기종별로 평균 지상 이동 시간을 고려하여 고정된 양을 탑재하기도 하고, 공항 별, 운항 시간대별 혼잡도를 고려하거나 제빙 작업을 위해 지연되는 등의 출발 비행장의 상황을 고려하여 조정하는 경우도 있다.

5.2 운항연료(Trip Fuel)

운항연료는 항공기가 이륙부터 또는 비행중 재 비행계획 지점(Point of in-flight re-planning)부터 운항 조건을 고려하여 목적공항에 착륙할 때까지 요구되는 연료이다. 운항연료에는 다음의 연료들을 포함한다.

- 예상되는 출발 공항의 절차와 항로를 고려한 이륙 시 연료와 초기 순항 고도에서의 상승을 위한 연료
- 순항 시 중간 상승단계에서 사용되는 연료를 포함한 Top of climb 에서 Top of descent 까지 순항 시 사용되는 연료
- 예상되는 도착 공항의 절차를 고려한 Top of descent 에서 최초접근지점까지의 연료
- 터미널 접근 절차를 위하여 필요한 모든 연료를 포함한 접근에서 착륙까지의 연료

5.3 보정연료(Contingency Fuel)

예상치 못한 요인(unforeseen factor)[18]에 대비하기 위한 연료로서 계획된 운항연료의 5% 또는 비행중 재 비행계획 지점(point of in-flight re-planning)에서 요구되는 운항연료의 5%에 해당하는 보정연료를 탑재할 수 있다. 다만, 아래와 같은 요건에 해당하는 경우 항로상 교체공항 범위 내에서 운항연료의 3%에 해당하는 보정연료를 탑재할 수 있다.

- 운항연료의 3%를 보정연료로 탑재하는 해당 기종의 실제 연료소모율을 관찰할 수 있는 연료사용감시 프로그램(FCM program)으로 계획 대비 실제 연료소모율 편차를 조정할 수 있어야 함
- 목적공항에 도달하기 전에 보정연료를 전부 사용했을 경우 운항승무원이 수행해야 하는 절차를 마련하고 운항승무원에게 제공
- 항로상 교체공항의 예정도착시간 1 시간 전부터 1 시간 후 까지의 기상조건이 운영자가 인가한 계획단계의 기상 최저치 이상인 경우에만 적용
- 착륙 기상 최저치 이상인 기상조건에만 적용
- 그림 2- 2 와 같이 목적공항으로부터 총 비행계획 거리의 25%에 해당하는 지점 또는 총 비행계획 거리의 20%에 50 NM 을 더한 지점 중 큰 거리에 해당하는 지점을 중심으로 하여, 총 비행계획 거리의 20%에 해당하는 거리를 반경으로 원을 그려서 그 안에 항로상교체공항 위치

보정연료는 표준대기상태에서 목적공항 상공 450m(1,500 ft)에서 5 분간 체공할 수 있는 양보다 많아야 한다.

5.4 목적지교체공항연료 (Destination Alternate fuel)

목적지교체공항연료는 목적공항의 실패접근지점부터 교체공항에 착륙할 때까지 필요한 연료량이다. 목적지교체공항이 필요한 경우 아래를 수행하기 위해 필요한 연료량을 탑재해야 한다.

- 목적공항의 최저 강하고도(Minimum Descent Altitude)/결심고도(Decision Height, DH)에서 실패 접근 고도까지 실패 접근 절차를 수행할 수 있는 연료

---

[18] 예상치 못한 요인들(Unforeseen factors)은 목적공항까지의 연료소모에 영향을 미칠 수 있는 요인들로 예상연료 소모데이터와 각 비행기별 편차, 기상예보의 편차, 지연의 연장(지상 또는 공중), 계획된 항로, 순항고도의 편차

- 실패 접근 고도에서 순항 고도까지 상승할 수 있는 연료
- TOC(Top of Climb)에서 TOD(Top of Descent)까지 순항할 수 있는 연료
- 예상되는 도착 공항의 절차를 고려한 Top of descent 에서 최초접근지점까지의 연료
- 목적지교체공항에서 접근과 착륙 절차를 수행할 수 있는 연료

최저강하고도(MDA)는 시각참조물 없이 강하할 수 없는 비정밀 및 선회접근 시 적용되는 해수면으로부터의 특정고도로 정의하고, 결심고도(DH)는 정밀 계기 접근 중 육안으로 참조물을 계속하여 식별하지 못하는 경우에 실패 접근을 시작하여야 하는 특정 고도를 말한다.

MDA 는 비정밀 접근에 사용되며, 이는 조종사가 항공기를 착륙시키기 위해 계기에 의존하지 않는다는 것을 의미한다. 비정밀 접근에서는 조종사가 MDA 아래로 하강하기 전에 활주로 주변 항행안전시설을 확인해야 한다. 즉, 조종사는 MDA 아래로 하강하기 전에 활주로나 진입등을 시야에 확보해야 한다. 반면에 DH 는 항공기를 착륙시키기 위해 정확한 계기 안내에 의존하는 정밀 접근에 사용된다. 정밀 접근은 일반적으로 시정이 좋지 않거나 기상 조건이 좋지 않은 상황에서 사용하는데, DH 는 정밀 접근 중에 안전하게 하강할 수 있는 최저 고도이며, 조종사는 육안 참조 없이 활주로까지 계속 하강할 수 있다. Altitude 는 평균해수면(MSL)을 기준으로 하고, Height 는 활주로 시단 표고(threshold elevation)을 기준으로 한다.

목적지교체공항이 없는 비행의 경우[19] 표준대기상태에서 항공기가 목적공항 상공 450m(1,500ft)에서 체공속도로 15 분동안 비행하기 위한 연료량이 필요하다. 목적공항이 고립공항인 경우에는 터빈엔진 항공기의 경우 최종예비연료를 포함하여 목적공항 상공에서 정상적인 순항 연료소모율로 2 시간 비행할 수 있는 연료량을 탑재해야 한다.

[19] 제 2 장 4.2.2 계기비행방식 비행시의 교체비행장 요건 참조

MDA(H)(Minimum descent altitude(height)) 최저강하고도	DA(H)(Decision altitude(height)) 결심고도
● 비정밀접근 또는 선회접근 ● MDA/H 도달 후 더이상 내려가지 않고 수평 비행하다가 MAP 에서 시각참조물이 보이면 접근 진행, 보이지 않으면 실패접근 시작 ● 항공기는 MDA/H 아래로 내려가서는 안됨	● 정밀접근 또는 수직 정보를 제공하는 접근 ● 접근을 계속하기 위한 시각 참조물이 충분하지 않다면 실패접근절차 시작 ● 항공기가 DA/H 아래로 내려갈 수 있다는 점을 고려하여 설정 (DA/H 이하 가능)

표 2- 14 MDA(H)와 DA(H) 차이점

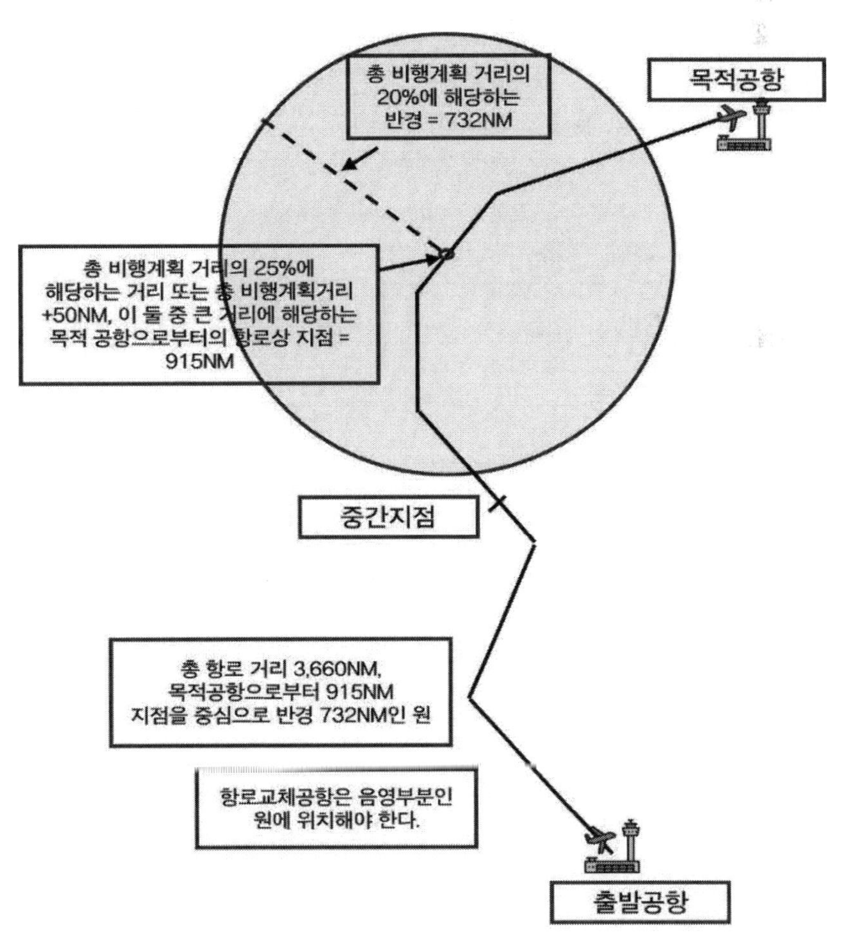

그림 2- 2 항로교체공항 위치

5.5 최종예비연료(Final Reserve Fuel)

교체비행장에 도착 시 예상되는 비행기의 중량 상태에서 표준대기 상태에서의 체공속도로 교체비행장의 450m(1,500ft)의 상공에서 30 분간 더 비행할 수 있는 연료의 양을 탑재해야 한다.

5.6 추가연료(Additional Fuel)

운항연료, 보정연료, 목적지교체공항연료, 최종예비연료로 산정된 최소연료가 아래의 내용을 수행하는데 불충분한 경우 추가로 탑재하는 연료이다.

- 항공기가 항로상 가장 심각한 임계점에서 엔진고장이나 여압장치 고장이 발생한 것을 가정해서 둘 중 더 많은 연료를 필요로 하는 경우에 교체공항으로 비행하여 표준대기 상태에서 공항 450m(1,500ft) 상공에서 체공속도로 15 분동안 비행하고 접근, 착륙하는데 필요한 연료
- 회항시간 연장운항(EDTO) 임계연료 시나리오에 부합하여 항공기가 회항시간 연장운항을 수행하는데 필요한 연료

5.7 재량연료(Discretionary Fuel)

항공기 기장의 재량에 의해 추가로 탑재되는 여분의 연료로 정의한다. 일반적으로 운항관리사나 기장이 비행계획서 작성 시에 저시정, 태풍, 폭설 등 위험기상이나 항공고시보에 의한 항행안전시설 고장, 활주로 공사 등으로 예상되는 비행 지연으로 연료가 추가로 소모할 것을 대비해서 추가로 탑재하는 연료이다. 하지만 객관적인 근거에 의한 정확한 양의 탑재가 아닌 주관적으로 과도하게 탑재되는 재량연료는 무게 증가로 인한 추가 연료 소모로 불필요한 비용과 탄소 배출로 이어질 수 있으므로 항공사는 적절한 탑재량에 대한 지침을 통해 안전하고 효율적인 운항을 보장할 수 있다.

5.8 항공기에 탑재해야 할 예비연료량의 별도 인가기준

항공기에 탑재해야 할 예비연료량을 별도로 인가를 받기 위해 운항증명소지자는 비행계획의 정확성, 각각의 항공기 및 비행계획 시 탑재한 연료량 대비 실제 사용한 연료량의 차이인 운항노선, 기종 별 연료소모편차에 대한 분석자료, 항공기와 엔진의 신뢰성 및 운항관리절차(Dispatch/Flight Release Procedures)가 적절함을 입증할 수

있는 최소 1 년 이상의 항공기 운영 실적자료를 항공당국에게 제시해야 한다. 운항증명소지자는 각각의 항공기 및 운항노선, 기종 별 연료소모편차를 분석하여 산출한 연료소모량에 대한 보정치가 운항비행계획서(Flight Plan)에 반영할 수 있는 다음을 충족하는 연료소모감시프로그램(Fuel consumption monitoring program)을 갖추고 있어야 한다.

- 각각의 항공기에 대한 연료소모 편차를 분석할 수 있는 항공기 성능관리프로그램을 수립하여 운영하여야 한다. 동 프로그램에 의해 각 항공기에 대한 연료소모 성능이 지속적으로 감시, 분석
- 노선, 기종 별 운항특성에 따른 연료소모 편차를 분석할 수 있는 연료관리프로그램을 수립, 운영
- 기체 또는 엔진 등 항공기 성능에 영향을 미치는 사양(Configuration)의 변경이 있을 경우, 운항증명소지자는 예비연료계산 시 사용되는 연료소모 보정치를 재평가 실시
- 신규로 도입된 항공기에 대한 연료소모 보정치의 적용

연료소모감시프로그램의 운영결과에 대해 매월 평가하고 그 평가결과를 최소 1 년 이상 기록 유지하여야 한다. 기상예보, 항로 및 비행고도를 정확하게 반영할 수 있는 운항비행계획시스템(Flight Planning System)을 갖추어야 한다.

- 운항비행계획서(Flight Plan)는 컴퓨터 시스템으로 작성
- 목적 공항 및 교체공항의 예보와 전체 항로에 걸쳐 경/위도 1.25 도 이내 간격의 각 지점에 대한 상층풍, 온도 등의 기상자료가 운항비행계획서 작성 시 고려
- 비행계획에 포함되는 연료 소모량을 산출할 때는 출발공항에서 목적 공항까지 운항하는데 필요한 연료량(Trip Fuel)에 영향을 미칠 수 있는 목적 공항 및 교체공항까지의 항로와 고도 등을 포함한 모든 요소들을 고려
- 항공기의 연료지시 및 감시시스템(Fuel indicating & monitoring system)이 비행출발(Dispatch) 시에 정상적으로 작동되어야 하며, 항로상에서 동 시스템에 고장이 발생할 경우에는 즉시 운항승무원으로 하여금 운항관리사 또는 비행감시자에게 동 사실을 통보하게 하여 필요한 후속 조치 필요

비행 중 연료소모를 지속적으로 감시할 수 있는 비행감시 프로그램을 수립하여 운영하여야 한다. 운항승무원과 운항관리사 또는 비행감시자가

최소 1.5 시간에 한 번씩 비행계획 대비 실제 항공기의 위치, 항로, 고도 및 연료량 등을 확인하여야 하고, 그 결과를 기록유지 할 수 있는 절차를 수립하여야 한다. 그리고, 기장은 다음과 같은 상황으로 인하여 비행계획 시 산출한 연료량 보다 연료가 더 소모되었거나 소모될 것이 예상되는 경우 즉시 운항관리사 또는 비행감시자에게 통보할 수 있도록 하여야 한다.

- 비행계획 대비 도착 예정시간이 15 분을 초과하였거나,
- 순항고도가 4,000 ft 를 초과하여 운항하거나 또는,
- 계획된 항로에서 100 mile 을 초과하여 우회 운항할 경우

비행 중 계획된 연료 이상으로 연료가 소모되어 예비연료 사용이 예상될 경우, 기장은 운항관리사 또는 비행감시자에게 신속히 통보하여 비행의 계속 또는 비행계획의 변경여부의 검토 및 필요한 조치를 취하도록 하는 절차를 수립하여야 한다. 비행 중 항로상 어느 지점에서나 운항승무원과 운항관리사 또는 비행감시자간 양방향 통신이 가능해야 한다. 비행종료 시까지 동 프로그램에서 요구하는 모든 보고내용을 운항관리사 또는 비행감시자로 하여금 기록 유지하도록 하여야 한다.

제 3 장 항공기 성능

1. 일반

비행계획을 할 때 항공기 성능을 이해하는 것은 중요하다. 항공기의 운항은 이륙, 상승, 순항, 강하, 접근, 착륙의 과정을 거치면서 종료가 되며 이러한 과정별로 항공기는 각각 다른 성능특성을 가지고 있기 때문에 효율적이면서도 안전한 비행을 위해서는 각 과정에 대한 이해가 필요하다. 각 과정별 정의는 표 3- 1 과 같다.

운항단계	정의
이륙	이륙 활주를 시작하여 활주로 말단 상공 35ft 에 도달
상승	활주로 말단 35ft 에서부터 TOC[20] Top of Climb 지점까지 상승
순항	TOC 지점으로부터 TOD[21] Top of Decent 지점까지 항공기의 비행
강하	TOD 지점부터 활주로 말단으로부터 고도 1,500ft 까지 하강
접근	활주로 말단으로부터 고도 1,500ft 에서 50ft 고도까지 접근
착륙	활주로 말단 50ft 부터 활주로에 착지하여 정지까지

표 3- 1 항공기운항의 각 과정과 정의

항공기 운항 단계별로 고려해야 할 여러가지 사항이 있다. 이륙 시에는 항공기 중량, 활주로 상태, 기상 조건 등을 고려하여 안전하게 이륙하고, 순항고도에 도달하기 위해 상승 속도와 시간에 대한 계획이 필요하다. 순항고도에 도달하면 바람 조건, 항공기 중량, 대기 상태 등을 고려하여 연료 소모를 최소화하고 항속 거리를 최대화하는 최적의 순항 고도와 속도를 결정해야 한다. 도착 공항에서 착륙을 위해 항로상에서 하강을 시작할 때는 고도 제한, 항공교통관제 지침, 접근 절차 등을 고려하여 원활하면서도 통제를 받는 하강을 계획하게 된다.

[20] TOC 는 상승단계에서 순항단계로 이양되는 지점으로서 TOC 지점은 항공기에 탑재된 비행관리시스템(Flight Management System)또는 항공기 운영상 적절하다고 고려되는 순항고도까지의 지점으로 결정된다.

[21] TOD 는 순항단계에서 강하단계로 이양되는 지점으로서 TOD 지점은 최종접근고도(Final Approach Altitude)를 기초로 한다. TOD 는 항공기에 탑재된 Flight management System 이나, 항공기 운영상 가장 적절하다고 고려되는 지점으로 결정된다.

항공기 운항 단계별로 고려해야 할 사항들은 대기의 특성과 밀접한 관련이 있으며, 이러한 요소들은 비행 안전성과 효율성을 결정짓는 중요한 기준이 된다. 따라서 국제표준대기(ICAO Standard Atmosphere, ISA) 모델의 도입은 항공기 성능 계산 및 비행계획 수립에 필수적인 참고 자료로 작용하게 되었다. 대기의 특성은 전 지구에 걸쳐 다른 특성을 지닌다. 이러한 이유로 1920 년대 유럽과 미국 등 여러 기관에서 ISA 를 개발하였다. 1952 년 ICAO 는 국제적으로 통용되는 모델을 도입하여 광범위한 고도에서 온도, 압력 및 기타 대기 특성에 대한 일관된 기준을 제공하여 항공기의 성능을 계산하고 비행계획에 도움을 주게 되었다.

- 평균해면고도에서 온도는 15℃, 기압은 1013.25hPa, 밀도는 1.225kg/m^3 이다.
- 고도가 올라감에 따라, 온도는 감소한다. 기온은 1,000m 당 -6.5℃ 씩, 1,000ft 당 -1.98℃ 씩 감소한다. 대류권과 성층권이 만나는 표준 대류권계면의 고도는 11,000m 또는 36,089ft 이다. 표준 대류권계면 고도 위로는 -56.5℃ 로 온도가 일정하게 유지된다.
- 기압은 평균해면고도에서 1013.25hPa 이며, 이 때 가정은 고도에 대한 온도는 표준이고, 공기는 이상기체라는 것이다.

표 3- 2 는 기압 별 기압고도와 비행고도를 나타내고 있다. 밀도도 압력과 같이, 공기를 이상 기체로 가정하고 표준밀도를 계산한다.

기압(hpa)	기압고도		비행고도: 기압고도/100
	피트	미터	
200	38,661	11,784	390
250	34,000	10,363	340
300	30,066	9,164	300
500	18,287	5,574	180
850	4,813	1,467	50
1013	0	0	0

표 3- 2 기압별 기압고도 및 비행고도

2. 이륙성능

이륙 성능에서 가장 큰 요인은 항공기의 중량이다. 이륙 속도는 항공기 중량의 제곱근에 비례하고 중량이 20% 증가할 때 약 10% 증가한다. 이륙 거리가 중량의 제곱에 비례하기 때문에 중량이 증가할 때 일정한 추력을 감안하면 가속도는 감소되고 이륙 속도를 위한 거리는 길어지게 된다. 항공기의 이륙 성능에 영향을 주는 요소에는 표 3- 3 의 활주로 길이, 활주로 면의 경사도, 바람성분, 활주로 온도, 활주로 표고, 장애물이 있다.

요인	이륙성능에 유리	이륙성능에 불리
활주로 길이	길이가 긴 경우	길이가 짧은 경우
활주로 면의 경사도	하향 경사(Down Slope)	상향 경사(Up Slope)[22]
바람 성분	정풍(Head Wind)[23]	배풍(Tail Wind)
활주로 온도	기온이 낮을수록[24]	기온이 높을수록
활주로 표고	표고가 낮을수록	표고가 높을수록[25]
장애물(OBSTACLE)	이륙 경로 상에 장애물이 있을 때는 이를 회피할 수 있을 정도로 이륙 중량 감소 필요	

표 3- 3 항공기의 이륙성능에 영향을 주는 요인

비행계획 수립 시 항공기의 안전 운항을 최우선으로 하지만 고도, 속도, 바람 조건, 항공기 중량 등을 고려하여 경제적인 운항을 위해 연료 소모율을 최적화해야 한다. 항공기의 이륙중량에 따라 요구되는 활주로 길이가 달라지게 된다. 상대적으로 이륙중량이 크면 더 긴 이륙거리를 요구하게 되는데 항공기가 이륙할 때 양력을 발생하기 위해 엔진의 추력이 필요하기 때문이다. 활주로 길이는 항공기 성능, 이륙 중량, 온도, 기압, 바람 등의 조건, 경사도, 노면의 상태 등 활주로 특성 그리고 이륙 경로 상의 장애물, 소음저감절차 등에 의해서 결정된다. 이륙은 공중가속 단계에서 35ft 까지로 정의되지만, 운항관리 측면에서는 이륙 후 상승 단계까지 고려해야 한다. 이륙은 종종 중량과의 균형을 맞추는 과정이다. 중량에 따라 이륙거리가 변동하며 때로는 중량을 줄여야 하는 상황도 발생할 수 있는데 다음과 같은 경우이다.

- 이륙중량이 무거워 더 많은 이륙거리를 필요로 하는 경우
- 이륙거리가 제한적이어서 이륙중량을 줄여야 하는 경우

---

[22] Upslope 인 경우 Accelerate Stop 시에는 다소 유리하게 작용하지만 Accelerate & Go 시의 성능에는 매우 불리한 영향

[23] 정풍 성분은 항공기 자체 속도에 더해져서 공기와 항공기 간의 상대 속도를 크게 해주므로 이륙 성능에 유리한 영향

[24] 기온이 낮을수록 공기 밀도가 크기 때문에 단위 시간당 엔진으로 흡입되는 공기의 양이 많아져서 엔진 추력이 좋아짐. Flat Rated Temperature(約 30℃부근) 이상에서는 엔진 성능이 급격히 떨어짐

[25] 활주로의 표고가 높을수록 공기 밀도가 희박 해져 단위 시간당 엔진으로 흡입되는 공기의 양이 적어져 엔진 추력이 감소되기 때문에 이륙 성능이 저하된다. 따라서 고고도 지역의 활주로 길이가 대체적으로 길다.

- 온도가 높아 항공기 엔진의 성능 저하로 이륙중량을 줄여야 하는 경우
- 기압고도가 높아 항공기 엔진의 성능이 낮아져 이륙중량을 줄여야 하는 경우
- 활주로의 노면 상태가 미끄러워 이륙을 중지하기로 결심했을 때 정지로(Stopway) 내에 정지해야 하지만 이륙중량이 무거워 정지로(Stopway) 내에 정지할 수 없다고 예상될 경우
- 활주로의 끝이 아닌 중간에 유도로로 진입하여 이륙거리가 짧아져 이륙중량을 다시 산정하거나 이 산정된 값에 따라 이륙중량을 줄여야 하는 경우
- 바람의 성분으로 이륙중량을 줄여야 하는 경우
- 이륙경로상 장애물에 의하여 더 가파른 상승률을 필요로 하는 경우에도 이륙중량을 줄여야 할 수도 있다.
- 장애물이 아닌 이륙경로 상 기본 상승률이 보장되지 않는 무거운 이륙중량이라면 이륙중량을 줄여야 한다.
- 해당공항 근처에 소음민감지역으로 인한 소음저감절차를 사용하는 경우 첫 상승단계에서 기본 상승률보다 가파른 상승률을 요구하게 되는데 이 가파른 상승률을 충족하지 못하는 경우 이륙중량을 줄여야 한다.

2.1 이륙속도

이륙하는 과정에서 속도를 제어하는 것은 중요하다. 속도를 간과하거나 부적절한 속도로 이륙하는 것은 여러가지 위험을 초래할 수 있다. 따라서 이륙 과정에서 기준이 되는 속도를 정해 조종사가 판단을 내리는 데 도움이 되는 참조점을 제공한다. V_1(Takeoff decision speed: 이륙 결심 속도), V_R (Takeoff Rotation Speed: 이륙 자세 전환 속도), V_2 이륙 안전 속도(Takeoff safety speed/Takeoff climb speed), 부양 속도, 최대 제동 에너지 속도와 같은 이륙을 위한 기준 속도는 이륙 성능 한계와 고장 발생 시 대처할 수 있도록 설정된다. 이 속도들은 항공기 기종별로 인증을 위한 시험 비행에서 수집된 값에 기반하여 계산된다. 항공기의 이륙성능을 결정하는 속도는 표 3-4 와 같고, 항공기의 최대이륙중량(Maximum Takeoff weight), 실제 이륙중량(Takeoff weight) 그리고 바람성분(Wind factor) 등에 의해서 결정되고, 이렇게 결정된 속도는 이륙과정을 수행하는 조종사들이 이륙과정을 안전하게 수행할 수 있는 판단의 기준이 된다.

이륙 속도의 종류	이륙속도	설명
V_1	TAKE OFF DECISION SPEED	이륙을 계속적으로 수행해야 할지 말지를 결정하는 속도
V_R	ROTATING SPEED	항공기가 충분한 부양력을 얻을 수 있는 속도
V_2	TAKE OFF SAFETY SPEED	항공기가 안전하게 부양한 후 상승을 계속 할 수 있는 속도

표 3-4 이륙 성능을 결정하는 속도

2.1.1. V_1(TAKEOFF DECISION SPEED: 이륙 결심 속도)

V_1 은 이륙 결심 속도로 조종사가 이륙을 계속하거나 중단하기로 결정해야 하는 최대 속도이다. V_1이란 임계 엔진(Critical Engine) 이 작동하지 않음을 인지한 후, 이륙을 계속할 것인지, 또는 이륙을 중단할 것인 지를 결정하는 기준 속도이다. 즉, 이륙활주 중에 엔진고장, 조류충돌 등과 같은 비상상황이 발생하여 항공기의 이륙을 중단해야 할 때, 항공기 속도가 V_1 속도 이하라면 이륙 중단이 가능하고, V_1 이상이라면 그대로 이륙을 실시하여야 한다. 단, 이륙 중단을 결심한 경우에는 V_1 도달 시점 이전에 최초 브레이크 조작(initial breaking action)이 수행되어야 한다. 항공기가 이 속도에 도달하면 항공기가 정지하거나 이륙하는 데 동일한 거리가 필요하다. V_1 속도는 항공기 기종마다 다르며 항공기의 무게, 기상 조건에 따라 결정된다. 안전한 이륙을 위한 가장 중요한 속도다.

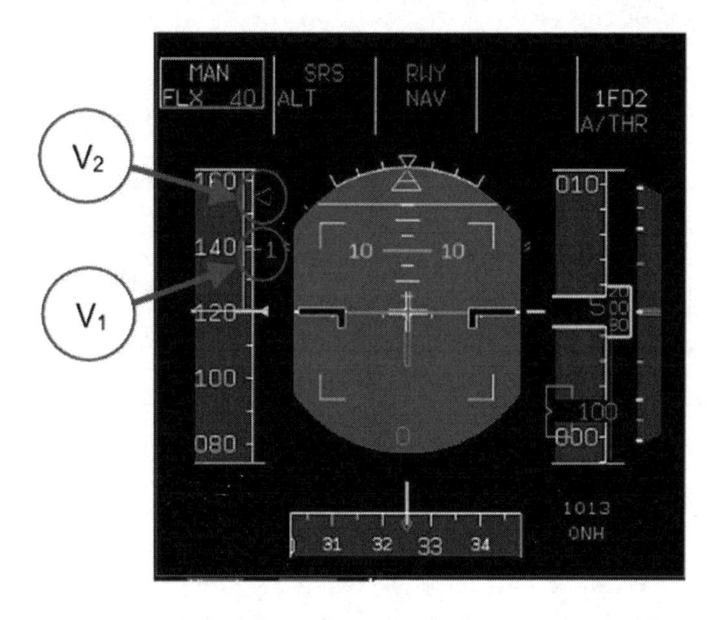

그림 3- 1 Information provided by the PFD(출처: Airbus Performance manual)

2.1.2. V_R (TAKEOFF ROTATION SPEED: 이륙 자세 전환 속도)

V_R은 이륙하는 과정에서 항공기가 전환을 시작하는 속도이다. V_R 은 이륙 후 적절한 상승성능을 얻기 위한 속도인 V_2를 이륙 표면 35ft 고도에서 얻을 수 있도록 전환[26] (Rotation)을 시작할 수 있는 속도이다. 즉, 이륙 중 항공기의 속도가 V_R 일 때, 항공기의 기수 올림(Nose-up)기동을 수행해야 원하는 만큼의 V_2 속도를 활주로 표면 위 35 ft 에서 얻을 수 있다. 또한 V_R 은 V_{MCA} [27]X 1.05 미만 또는 V_1 미만 이어서는 안된다. 조종사는 이륙 결심 속도보다 큰 속도로 기체의 앞부분을 들어올리기 때문에 남은 활주로 길이 내에서 정지할 수없이 이탈이 발생할 수 있다. 전환 속도를 준수하지 않는 경우 항공기의 꼬리 부분이 지면에 닿을 수 있다. V_1 속도와 마찬가지로 항공기 기종마다 다르며 항공기의 무게, 기상 조건에 따라 결정된다.

---

[26] 항공기 이륙조작의 일부분으로 항공기를 부양시키기 위해서 기수를 드는 기동(Nose-up)을 전환(Rotation)이라고 한다.

[27] 부양 중 최소 조종 속도(Minimum Control Speed on Air, V_{MCA})는 1 개 엔진이 작동하지 않는 것을 가정했을 때 경사각 Bank Angle 을 15°를 넘지 않고 Yawing 없이 직선비행이 가능하며, 항공기의 조종성을 유지할 수 있는 속도.

2.1.3. V_2 이륙 안전 속도(TAKEOFF SAFETY SPEED/TAKEOFF CLIMB SPEED)

항공기의 임계엔진이 작동하지 않는 상태에서 활주로 말단으로부터 35ft 상공에서 항공기가 유지해야 하는 속도이다. V_2는 이륙과정 이후 항공기가 안전하게 상승과정을 수행할 수 있는 기준이 되는 속도로서, V_2 속도는 이륙 기동 시 V_S[28]X1.2 이상 또는 V_{MCA} X1.1 가 되어야 한다. V_2 는 이륙을 위한 안전속도로 항공기가 엔진 한 개가 작동하지 않는 상태에서도 안전하게 상승할 수 있는 속도이다. 이 속도는 활주로 끝(혹은 개방구역(Clearway)의 끝) 35ft 높이에 도달해야 하는 최소상승속도이다. 이 속도를 준수하지 않을 경우 엔진이 고장 났을 때 제어가 어려워질 수 있다.

2.1.4 V_1 속도가 이륙에 미치는 영향

V_1 속도는 이륙하는 항공기의 안전성과 이륙 후 상승성능에 큰 영향을 미치게 된다. 작은 값의 V_1 사용하게 되면 가속정지거리가 짧아지고 필요이륙거리가 길어지게 되고, 이에 따라 가속정지거리에 여유를 둘 수 있음으로 항공기의 안정성이 증가된다. 반면에 큰 값의 V_1 을 사용하게 되면 가속정지거리가 길어지고 필요이륙거리가 짧아지며, 이는 항공기의 부양 후에 상승성능을 좋게 하기 위해 사용한다.

2.1.5 V_{LOF}

항공기가 최초로 이륙하는 부양 속도를 의미한다. 이 속도는 항공기가 이륙하기 위해 필요한 최소한의 속도이다. V_1, V_R 속도와 마찬가지로 항공기 기종마다 다르며 항공기의 무게, 기상 조건에 따라 결정된다.

2.1.6 V_{MBE}

항공기가 이륙을 중단할 때 브레이크에 최대 에너지가 가해지는 지상속도이다. 즉 브레이크의 에너지 흡수 한계를 초과하지 않고 최대 수동 브레이크 압력을 적용할 수 있는 속도이다. 최대 브레이크에너지 속도라고

---

[28] 항공기가 실속하기 전의 최소 속도로 Stalling speed 를 의미. 실속이란 항공기가 양력을 잃고 더 이상 비행을 유지할 수 없는 상태를 말함

부르며, V_1 에 해당되는 속도의 에너지 양보다 큰 에너지를 버틸 수 있는 속도로 산출되어야 한다. V_1 속도는 V_{MBE} 속도보다 작아야 하며 이는 항공기가 이륙을 중단해야 할 경우 브레이크가 제동 에너지 한계를 초과하지 않도록 보장되어야 한다. 이륙 과정의 기준이 되는 속도들은 절대적인 값이 아니라 변동되는 값(기압, 온도, 밀도, 활주로 상태 등에 따라 달라지는 값)이라는 것을 참고하여야 한다.

2.2 이륙제한사항

2.2.1 이륙 성능을 결정하는 거리

그림 3- 2 에서와 같이 항공기가 활주로 끝에서 움직이지 않고 이륙을 위해 대기하고 있고, 이곳을 0 으로 표시하고 있다. 조종사가 브레이크를 풀고, 최대 이륙을 위한 출력을 사용해서 활주로를 따라 가속하게 된다. 출발점에서 어느 정도 떨어진 곳에서 항공기가 공중으로 떠오르게 되는데 이를 위해 활주로를 따라서 얼마나 많은 거리를 이동하게 되는 것일까? 이는 이륙 성능을 분석하는데 있어 핵심적인 질문이다. 항공기가 활주로를 따라서 비행한 거리 즉 공중으로 떠오르기 전까지의 거리를 S_g 로 표시하였다. 비행기가 공중으로 떠오른 후 장애물을 통과하기 전까지(군용항공기의 경우 50ft, 상업용 항공기의 경우 35ft)의 지상 거리인 S_a 로 표시한다면 총 이륙거리(total Take off Distance)는 S_g 와 S_a 의 합이 될 것이다.

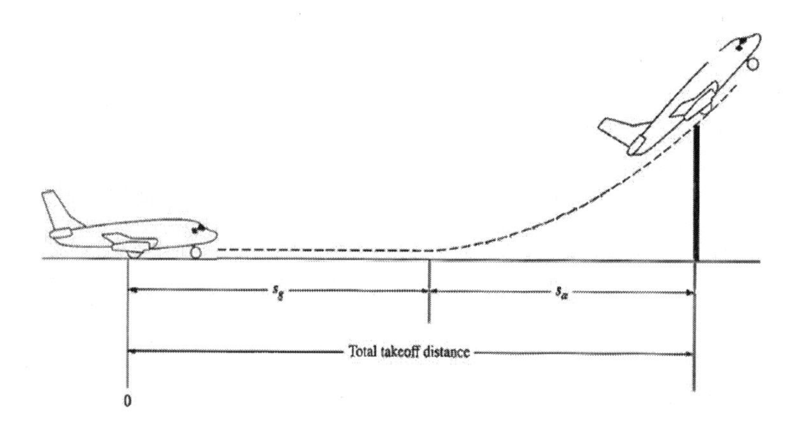

그림 3- 2 총 이륙거리

이륙거리에는 지상에서의 이륙활주거리와 장애물을 통과하는데 필요한 추가 거리가 포함된다. 이륙거리는 활주로 길이에 개방구역(Clearway)을 포함한 길이를 초과해서는 안 된다.

이륙거리는 건조한(Dry) 활주로와 습윤(WET) 활주로에서의 조건이 다르며 건조한 활주로에서는, 임계엔진 1 개가 고장 났을 때 V_1 에서 인지한 경우 출발 지점부터 이륙표면 35ft 까지의 거리와 모든 엔진이 가동하는 경우 출발 지점에서 이륙 표면 35ft 까지 진행한 거리의 115% 중 큰 값을 사용한다. 습윤 활주로에서는 첫째 건조활주로에서의 이륙 거리와 엔진이 하나 고장 났을 때 V_1 에서 인지하여 이륙 표면 35ft 도달전에 V_2 속도로 도달할 수 있다는 보장을 기준으로 하며, 출발지점으로부터 이륙 표면 15ft 까지 항공기가 이동한 거리이다.

이륙을 위한 활주로가 길어질수록 대형 항공기가 운항할 수 있는 가능성이 높아지지만 지형적, 경제적인 문제로 인하여 필요한 활주로 길이를 정확히 계산해야 한다. 이륙을 시작한 지점에서 양력을 얻어 지상으로 떠올라 고도 35ft 에 도달하는 데 필요한 활주로 길이를 이륙 활주거리라고 하며 그림 3-3 에서와 같이 여기에 15%의 추가 거리를 포함하여 Required Take-off field length 즉 이륙 활주 거리 요구량이라고 한다. 엔진이 2 개 이상인 다발기에서는 이륙 결심속도 V_1 에서 이륙을 중단하고 긴급하게 정지할 때까지 필요한 거리 또는 이륙 결심 속도에서 엔진 1 개가 고장 났지만 이륙을 계속해서 고도 35ft 에 도달할 때까지의 거리 중 가장 긴 값을 이륙 활주거리 요구량으로 설정한다.

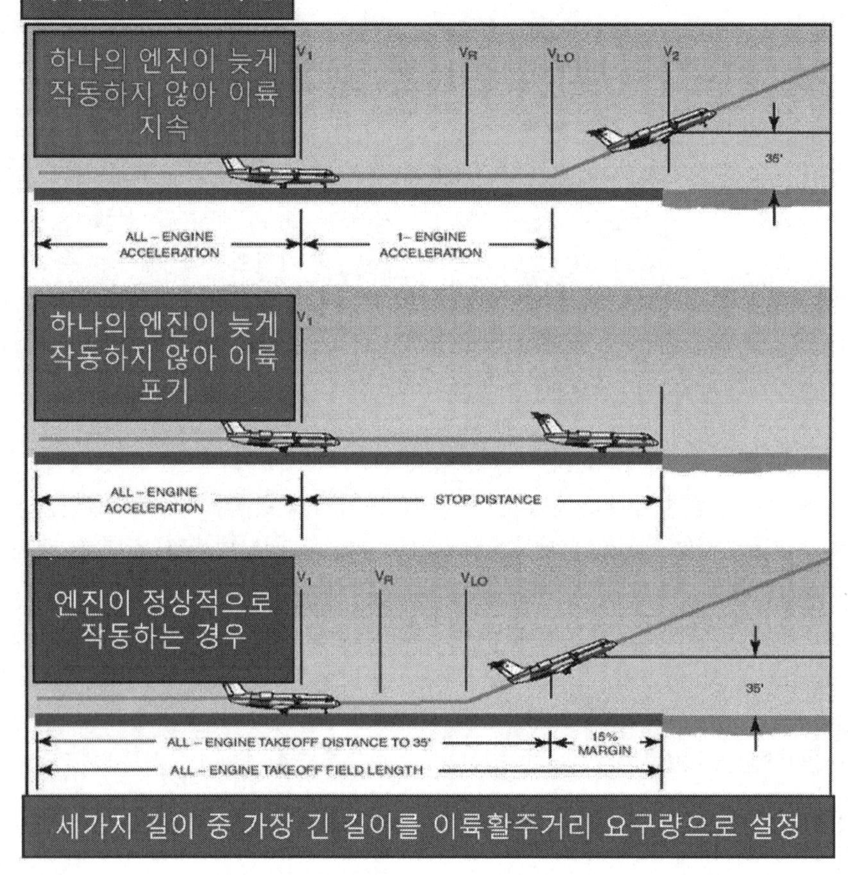

그림 3-3 엔진 작동 여부에 따른 이륙활주거리 요구량

2.2.2 공시거리(DECLARED DISTANCE)

인천국제공항의 경우 활주로의 길이가 3,750m 로 되어 있으나 이는 포장된 부분만을 공표한 것으로 ICAO 기준에 따라 활주로로서 활용 가능한 부분인 정지로(Stopway)[29]와 개방구역(Clearway) 등을 포함시키면 공시되는 거리는 4,050m 가 된다. 활주로 양쪽 끝부분에 정식 활주로가 아니지만 활주로의

---

[29] 통상 대형기가 뜨고 내리는 활주로의 양쪽 끝부분에 마련된 비상구역으로 착륙할 때나 이륙을 위한 활주를 하다가 엔진 한 개가 작동하지 않거나 활주로에 이상한 물체 또는 새떼가 엔진에 빨려 들어가는 Bird strike 로 인해서 가속 정지하는 등 긴급한 상황에서 활주를 취소하면서 Overrun 하는 경우 등 비상시에만 진입이 가능하다. 이 구역은 활주로만큼 견고하지 않지만 항공기가 급정지하면서 침범해도 기체에 손상을 주지 않도록 적당하게 포장되어 있다. 또한 대형 제트 엔진으로부터 배출되는 배기열로부터 메탄가스를 흡착하여 활주로 노면을 보호하는 역할도 겸한다.

역할을 하는 150m 씩의 개방구역, 정지로가 존재한다. 개방구역(Clearway)은 활주로 끝부분에 이어져 있는 장애물이 없는 평탄한 구역으로 공항 당국에 의해 관리되는 구역을 말한다. 정지로(Stopway)에 최소 75m 를 더한 구역을 포함한 곳을 개방구역이라고 보면 된다. 이곳에서는 항공기가 이륙 활주 도중 엔진 한 개가 고장 나거나 제대로 작동하지 않더라도 다음과 같은 조건이 충족될 경우 멈추지 않고 그대로 활주로 연장선으로 간주하고 그대로 이륙할 수 있기 때문에 작은 V_1 을 사용할 수 있어 항공기의 안전성이 증대될 수 있다.

- 항공기가 출발점으로부터 활주로 위 35ft 고도에 도달할 때까지의 수평거리가 활주로 길이 + 개방구역 길이 범위 내일 것
- 활주로가 이륙을 위한 활주 거리(Take-off run)보다 길 것

즉 개방구역(Clearway)이 활주로의 연장 부분으로 활용되어 활주로와 마찬가지의 역할을 하게 된다. 일반적으로 각 공항에 공시되어 있는 대형항공기의 최대이륙중량 기준을 정하는 과정에서 개방구역의 길이가 감안되어 있다. 그림 3- 4 에서와 같이 개방구역의 설계 기준은 그 길이가 일반적으로 250ft(76m) 이상이면서 활주로 길이의 1/2 보다 짧아야 하고 폭 500ft(152.4m), 활주로 끝에서부터 경사도가 1.25% 이내여야 한다.

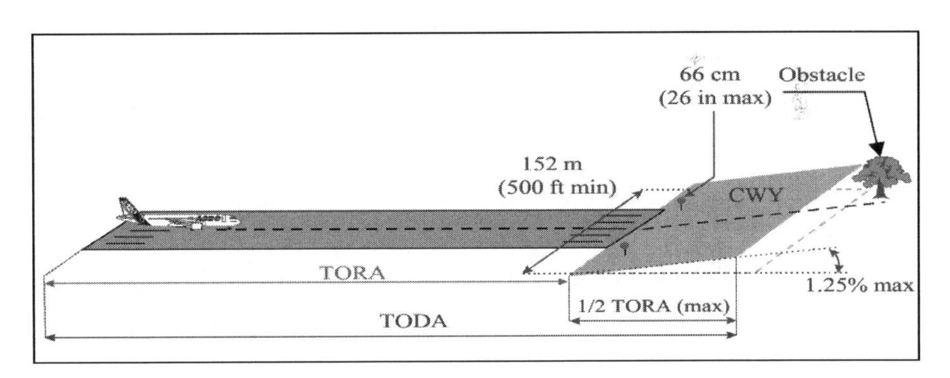

그림 3- 4 개방구역의 설계 기준

AIP(Aeronautical Information Publication)에 공항 활주로의 공시거리(Declared Distance)가 게재된다. 국제민간항공기구 부속서(Annex) 14 비행장에 따르면, 국제 상업 항공 운송을 위한 활주로에서 이착륙에 필요한 필수적인 계산 요소로 반드시 공시하여야 한다.

활주로 공시 거리는 표 3- 5 에서와 같이 4 가지 종류로 구성되어 있다.

공시거리(Declared Distance)		정의
TORA (Take-off Run Available)	이륙활주가용거리	이륙항공기가 지상 활주를 목적으로 이용하는데 적합하다고 결정된 활주로의 길이
TODA (Take-off Distance Available)	이륙가용거리	이륙항공기가 이륙하여 일정고도까지 초기 상승하는 것을 목적으로 이용하는데 적합하다고 결정된 활주로 길이로써, 이륙활주가용거리에 이륙방향의 개방구역(Clearway)을 더한 길이
ASDA (Accelerate-stop Distance Available)	가속정지가용거리	이륙항공기가 이륙을 포기하는 경우에 항공기가 정지하는데 적합하다고 결정된 활주로 길이로써, 이용되는 이륙활주가용거리에 정지로(Stopway)를 더한 길이
LDA (Landing Distance Available)[30]	착륙가용거리	항공기가 착륙하여 지상 활주를 위하여 이용 가능하다고 결정된 활주로 길이로 활주로 말단에서부터 시작된다. 단 활주로 이설 시단(Displaced Threshold)이 있는 경우는 이설 시단부터 적용한다.

표 3- 5 활주로 공시 거리 종류 및 정의

이륙활주가용거리는 그림 3- 5 그림 3- 7 에서와 같이 활주로의 길이와 동일하거나 활주로 진입지점으로부터 활주로 끝까지의 거리라고 할 수 있다. 항공기는 성능에 따라 활주로 끝에서뿐만 아니라 유도로를 이용하여 활주로 intersection 에서 이륙이 가능하기 때문에 거리가 달라질 수 있다. 이륙가용거리는 이륙활주가용거리에 개방구역을 더한 것이기 때문에 이륙가용거리의 길이에 따라 달라진다. 가속정지가용거리는 그림 3- 6, 그림 3- 7 에서와 같이 이륙활주가용거리에 정지로를 더한 길이다.

30 착륙에 관한 공시거리로 본 장의 6.4 착륙거리에서 다시 설명한다.

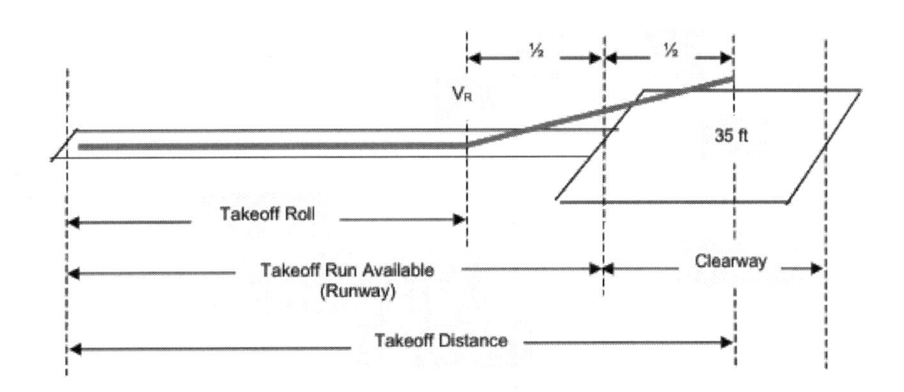

그림 3- 5 TORA 및 TODA

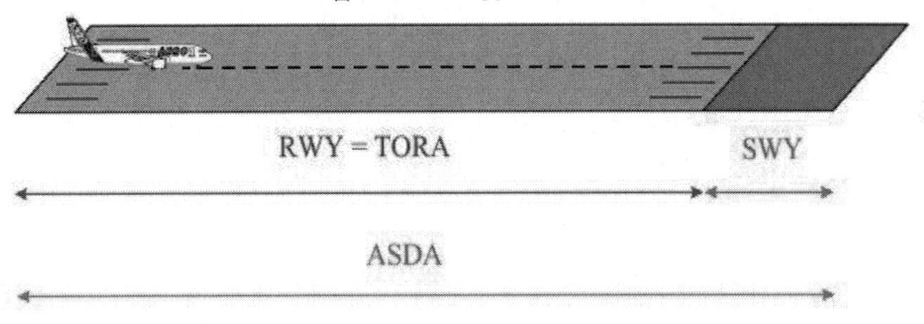

그림 3- 6 ASDA 정의

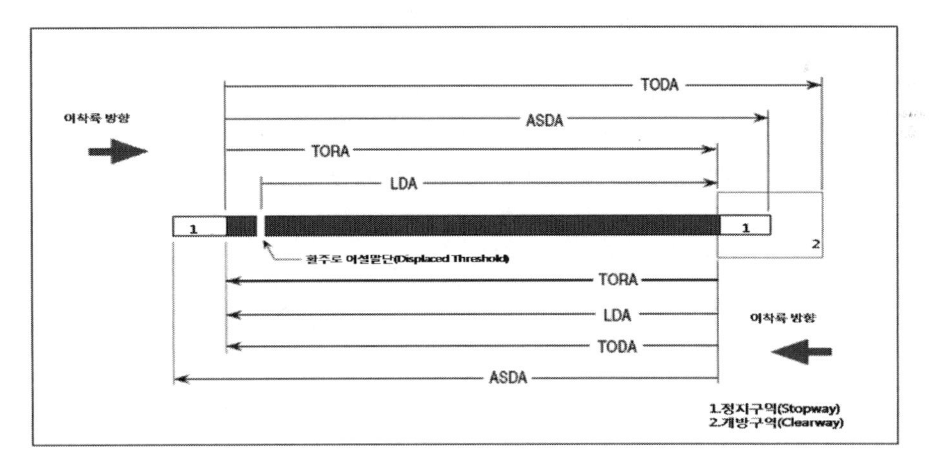

그림 3- 7 공시거리

2.2.3 이륙에 영향을 미치는 요소: 바람, 기압, 온도, 활주로 경사, 활주로 상태

바람은 이륙 및 상승 구간에서 항공기의 성능에 영향을 미친다. 특히 정풍(head wind) 및 제한적인 배풍(tail wind) 및 측풍(cross wind)이 중요하다. 정풍은 이륙할 때 더 큰 양력을 생성하여 활주로 상에서 도달해야 할 진대기 속도를 크게 한다. 이와 반대로 배풍은 도달해야 할 진대기 속도를 낮추어 최대 허용 이륙 중량을 감소시킨다. 기온은 엔진 동력 설정 및 엔진 시동, 그리고 동체 방빙 절차에 영향을 미친다.

높은 기온은 공기분자의 운동량이 많아져서 밀도를 낮추어 양력을 감소시키고 최대 허용 이륙 중량을 줄인다. 반면 낮은 기온은 공기분자의 운동량이 적어져 밀도를 높여 양력을 증가시키고 이륙거리를 단축한다. 즉, 온도가 높으면 항공기엔진이 흡입하는 공기의 양이 적어져 항공기엔진의 성능이 낮아지고 이륙거리가 늘어나기 때문에 이륙중량도 줄어든다. 반대로 온도가 낮다면 항공기엔진이 흡입하는 공기의 양이 많아져 항공기엔진의 성능이 높아지고 이것은 이륙거리가 짧아지고 이륙중량도 늘어난다.

낮은 지표면 기압은 공기의 양이 적어져 양력을 감소시키고 이륙거리가 늘어난다. 기압이 높으면 공기의 양이 많아져 양력이 증가하고 이륙거리를 줄인다.

항공기 운항에서는 기압을 고도로 전환하는 기압고도계를 사용한다. 기압고도계 수정치는 특정 고도 면으로부터 기압고도를 구하기 위하여 사용되며 사용 목적과 기준 고도의 차에 따라 표 3- 6 에서와 같이 QFE, QNH, QFF 및 QNE 로 구분한다. 즉 항공기 기압고도계의 0 점을 어느 기준면에 설정하는지에 따라 달라진다. 기압고도계의 고도 눈금은 국제표준대기를 기준으로 하며 기준면을 변경하여 고도계 시도를 수정할 수 있다.

고도계 수정치	기준	설명
QFE	Height above Airport Elevation (or Runway Threshold Elevation) based on local station pressure	고도계를 공항 현지 기압에 설정하는 고도계 수정 방식으로, 활주로에 착지한 항공기(지상 3m 높이)의 기압 고도계의 값을 고도 0 으로 나타내게 하는 고도수정치
QNH	Altitude above mean sea level based on local station pressure	관측된 기압을 평균 해수면(Sea Level) 기압으로 환산한 값에 고도계를 설정하는 방식으로 활주로에 착지한 항공기(지상 3m 높이)의 기압 고도계의 시도가 공항의 공식 표고(or 착지점의 표고)를 나타내게 하는 고도수정치
QNE	Altimeter setting 29.92 inches mercury. 1013.2 hectopascals or 1013.2 millibars	표준 기압(29.92 inchHg = 1013.25hPa)에 고도계 시도 Zero 를 설정하는 방식으로 통상 항공기가 14,000 ft 이상의 고도를 통과할 때 QNE 에 맞춤
QFF	해면 기압	기상학적으로 이용하기 위하여, 해수면 높이를 기준으로 환산한 기압

표 3- 6 고도계 수정치 및 설명

활주로의 경사에 따라 이륙거리와 가속정지거리가 영향을 받는다. 상방 경사인 경우 이륙거리가 늘어나고 가속정지거리가 짧아진다. 하방 경사인 경우 이륙거리는 줄어들지만 가속정지거리는 늘어난다. 또한 활주로가 젖거나 빙설이 쌓인 경우 가속정지거리가 증가한다. 가속정지거리 범위 내에서 항공기를 정지시키려면 이륙 중량을 줄여 항공기 무게를 가볍게 조정해야 한다. 항공기가 이륙 중 이륙을 포기해야 하는 상황을 고려하여 가속정지거리의 영향으로 이륙중량이 감소할 수 있다.

2.2.4 이륙에 영향을 미치는 요소: FLAP, PACK, ANTI-ICE 사용

플랩(Flap)은 항공기가 저속에서 더 많은 양력을 얻기 위해 작동하는 고양력 장치이나. 플랩을 사용하면 날개 면적이 증가하여 이륙 시 이륙 활주거리를 짧게 할 수 있다. 737-800 항공기를 기준으로 이륙 시 FLAP 1, FLAP 5 또는 FLAP 10 을 사용하여 무게 계산을 한다. 또한 Pack 은 항공기 기내에 공기를 공급하는 장치로 항공기는 엔진으로부터 공기를 얻어 추력을 발생시키는데 그 외에도 기내에 공급하는 역할을 한다. 그러나 추력으로 사용해야 할 공기를 항공기 내부 공기를 위해 사용하면 추력이 감소하고 이륙거리가 늘어나며 이륙 중량이 줄어든다. 또한 방빙장비인 Anti ice 는 엔진 중간부분인 1 차 압축기의 고온 공기를 빼내어 엔진 카울링, 날개, 수직 꼬리 날개 등에 사용하여 얼음이 어는 것을 방지하여 엔진 출력이 감소하게 된다.

2.2.5 TAKEOFF ANALYSIS CHART 와 FPPM CHART

항공기 이륙 중량을 반복적으로 계산하기 위해 조종사에게 최대 허용 이륙 중량과 관련된 정보를 빠르게 제공해야 한다. 항공기 제조사마다 다르지만, 에어버스에서는 Regulated Takeoff Weight (RTOW) Chart, 보잉에서는 Airport Analysis Chart 라고 한다. 일반적으로는 이륙 분석 차트 (Takeoff Analysis Chart)로 알려져 있다. 이 차트는 지상 또는 기내의 전산 시스템 또는 인쇄물을 통해 계산할 수 있다. 활주로 방향에 따라 기온, 바람, QNH, 플랩 설정, 활주로 상태, 항공기의 작동하지 않는 항목 등을 고려하여 값을 조정한다(그림 3- 8).

그림 3- 9 는 인천공항 활주로별로 제한되는 중량과 속도가 표시되어 있으며, 그림의 중앙을 기준으로 33L 과 33R 이 나누어진다. 이 중량들이 어떤 조건 때문에 제한되는지는 Weight 옆에 표시되어 있다. 예를 들어, 그림 3-10 에서 33L 활주로 맨 위의 값은 66,300LBS 이며 뒤에 *가 표시되어 있고, 맨 아래의 86,200LBS 는 F 가 표시되어 있다. 이 코드들은 차트 하단에 있는 것으로, 이 코드 값 중 가장 작은 값을 사용한다. F 는 FIELD LENGTH 에 제한되는 값으로 활주로 길이에 의해 제한된다. T 는 TIRE SPEED 로 타이어가 일정 속도를 초과하면 타이어에 문제가 생기므로 이륙 속도를 줄여야 한다. 이는 중량을 줄여야 같은 거리에서 이륙할 수 있음을 의미한다. B 는 BRAKE ENERGY 로 V_1 도달 전이나 V_1 속도에서 활주로 내에서 멈출 수 없을 경우를 대비한 값이다. 그림 3- 10 제일 왼쪽의 Takeoff N1 은 항공기 엔진의 1 차 압축기 회전수를 %로 표시한 값으로 추력을 나타낸다. 예를 들어, 95.7 은 이륙을 위해 95.7%의 추력을 선택한다는 의미다. 다음은 OAT 로 Outside Air Temperature 의 약어로, 섭씨로 표현되며 맨 위의 60A 에서 A 는 Above 로 초과를 나타낸다. Climb limit 는 이륙 경로에서 장애물을 피하기 위한 최소 상승률 및 장애물을 제외한 최소 상승률을 충족하는 무게를 나타낸다. 그림 3-11 은 보잉 737-800 항공기의 인천국제공항 RWY33L, 33R 방향의 Airport Analysis Chart 이다.

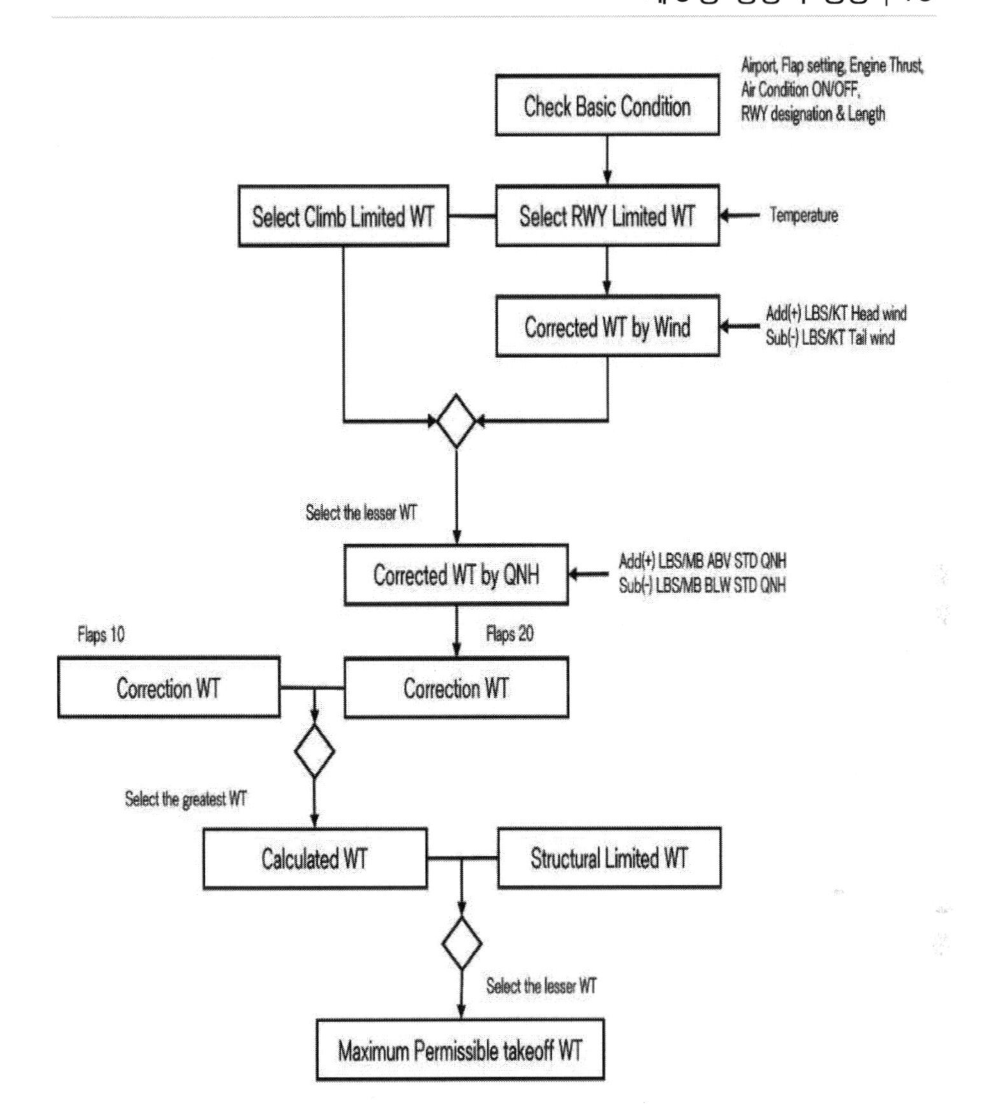

그림 3- 8 Takeoff Analysis Chart 을 통한 이륙 중량 산출

ICN
33L/33R

ELEVATION 23 FT RKSI

*** **FLAPS 05** *** AIR COND AUTO ANTI-ICE OFF INCHEON INTL

WINGLET SEOUL/INCHEON,KOR

737-800 CFM56-7B26 **B26** DATED 30-MAR-2020

A INDICATES OAT OUTSIDE ENVIRONMENTAL ENVELOPE

MAX BRAKE RELEASE WT-KG, LIMIT CODE AND TAKEOFF SPEEDS FOR ZERO WIND

TAKEOFF N1	OAT DEG C	CLIMB LIMIT	** RWY WEIGHT	33L V1	VR	** V2	** RWY WEIGHT	33R V1	VR	** V2
95.1	60A	65600	66300*	140	140	144	66300*	140	140	144
95.6	58A	66600	67300*	141	141	145	67400*	141	141	145
96.2	56A	67700	68400*	142	142	146	68500*	142	142	146
96.6	54	68800	69500*	143	143	147	69600*	143	143	147
96.9	52	70100	70800*	144	145	148	70900*	144	145	148
97.2	50	71300	72000*	145	146	150	72100*	145	146	150
97.4	48	72600	73300*	146	147	151	73400*	146	147	151
97.7	46	73900	74600*	147	148	152	74700*	147	148	152
98.0	44	75200	75800*	148	149	153	76000*	148	149	153
98.3	42	76500	77100*	149	150	155	77200*	149	150	155
98.6	40	77900	78400*	150	151	156	78500*	150	151	156
98.9	38	79200	79600*	151	152	157	79800*	151	152	157
99.3	36	80500	80800*	150	152	157	81000*	150	152	157
99.6	34	81900	82100*	150	152	157	82200*	150	152	157
99.9	32	83300	83500*	149	152	157	83600*	149	152	157
100.3	30	84700	84700*	149	152	158	84800*	149	152	158
100.0	28	84800	84800*	149	152	158	85000*	149	152	158
99.4	24	84900	85000*	149	152	158	85100*	149	152	158
98.8	20	85100	85200*	149	151	158	85300*	149	151	158
98.2	16	85200	85300*	149	151	158	85400*	149	151	158
97.5	12	85300	85500*	149	151	158	85600*	149	151	158
96.9	8	85400	85600*	149	151	158	85700*	149	151	158
96.3	4	85500	85700*	149	151	158	85900*	149	151	158
95.7	0	85600	85800*	149	151	158	86000*	149	151	158
94.1	-10	85700	86000*	149	151	158	86200F	149	151	158
92.4	-20	85800	86200F	149	151	158	86200F	149	151	158

		33L	33R
ADD KG/KT HEADWIND		0	0
SUB KG/KT TAILWIND		370	380
ADD KG/MB ABV STD QNH	20	0	0
SUB KG/MB BLW STD QNH	84	90	90
MIN FLAP RET. HT-FT		800	800
RUNWAY-FT		12303	12303
SLOPE (GO/STOP)-PCT		0.00/ 0.00	0.00/ 0.00
CLEARWAY/STOPWAY-FT		983/ 394	984/ 394

MAX BRAKE RELEASE WT MUST NOT EXCEED MAX CERT TAKEOFF WT OF 79015 KG

LIMIT CODE IS F=FIELD, T=TIRE SPEED, B=BRAKE ENERGY, V=VMCG

*=OBSTACLE/LEVEL-OFF, W=TAILWIND TAKEOFF NOT ALLOWED

ENG-OUT PROCEDURES:

33L/R : REFER TO ENGINE OUT PROCEDURES

그림 3- 9 B737-800 인천공항 33L/33R Airport Analysis Chart

TAKEOFF N1	OAT DEG C	** RWY WEIGHT
95.1	60A	66300*
95.6	58A	67300*
96.2	56A	68400*
96.6	54	69500*
96.9	52	70800*
97.2	50	72000*
97.4	48	73300*
97.7	46	74600*
98.0	44	75800*
98.3	42	77100*
98.6	40	78400*
98.9	38	79600*
99.3	36	80800*
99.6	34	82100*
99.9	32	83500*
100.3	30	84700*
100.0	28	84800*
99.4	24	85000*
98.8	20	85200*
98.2	16	85300*
97.5	12	85500*
96.9	8	85600*
96.3	4	85700*
95.7	0	85800*
94.1	-10	86000*
92.4	-20	86200F

그림 3- 10 B737-800 인천공항 33L/33R Airport Analysis Chart Takeoff N1, OAT, Runway limit

그림 3- 12 의 V_{MCG} 는 항공기가 지상에서 있을 때 최소 조종 속도를 나타내며, 이 속도 이상에서 항공기는 Nose gear 가 아닌 러더를 이용하여 조종할 수 있다. V_{MCG}의 결정은 엔진 고장 시 활주로 중심선으로 돌아오는데 러더 만을 활용하여 30ft 이내의 수평 편차를 보장하는 속도이다. V_{MCG} 를 기재하는 이유는 항공기가 고속에서 Nose gear 를 사용할 경우 활주로 이탈 가능성이 있기 때문이다. OBSTACLE 의 *는 활주로 전방이나 이륙 경로에 걸리는 장애물로 인해 기본 상승률보다 높은 상승률을 요구하는 경우 해당 값을 사용한다. W 는 배풍 이륙이 불가능하다는 것을 의미하는 코드다.

** RWY WEIGHT	33L V1	VR	** V2	** RWY WEIGHT	33R V1	VR	** V2
66300*	140	140	144	66300*	140	140	144
67300*	141	141	145	67400*	141	141	145
68400*	142	142	146	68500*	142	142	146
69500*	143	143	147	69600*	143	143	147
70800*	144	145	148	70900*	144	145	148
72000*	145	146	150	72100*	145	146	150
73300*	146	147	151	73400*	146	147	151
74600*	147	148	152	74700*	147	148	152
75800*	148	149	153	76000*	148	149	153
77100*	149	150	155	77200*	149	150	155
78400*	150	151	156	78500*	150	151	156
79600*	151	152	157	79800*	151	152	157
80800*	150	152	157	81000*	150	152	157
82100*	150	152	157	82200*	150	152	157
83500*	149	152	157	83600*	149	152	157
84700*	149	152	158	84800*	149	152	158
84800*	149	152	158	85000*	149	152	158
85000*	149	152	158	85100*	149	152	158
85200*	149	151	158	85300*	149	151	158
85300*	149	151	158	85400*	149	151	158
85500*	149	151	158	85600*	149	151	158
85600*	149	151	158	85700*	149	151	158
85700*	149	151	158	85900*	149	151	158
85800*	149	151	158	86000*	149	151	158
86000*	149	151	158	86200F	149	151	158
86200F	149	151	158	86200F	149	151	158

그림 3- 11 인천공항 활주로별 속도에 다른 Weight

MAX BRAKE RELEASE WT MUST NOT EXCEED MAX CERT TAKEOFF WT OF 79015 KG
LIMIT CODE IS F=FIELD, T=TIRE SPEED, B=BRAKE ENERGY, V=VMCG
*=OBSTACLE/LEVEL-OFF, W=TAILWIND TAKEOFF NOT ALLOWED
ENG-OUT PROCEDURES:
33L/R : REFER TO ENGINE OUT PROCEDURES

그림 3- 12 Takeoff analysis chart Index

3. 상승성능

항공기를 조종하고 있을 때 갑자기 큰 건물, 언덕, 심지어 산과 같은 장애물이 나타난다면 항공기의 성능은 상승 특성에 따라 달라진다. 또한 위험한 기상 조건이나 난기류를 만나 더 빠르게 높은 고도로 상승하여 상황을 벗어나고자 할 때도 상승 성능이 중요하다. 이륙과 상승은 하나의 연속된 기동이지만, 이러한 이유로 항공기의 상승 성능은 전체 성능에서 핵심적인 부분이다. 초기 상승은 항공기가 활주로를 떠나고 이륙 구역에서 상승하기 위해 피치 자세가 설정되면 시작된다. 일반적으로 항공기가 안전한 기동 고도에 도달하거나 상승이 시작되면 이륙이 완료된 것으로 간주한다.

항공기가 이륙한 다음 1,500ft 고도부터 최초 순항 고도까지의 상승 비행 과정을 Enroute Climb 이라고 한다(그림 3- 13).

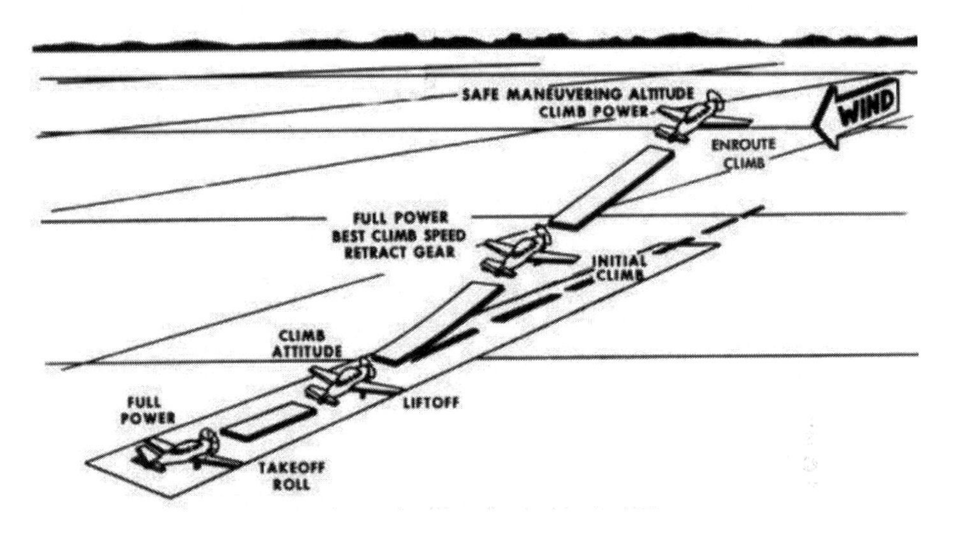

그림 3- 13 Normal Takeoff and Climb

Enroute Climb 과정에서 항공기의 고도 상승 비율을 상승률(Rate of Climb)이라고 한다. 이 값은 FPM(ft/min) 또는 ft/sec 로 표시한다. 비행기가 이륙한 다음 최적의 상승 속도를 결정하는 것을 Climb Speed Schedule 이라고 하는데 이는 연료 효율성, 안전성, 비행계획 등을 고려하여 설정한다. Climb Speed Schedule 은 250/340/.84 와 같이 표현되는데, 이는 다음과 같은 의미이다

- 250: 이륙 후 초기 상승할 때 10,000ft 이하에서 250kt 의 속도로 상승
- 340: 10,000ft 이상에서 최적 상승 속도로 340kt 로 상승하여 가속하며, 이 속도는 Mach 0.84 가 될 때까지 지속됨
- .84: 순항 고도에 도달하면 Mach 0.84 로 속도를 유지

상승 이후 고도가 상승하면 공기 밀도가 줄어들어 엔진 추력이 감소하고 상승률도 섬차적으로 감소한다. 항공기는 연료 효율성을 고려하여 절대 상승고도보다 낮은 고도 까지만 상승하고, 민항기의 경우 300FPM 정도의 상승율을 유지할 수 있는 고도를 실용 상승 고도(Service Ceiling)라고 한다. 상승 과정은 높은 추력을 유지해야 하기 때문에 다른 운항 단계에 비해 연료 소모량이 많다.

3.1 이륙 비행 경로

이륙 비행 경로는 그림 3- 14 와 같이 일반적으로 4 개의 세그먼트로 구성되며 엔진 한개의 출력 성능을 기반으로 한다 가장 중요한 엔진은 V_1 부근에서 고장난 것으로 가정한다. 이륙 비행 경로의 모든 경사도는 총 경사도이다.

- 첫번째 구간 - 이륙 시 시작하여 랜딩 기어가 완전히 접힐 때 종료된다. 첫 번째 세그먼트의 상승 요건은 2 엔진 항공기의 경우 양의 경사도, 지면 효과, 3 엔진 항공기의 경우 0.3%이다. 전환 속도인 V_R 은 항공기가 35ft 상공에 도달할 때까지 V_2 에 도달하도록 (제조사에서) 선택해야 한다.
- 두번째 구간 - 첫번째 구간이 끝날 때 시작하여 공항 고도 400ft 이상까지 계속된다. 두번째 구간에서의 상승 요건은 2 엔진 항공기의 경우 2.4%, 3 엔진 항공기의 경우 2.7%의 경사도이다. 이 구간은 일반적으로 이륙 비행 경로 내에서 가장 제한적인 구간이지만 항상 그런 것은 아니다. 400ft 는 고양력 장치, 플랩 및 슬랫을 접기 위한 최소 고도이므로 파악하기 어려울 수 있다. 대부분의 제조업체는 400ft 이상의 고도에서 두번째 구간을 종료하며, 항공기의 실제 가용 성능에 따라 고도가 가변적인 경우가 많다.
- 세번째 구간(또는 가속 구간) - 두번째 구간이 끝날 때 시작하여 항공기가 최종 구간의 속도에 도달할 때 종료된다. 이 구간은 일반적으로 동일한 고도로 비행하지만, 사용 가능한 경사도는 최종 구간에서 필요한 경사도와 최소한 같아야 한다. 세번째 구간에서 양력 장치는 접는다.
- 최종 구간 - 항공기가 최종 구간 속도에 도달할 때 시작하여 항공기가 공항 고도 1500ft 상공에 도달할 때 종료된다. 최종 구간에서의 상승 요건은 2 엔진 항공기의 경우 1.2%, 3 엔진 항공기의 경우 1.5%의 경사도이다. 마지막 구간이 시작되면 출력이 최대값에서 지속적으로 감소한다. 각 구간은 일정한 출력 설정으로 비행해야 하며 가속 구간이 끝나는 시점은 이륙 추력 5 분에 대한 제한이 끝나는 시점과 일치하는 경우가 많다. 항공기가 두번째 구간에서 1500ft 이상에 도달한 경우, 최종 구간의 속도에 도달할 때까지 이륙 비행 경로가 종료되지 않는다. 35ft 지점에서 1500ft 까지의 거리를 이륙 비행 경로라고 하며, 브레이크를 해제한

이후 1500ft 까지의 거리를 이륙 거리라고 한다. 위에서 언급했듯이, 이는 V_1 부근에서 엔진이 손실된 경우를 가정한다.

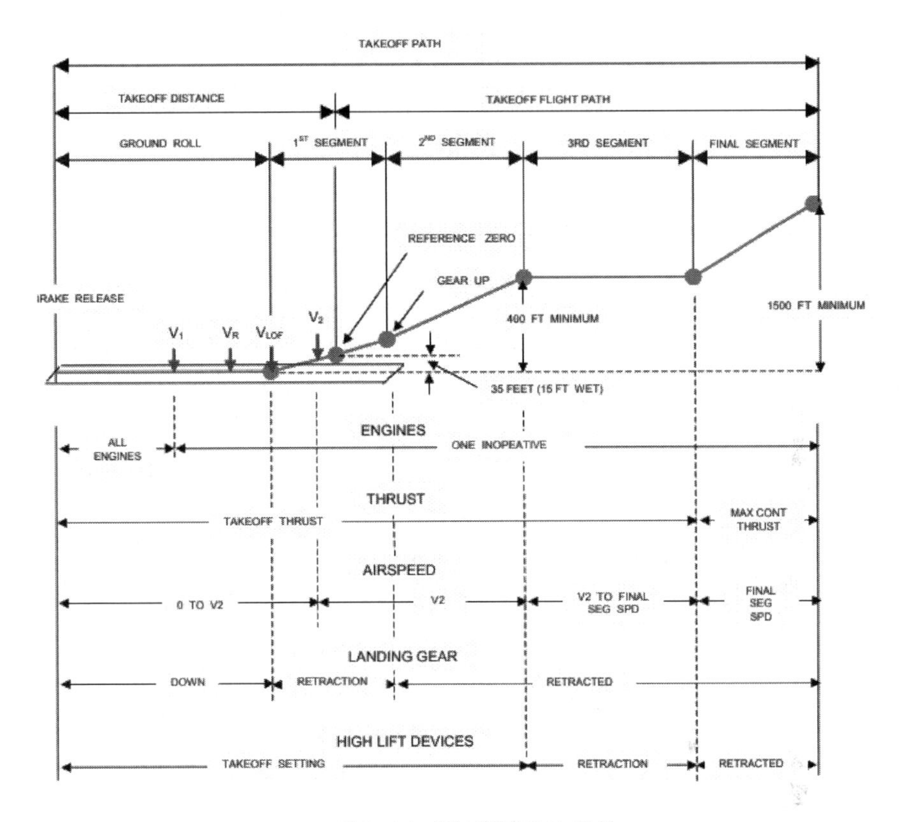

그림 3- 14 이륙비행경로의 구성

3.2 Step Climb

항공기가 동일한 추력을 유지하면서 운항한다면 연료 소모로 인해 항공기 중량이 감소함에 따라 추력이 저항보다 큰 상태가 되어 항공기는 가속되거나 고도가 상승하게 된다. 속도를 일정하게 유지하는 Constant Mach Number 순항 방식을 적용한다면 항로에서 고도를 일정하게 유지해야 하므로 중량 감소에 따라 추력을 점차 감소하면서 운항해야 한다. 이러한 경우 엔진 성능 대비 남는 추력이 많아져 효율적으로 운항할 수 없기 때문에 일정 시간 순항 후에는 보다 높은 고도로 상승해서 남는 추력 없이 엔진 성능을 최대한 이용하는 방식으로 경제적 운항을 하게 된다. 단계상승(Step Climb)은 연료 효율을 높이기 위해 비행 중 항공기가 고도를 단계적으로 높이는 기술이다. 항공기가 연료를 태우고 가벼워지면 공기가 더 얇은 더 높은 고도에서 비행할 수 있어 항력과 연료 소비가 줄어든다. 단계

상승은 일반적으로 연료 탱크가 가득 찬 항공기의 초기 무게로 인해 더 높고 효율적인 고도에서 비행할 수 없는 장거리 비행에 사용된다. 단계 상승의 구체적인 고도 증가 폭은 다양할 수 있지만, 낮은 고도에서는 1,000ft 또는 2,000ft, 29,000ft 이상의 고도에서는 1,000ft 인 경우가 많다. 항공기에 장착된 최신 비행 관리 시스템(FMS)은 연료 효율을 극대화하기 위해 계단식 상승을 위한 최적의 지점을 계산한다.

3.3 소음저감출발절차(Noise Abatement Departure Procedure, NADP)

NADP 란 Noise Abatement Departure Procedure 의 약어로, 공항에서 이륙하고 상승하는 항공기의 소음을 줄이기 위해 만든 절차이다. ICAO 의 NADP1 은 출항 시 활주로 끝에서 인접한 소음 민감 지역의 소음 감소하기 위하여 빠른 상승을 통해 소음을 최소화하는 절차이고 NADP2 는 원거리에 위치한 소음 민감 지역을 위해 공항을 빠르게 벗어나는 것을 목적으로 사용된다. 그림 3- 15 와 같이 NADP 1 절차는 800ft 까지 Take Off 추력으로 상승한 후 800ft 이상부터 Climb 추력으로 전환하며, 3,000ft 이상에서 플랩을 접으면서(Flap Retraction) 순항고도까지 상승하는 절차를 의미한다. 보통 Take off 추력은 Climb 추력보다 크며 이는 엔진 소음 증가와 관련이 있다. NADP 2 절차는 800ft 까지는 Take off 추력으로 상승한 후 800ft 이후에는 플랩을 접고 출력을 줄이는 절차이다. 플랩을 접으면 항공기는 상승각을 더 가파르게 설정할 수 있다. 이는 플랩을 쓰면 항력으로 인한 상승각 제한이 생기지만, 플랩을 쓰지 않는다면 플랩으로 인한 항력이 없어지므로 출력을 줄여도 상승각을 높게 설정할 수 있다. 800ft 에 대한 기준은 절대적인 기준은 아니며 공항의 특성에 따라 다양하다.

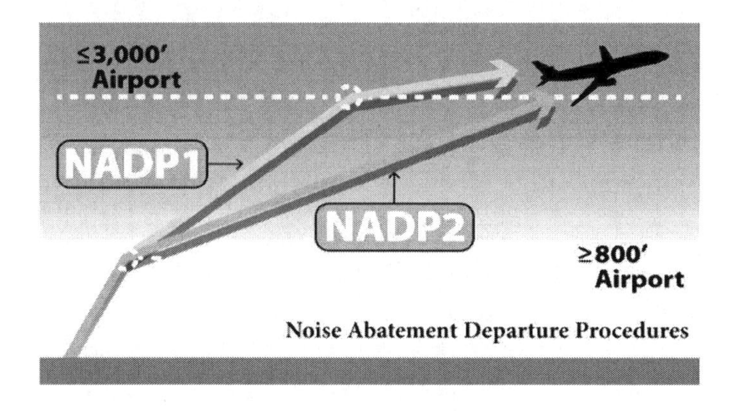

그림 3- 15 소음저감출발절차

4. 순항성능

4.1 최적순항고도(Optimum Altitude)

최적순항고도는 해당 마하수(속도)를 비행하는 항공기가 최대 양항비로 순항하는 고도라고 정의한다. 대기의 특성에서 고도가 증가하면 기압이 감소하여 항력은 감소하게 된다. 그러나 고도가 증가하면 공기밀도가 낮아져 양력이 감소한다. 이를 보완하기위해 많은 추력이 필요하게 되고 이는 항공기의 비효율적인 운항을 초래한다. 그러나 고도를 낮춘다면 공기의 밀도가 높아져 항력이 높아지게 된다. 그림 3-16 에서 속도가 일정한 상태에서 연료 소모로 인해 항공기 중량이 감소하면 최적 고도가 높아진다. 중량이 줄어들면 이전보다 적은 추력으로 비행을 유지할 수 있다. 최적 고도를 유지하지 않으면 연료 소모가 증가하게 된다. 예를 들어, 표 3-7 에서와 같이 A330 은 최적 고도보다 2000ft 아래에서 비행할 때 약 1% 더 연료를 소모하며, A319는 3.0% 더 소모하게 된다. 따라서 다른 항공편이 최적 고도를 사용하고 있다면 불가피하게 연료 소모가 더 많아지게 된다.

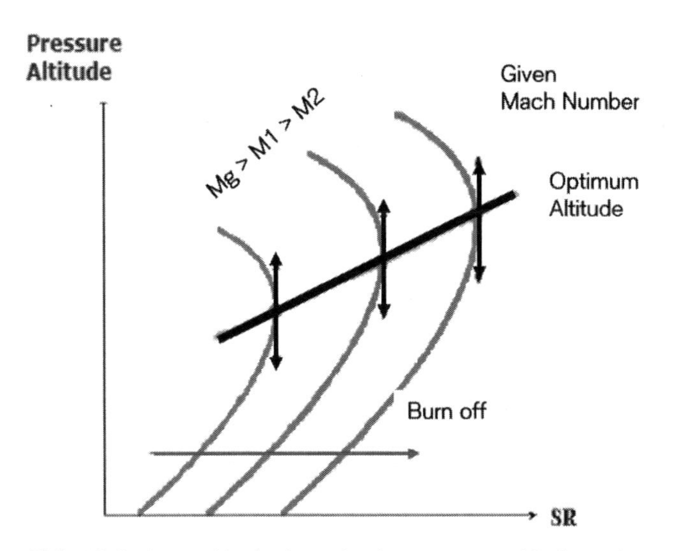

그림 3- 16 Optimum altitude determination at constant Mach number

Aircraft	+2000ft	-2000ft	-4000ft	-6000ft
A300B4-605	2.0%	0.9%	3.4%	9.3%
A319-132	1.0%	3.0%	7.2%	12.2%
A320-211	**	1.1%	4.7%	9.5%
A321-112	2.3%	1.4%	4.6%	15.2%
A330-203	1.8%	1.3%	4.2%	8.4%
A340-212	1.4%	1.5%	4.0%	8.0%

표 3- 7 Specific range penalty for not flying at optimum altitude(출처: Airbus 성능매뉴얼)

그림 3- 17 은 일정한 마하수일 때 중량에 따른 최적고도의 변화를 보여주는 그래프이다. 중량이 감소하면 최적고도가 높아짐을 알 수 있다. 운항하면서 지속적으로 최적고도가 높아진다면 최초에 도달한 순항고도는 연료를 적게 소모하는 비행이 아니다. 이러한 것을 보완하기 위해 Step Climb 라는 절차를 사용한다. 순항 중에 중량의 감소에 따른 최적고도를 찾아가는 과정이다. 속도에 따라서 최적고도도 달라지게 되는데 그림 3-18 에서와 같이 속도가 줄어들게 되면 최적고도는 낮아진다.

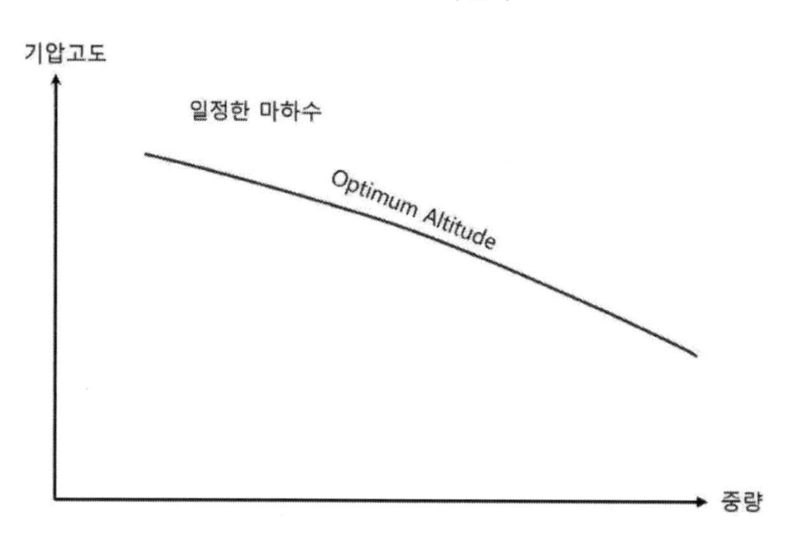

그림 3- 17 일정한 마하수에서의 Optimum altitude

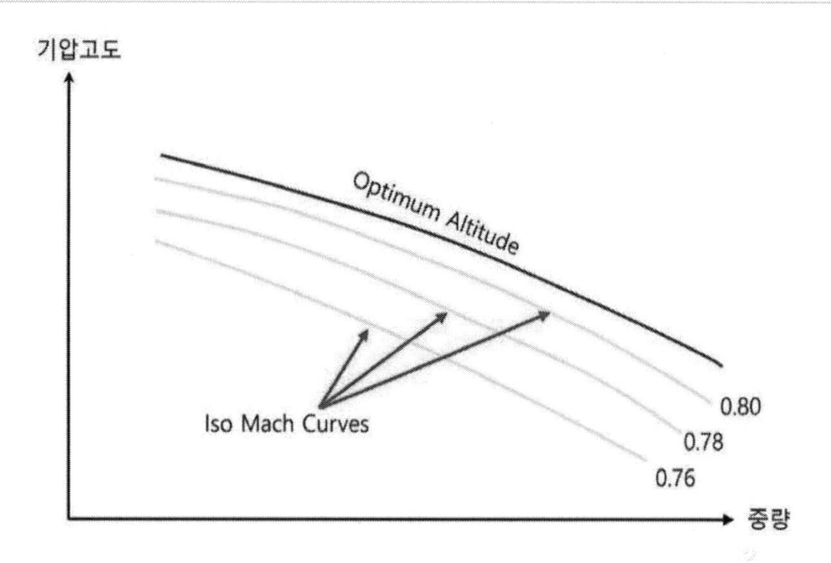

그림 3- 18 마하수와 Optimum Altitude

4.2 비항속거리(Specific Range)

항공기는 연료 탑재 공간이 한정되어 이륙과 착륙 사이에 비행할 수 있는 거리가 제한되어 있다. 이를 항속거리라고 하고 이를 최대로 하기 위해서는 최소 연료 소모율로 최대 속도를 통해 운항해야 가능하다. 항속거리는 거리를 사용 가능한 연료량으로 나눈 값으로 표현할 수 있으며 이를 Specific Range 라고 한다. Specific Range는 단위 연료당 NM 또는 Specific ground mile 즉 바람을 고려한 연료 단위당 지상 마일로 측정이 가능하다. 제트 항공기의 항속거리를 최대로 하기 위해서는 Specific Fuel Consumption 과 항력을 최소화하면서 TAS 즉 진대기속도가 높아야 한다. 항력 대비 공기의 속도 비율이 높아질수록 항속거리는 길어지게 된다. 이것을 Specific Range 라고 하며 비항속거리라고 한다. 비항속거리란 단위연료당 이동한 거리를 의미한다. Specific Fuel Consumption 이라는 것은 단위 추력 당 연료소모량으로 어떠한 추력을 내는데 필요한 연료소모량을 의미한다. 정해진 추력을 내기 위해서 얼마의 연료가 필요한 것인가에 대한 값이다. 단위 추력 당 연료소모량이 높아진다는 것은 연비가 안 좋아진다는 것이고 이것은 비항속거리가 낮아짐을 의미한다.

비행기를 공중으로 움직이기 위해서 추진 시스템을 사용하여 추력을 생성하기 때문에 엔진이 생성하는 추력의 양은 중요하다. 그러나 항공기가 비행하는 동안 연료를 탑재하고 운항하여야 하는데 그 무게도 많기 때문에 연료의 양이 더 중요할 수 있다.

추력대비 연료 소모량이라고 하는 TSFC 는 단위 출력을 내기 위해 필요한 연료소모율을 나타내고 이 효율 계수를 이용하여 엔진의 연료 효율을 특성화 한다. TSFC 의 연료소모량은 엔진이 매시간 연소하는 연료의 양이다. TSFC 는 질량이나 무게로 나눈 값으로 여기에서는 추력 파운드당을 의미한다. TSFC 의 추력은 터빈 엔진에 대한 값으로 엔진이 한 시간동안 연소하는 연료의 질량을 엔진이 생성하는 추력으로 나눈 값이다. TSFC 값이 낮을 수록 연료 효율성이 좋다고 할 수 있다. 예를 들어 그림 3- 19 에서 Turbo Jet 와 Turbo Fan 엔진의 경우 동일하게 시간당 2000 파운드의 연료를 공급받지만 터보제트 엔진은 2000 파운드의 힘을 내어 TSFC 값이 1 이고, Turbo Fan 엔진은 4000 파운드의 힘을 내며, 0.5 의 SFC 값을 갖게 된다. 이 경우 Turbo Fan 엔진이 더 연료효율적임을 알 수 있다.

TSFC 의 값은 속도와 고도에 따라 달라지며, 이는 대기 조건에 따라 엔진 효율이 변하기 때문이다. 일반적으로 중량이 클수록 더 많은 연료를 소비하게 된다. 그리고 항공기는 3 차원 공간을 이동하는 교통 수단이기 때문에 공기 역학적 특성을 많이 받게 된다. 또한 엔진 성능에 영향을 많이 주는 요소는 온도로 온도가 높아짐에 따라 엔진 성능이 감소하고 낮아짐에 따라 엔진 성능은 좋아진다. 그리고 순항 구간에서 항공기가 배풍을 받고 운항하는 경우 동일한 지상 거리를 이동한다고 가정하면 연료소모가 더 적고, 비행시간은 짧아지는 효과를 얻을 수 있다.

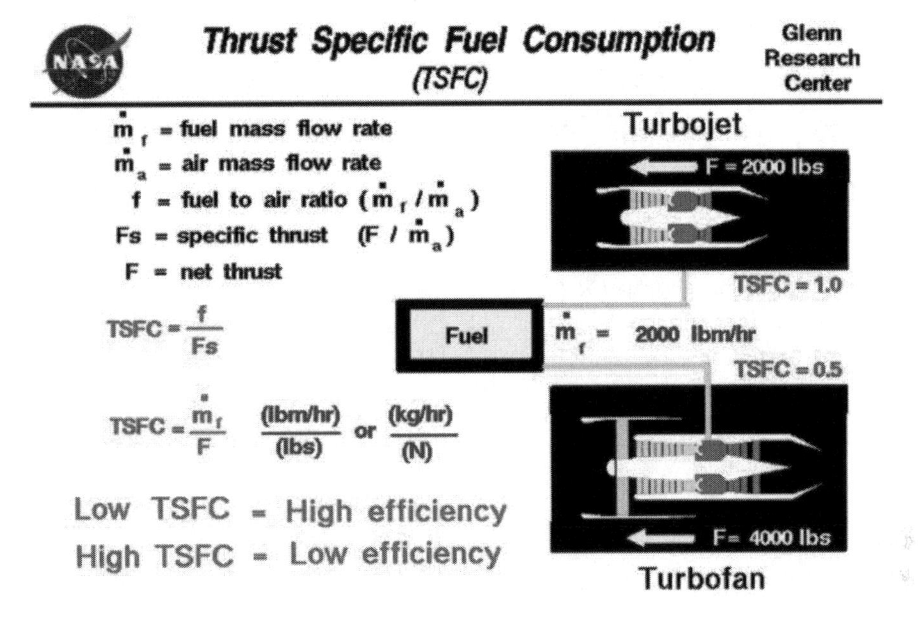

그림 3- 19 Thrust Specific Fuel Consumption(출처: NASA Glenn Research Center)

4.3 순항속도

항공기는 연료 소모율을 최소로 하고, 비행할 수 있는 항속거리를 최대로 하는 순항속도를 사용한다. 순항속도는 항공기 기종, 무게, 고도, 기상 조건 등에 따라 달라지고, 추력, 양력, 항공기 구조 설계 등이 영향을 준다.

4.3.1 MRC, LRC, CONSTANT MACH SPEED

Maximum Range Cruise Mach Number(MRC)는 항속거리가 최대값인 속도로 순항하는 방식으로 중량 감소에 따라 속도를 감속 조절하며 순항하는 방식으로 연료를 가장효율적으로 사용할 수 있으나 조종사의 업무량이 증가하는 단점이 있는 순항방식이다. Long Range Cruise(LRC)는 항속거리 최대값의 99% 속도로 순항하는 방식으로 중량 감소에 따라 속도를 감속 조절하며 순항하는 방식으로 MRC 방식에 비해 조종사의 업무량이 적다. Constant Mach Number Cruise 방식는 일정한 Mach Number 를 유지하면서 등속도로 순항하는 방식이며, Maximum Speed Cruise 방식은 최대 출력을 사용하여 최대 속도로 순항하는 방식이다.

MRC 로 운항하는 것이 연료 효율 측면에서 가장 좋으나 운항 중량 별로 속도를 정확히 조절하지 않으면 오히려 연료를 많이 쓰면서도 항속거리의 손실을 가져올 수 있으므로, 여기에 1 %의 Margin 을 두고 즉, MRC 보다 Fuel Mileage 가 1% 작은 속도인 LRC 속도로 운항하는 것을 항공기 제작사는 권하고 있다. 그러나 LRC Speed 도 운항 중 연료 소모로 인해 항공기 중량이 감소됨에 따라 빈번하게 속도를 조절해야 하는 번거로움이 있으므로 보통은 LRC Speed 에 가장 근접한 Constant Mach Number 의 속도로 순항하는 방식을 채택하기도 한다. 하지만 최근에는 항공기의 연료 효율뿐만 아니라 해당 비행편의 승무원 등과 같은 모든 비용 측면과 회사의 방침상 최적의 효과를 발휘할 수 있는 Cost Index 를 이용한 방법을 대부분의 항공사에서 활용하고 있다.

4.3.2 COST INDEX(CI)

항공사는 전략 단계부터 출발 전 슬롯 관리, 비행 중 단계에 이르기까지 모든 계획 단계에서 지연과 이로 인한 재정적 영향을 줄임으로써 운항과 관련된 비용을 관리하기 위해 노력한다. 지연 이후 복원하는 과정과 연료 소모는 Cost index 를 통해 관리한다. Cost index 는 항공기 운항 속도를 조절하여 운항비용을 최소화하는 방법으로 산출된 Cost index 값을 FMS 에 입력함으로써 자동적으로 항공기가 최소비용 속도로 비행하도록 하는 최적비용 운항지수라고 할 수 있다. 따라서 조종석에 설치된 비행 관리 시스템(FMS)이 항공기의 속도를 관리하는 방법을 결정한다.

특정 노선에 대한 운항 비용을 최소화하기 위해 Cost Index 라는 입력변수를 활용하려면 FMC (Flight Management Computer)를 장착하여야 한다. FMC 가 항공기마다 주어진 고유한 비용여건과 비행조건 (Flight Level, Wind Factor, Weather 등)을 감안하여 최소경비로 운항이 가능하도록 최적운항고도 (Optimum Altitude) 와 경제운항속도 (Economy Speed)를 스스로 탐색/적용할 수 있게 프로그램 되어있기 때문이다. 지연을 복구하기 위해 더 빠르게 비행할지, 연료를 절약하기 위해 더 느리게 비행할지 선택하는 것을 정량화 한다. Cost index 설정은 항공기 제조사마다 다른데 가장 낮은 값은 항공기의 연료 소비를 최소화하고 항속 거리를 최대화한다. 따라서 항공유 가격이 높을 때는 연료를 절약하여 전체 운항비용을 최소화하는데 집중한다.

항공기 속도를 관리하는데 있어 ICAO 에서는 보고 지점 사이의 평균 진대기 속도를 비행계획서에 명시된 속도의 5% 또는 그 이상으로 규정하고 있다. 반면 값이 높으면 연료 비용에 관계없이 FMS 가 비행 시간을 최소화한다. 따라서 시간 비용이 낮고 연료 비용이 높으면 Cost Index 값을 낮게 적용하고, 그 반대의 경우 높게 적용한다. Cost index 는 시간 비용을 연료 비용으로 나눈 값으로 표현된다.

$$Cost\ Index(CI) = \frac{\text{시간비용 (Cost of time)}}{\text{연료비용 (Cost of fuel)}}$$

표 3-8 과 같이 시간과 관련된 비용은 운항승무원과 객실승무원 운영에 따른 인건비, 출장비, 항공기 임대료, 정비비 등 비행시간에 의해 영향을 받는다. 시간비용은 비행 시간당 비용으로 $/hour 등으로 표시한다. 반면 연료 비용은 연료 단위당 금액으로 cents/pound 등으로 표시하고 특정 시점의 비용이다.

시간 관련 비용	연료 비용
운항승무원비	특정항공편이나 노선의 평균 연료비용
객실승무원비	
항공기 임대료	
정비비	

표 3-8 시간관련 비용, 연료비용

4.3.3 ENDURANCE 와 RANGE

항공기가 연료를 완전하게 소모할 때까지 비행할 수 있는 최대 시간을 항속시간(Endurance)라고 하고 최대 거리를 항속거리(Range)라고 한다. 항속시간과 항속거리는 일반적으로 반비례 관계라고 볼 수 있는데 항공기가 상공에 떠있는 시간을 늘리고자 한다면, 즉 항속 시간을 늘리기 위해서는 항공기가 지속 비행을 위해 필요한 최소 추력으로 운항해야 한다. 이는 연료 소비를 최소화하게 될 것이다. 반대로 더 높은 순항 속도를 달성하기 위해 추력을 증가시키면 항속거리는 늘어나지만 항속시간은 감소하게 된다. 그러므로 운항 목적과 조건에 맞는 최적의 속도를 선택하는 것이 중요하다.

5. 강하성능

항공기가 목적지 인근 상공에 접근하여 활주로에 착륙하기 위해 고도를 감소시키는 단계에서 정해진 절차에 따라 조종사가 강하율과 강하

소요거리를 결정한다. 추력을 줄이면 항공기는 감속 및 강하를 수행하게 되는데 이는 남아있는 추력이 가속과 상승을 가져오는 원리와 유사하다.

최신 민간 항공기는 대부분 FMS 를 장착하고 있다. 이 FMS 는 FMC(Flight Management Computer)와 GPS 를 기반으로 하여 LNAV 와 VNAV 를 생성하고, 항공기는 이에 맞추어서 Auto Pilot 으로 비행한다. 연료 효율적인 강하를 위해 기본적인 원칙은 항공기가 TOD(Top Of Descent)에서부터 3 도의 강하각으로 강하를 시작해서 Speed Brake 의 사용이나 Early Descent 로 인한 Level off 등으로 인해 추력이 증가되지 않도록 가능한 한 고도를 유지하는 것이다. 그러나 비행장 근처의 혼잡, 위험기상 등으로 인해 이상적인 조건이 항상 발생하지는 않는다.

강하 과정에서 시간에 따라 항공기의 고도가 낮아지는 비율을 강하율(Rate of Descent)이라 하며, 단위는 상승률과 같은 FPM(ft/min) 또는 ft/sec 를 사용한다. 강하 비행은 순항 속도나 그보다 약간 낮은 속도로 운항하며, 착륙 진입에 가까워질수록 속도를 낮추다가 마지막에는 실속 속도의 15~20% 더 높은 속도로 유지된다.

연속 강하 접근(Continuous Descent Approach, 그림 3- 20)은 항공기가 첨단 항법 시스템을 이용하여 기존의 계단식 접근 방법을 개선한 차세대 비행 방식이다. 이 방법은 최적의 착륙 각도를 자동으로 계산하여 연속적으로 강하하도록 하여 항공기의 연료 절감, 소음 및 배출 가스를 획기적으로 감소시킨다. 이러한 접근 방법은 유럽의 일부 공항에서 도입되어 기존 방식보다 약 3%의 연료 절감 효과를 보였다. 구간별로 일정한 고도와 속도를 유지하기 위해 출력을 높일 필요가 없어 연료 절감 효과가 크다고 할 수 있다. 이와 같이 연료 절감과 환경 문제를 동시에 해결할 수 있는 연속 강하 접근이 가능해진 이유는 항공기의 첨단 항법 시스템과 항공교통관제 시스템의 자동화 등으로 항공기의 움직임을 정확하게 예측할 수 있게 되었기 때문이다.

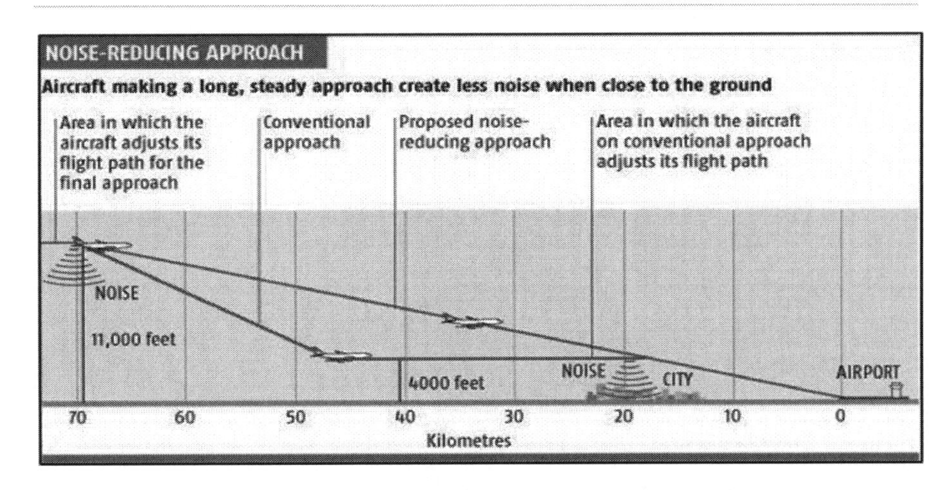

그림 3- 20 Noise Reducing Approach

6. 착륙성능

운항기술기준 8.1.10.4 에 따라 항공기를 운영하는 항공사는 중량 한계와 성능 기준을 준수해야 한다. 기장은 비행 시 최대 허용 중량이 사용될 이착륙 지역의 조건, 활주로 경사도, 기압고도, 외기 온도, 기상 보고 또는 예보된 바람, 성능에 영향을 미칠 수 있는 조건을 고려하여 착륙 거리 제한을 초과하지 않도록 확인하고 이륙해야 한다. 이는 이륙 시 항공기가 연료를 소모한 후 착륙할 때의 중량까지 고려해야 함을 의미한다. 즉, 목적지 공항과 교체 공항에서 착륙할 때의 예상 중량은 해당 비행장 표고에 적합한 기압고도, 최대 착륙 중량 결정을 위한 매개변수로 사용되는 국지 대기 상태에 따라 비행 교범에 명시된 최대 착륙 중량을 초과해서는 안 된다.

비행 교범에 기재된 착륙 거리는 항공기 제작사의 시험 비행 조종사가 수행한 결과를 기반으로 항공사의 평균 조종사와의 기량 차이를 보정한 것으로, 실제 착륙 거리에 여유분을 포함한 필요 착륙 거리(Required Landing Distance)를 제공한다. 또한 항공기는 계획된 목적지 공항과 교체 공항의 착륙 접근 경로 상의 모든 장애물을 회피하여 착륙 가능 거리 이내에서 멈추어 착륙할 수 있어야 한다. 목적지나 교체 공항의 착륙 성능 허용 범위가 정해지지 않은 경우 접근 및 착륙 기술을 고려하여 허용 범위를 정해야 한다.

6.1 착륙성능 산출

어느 공항에서의 최대 착륙 가능 중량은 아래에 해당하는 성능 제한치를 각각 산출해서 그 중 가장 작은 값을 적용한다.

- Structural Maximum Landing weight: 항공기 구조상 허용되는 최대 착륙 중량으로 항공기 제작사에서 항공 당국의 인가를 얻어 매뉴얼에 명시한다.
- Approach Climb Gradient Limited Weight: Missed Approach 시에 하나의 엔진이 작동하지 않는 상태라도 FAR 에 규정된 최소한의 상승률을 유지하기 위해 제한되는 최대 허용 착륙 중량
- Landing Climb Gradient Limited Weight: Landing Climb 시에 FAR 에 지정된 최소한의 상승률을 유지하기 위해 제한되는 최대 허용 착륙 중량
- Field Length Limited weight: 항공기는 중량이 무거울 수록 착륙 후 정지하기까지의 거리가 많이 소요되기 때문에 활주로 길이에 따라 최대 허용 착륙 중량이 제한된다.

항공기가 착륙의 마지막 단계에서 Landing Gear 가 내려진 상태로 활주로 상에서 발생한 긴급 상황으로 인하여 착륙을 포기하고, 다시 상승(Landing Climb/Go-around)할 때 Obstacle clearance 를 보장하기 위한 상승 속도와 Landing Climb Gradient 가 필요하다. Landing Climb Gradient 는 장착된 엔진 수에 따른 구분 없이 모든 종류의 항공기가 모든 엔진이 작동하는 조건에서 3.2% 보다 작아서는 안 된다고 규정하고 있다.[31]

6.2 착륙속도

항공기의 착륙 속도는 무게, 날개 면적, 양력 등 항공기의 기종 특성과 활주로 길이, 바람, 기온 등의 기상 조건과 관련된 운영 환경에 따라 결정된다. 최종 접근 속도를 V_{APP} 라고 하며 활주로 상공 50ft 이상에서의 항공기의 속도를 나타내고, V_{REF} 라고 하는 착륙기준속도는 50ft 지점에서 지속적인 착륙접근 속도를 의미한다. 항공기 기종에 따라 착륙기준속도가 다르지만 A321, B737 항공기의 경우 착륙 기준속도가 140kts, A330 이 138kts, B777 의 경우 135kts 정도로 항공운송사업에서 사용하는 상업용 항공기는 130~140kts 이다. 착륙속도가 너무 빠르면 활주로에서 속도를

---

[31] FAA FAR 25.119 Landing Climb, EASA CS 25.119

줄일 수 없어 이탈 위험이 높아지게 되고 너무 낮으면 실속 현상이 발생할 수 있으므로 적정 착륙 속도 유지가 중요하다.

6.3 Flap 과 Engine Bleed

착륙 단계에서 FLAP 은 양력을 증가시켜 비교적 낮은 속도를 유지하게 하여 착륙거리를 줄이는 역할을 한다. 그러나 플랩을 사용하면 양력을 얻는 만큼 항력도 증가하게 되어 항공기의 성능이 저하된다. 특히 온도가 높은 공항이나 고도가 높아 기압이 낮은 공항에서는 착륙시 Full Flap 보다 낮은 단계의 플랩을 사용하는 것이 좋다. 또한 Engine Bleed 는 엔진의 공기를 기내로 끌어오는 역할을 한다. 큰 추력이 단기간에 필요한 항공기의 경우 착륙 시 Engine Bleed 를 끄고 착륙을 진행할 수 있다. 이렇게 하면 엔진 성능을 최적화하고 안전한 착륙을 할 수 있다.

6.4 착륙거리

착륙거리(Landing Distance)는 항공기가 착륙 표면 위의 선택한 높이에서 접근 경로의 한 지점에서 완전하게 정지할 때까지 이동한 수평거리이다. 밀도고도가 착륙 성능에 영향을 주기 때문에 높은 고도에 있는 비행장에 착륙할 때에는 더 높은 진대기 속도와 더 긴 착륙거리가 필요하다. 정풍으로 착륙할 경우 정풍의 양만큼 지상속도를 줄여 착륙거리를 단축할 수 있다. 또한 활주로 경사도, 활주로 상태, 공기의 밀도 및 플랩의 사용 여부에 따라 착륙거리를 달라질 수 있다. 착륙 거리 정보는 항공기 운영교범에 정풍, 온도 및 비포장 활주로에 대한 계산을 할 수 있도록 chart 를 제공한다.

실제착륙거리(Actual Landing Distance, ALD)는 항공기가 활주로 시단 상공 50ft 에서 완전히 정지하는 지점까지의 거리를 의미한다.

착륙가용거리(Landing Distance Available, LDA)는 보통 활주로가 시작되는 활주로 시단(Threshold)부터 활주로 말단까지의 길이를 의미한다. 그러나 Circling Approach, 접근 지점의 장애물, 소음 발생 등의 이유로 접근 단계에서 강하각이 높은 경우 활주로의 시작하는 지점을 이동하는 경우가 있는데 이를 활주로 이설 시단(Displaced Threshold) 이라고 한다. 활주로 이설 시단은 활주로의 물리적인 시작점이나 끝 지점 외에 위치하는 활주로 말단 지점으로 이륙을 위해 활주로에 진입하거나 이착륙을 위한 진입로로 사용할 수 있지만 착륙하는 것은 금지되어 있다. 이는 활주로를 건설할 때 항공안전법에 따라 활주로 말단으로부터 장애물이 있는 곳까지 일정한 거리를 확보하도록 되어 있기 때문이다.

아래 Airport Plan view Chart 에는 그림 3- 21 왼쪽의 7 번과 같이 표기되는데 항공기는 활주로 17 방향으로 착륙하는 경우 이 표기 이후에 착륙을 해야 한다. 또한 최대 이륙중량에서 이륙하거나 최대 착륙중량으로 착륙할 때 이 길이를 적절하게 이용할 수 있으며, 활주로 상에는 그림 3- 21 오른쪽에서와 같이 백색 화살표로 표시되어 있다.

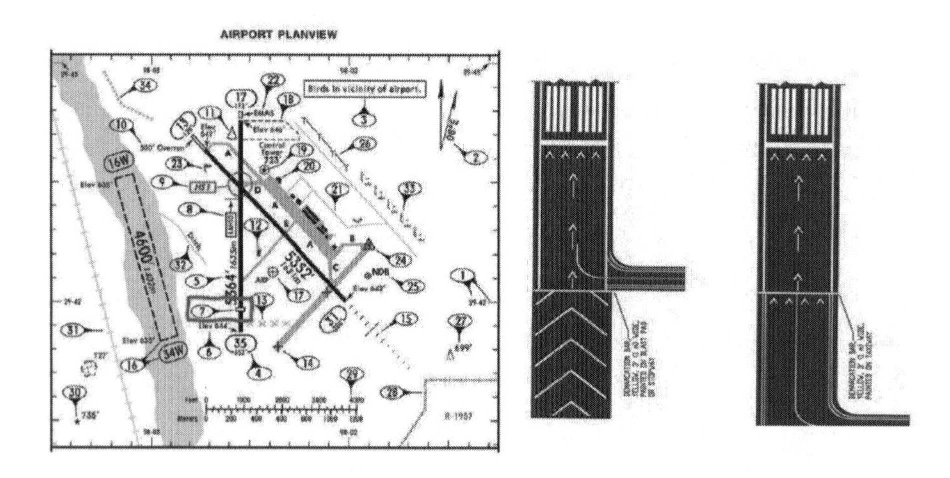

그림 3- 21 Airport Planview Chart(출처: Jeppesen), 활주로 이설 시단

필요 착륙거리(Required Landing Distance, RLD)는 실제착륙거리(Actual Landing Distance)에 여유분(Allowance)을 포함한 값으로 항공기가 활주로에 안전하게 착륙하는데 필요한 거리이다. 이는 항공기 중량, 고도, 바람, 기온, 활주로 경사, 지표면 상태 등 다양한 요소에 따라 달라진다. 항공기는 정풍으로 착륙하는 것이 안정적인데 바람의 세기가 강해지면 착륙거리는 짧아지고, 바람의 세기가 약해진다면 착륙거리는 길어진다. 또한 Flap 이나 Engine Bleed 상태, 활주로 경사, 활주로의 오염물질 유무 및 강도에 따라서 RLD 는 달라질 수 있다. 결론적으로 RLD 가 LDA 보다 길면 안 된다. RLD 가 LDA 보다 크다는 것은 활주로 이탈을 의미하기 때문이다.

항공기는 착륙할 수 있는 측풍에 대한 제한치가 있다. 측풍은 항공기 조종을 어렵게 하거나 불가능하게 할 수 있다. 항공기는 일반적으로 상반각(날개 끝인 wingtip 을 날개뿌리 부분인 wing root 보다 높게 수평에 대해 위로 쳐들어준 각)으로 인해 수평 안정성이 있고 수직 안정판으로 방향 안정성이 있어서 측면에서 부는 바람을 받으면 바람이 불어오는 쪽으로 기수가 향하는 경향이 있다. 따라서 측풍 착륙 시에 활주로 중심선에 대해 기체 중심선이 평행하지 않고 기체는 바람이 불어 가는 방향으로 밀리게 된다. 착륙 장치의 안전을 위해 착지(Touchdown) 단계에서는 기체의 세로축과 활주로 중심선이 평행해야 한다. 항공기 제작 시 모든 항공기에 대한 측풍 안전 한계는 항공기 운영 교범에 포함한다.

그림 3- 22 미연방항공국(FAA, Federal Aviation Administration) 규정에 따라 활주로 주변의 풍속과 풍향을 표시하도록 설치한 바람 자루(wind Sock, Wind cone)

그림 3- 22 에서와 같이 바람자루(wind Sock 또는 wind cone)는 적색과 흰색 5 칸으로 구분되어 바람에 의해 한 칸이 부풀면 3Knot(5.6km/h, 3.5mph), 다섯 칸이 완전히 부풀어 수평이 되어 펄럭이면 15knot(28km/h, 17mph)의 풍속을 나타낸다.

6.5 활주로 상태

활주로는 활주로의 상태에 따라 표 3- 9 에서와 같이 Dry Runway, Damp, Wet Runway, Slippery Runway 로 구분할 수 있다.

활주로 상태	설명
Dry runway	사용되는 활주로 길이 및 폭에 대해 75% 이상의 표면에 Visible moisture 없이 Clear 한 상태의 활주로
Damp	활주로에 수분이 존재(Water Spot, 표면의 수분에 의한 변색)하지만 충분하게 젖어 있지 않은 상태의 활주로
Wet Runway	사용되는 활주로 길이 및 폭에 대해 25% 이상의 표면이 젖어있고 물이 3mm(1/8inch)이하의 깊이로 존재하는 상태의 활주로로 아래의 경우 간주

	- 비가 지속적으로 내리고 있는 상태(Light/Moderate Rain) - 비가 오다가 그쳤더라도 활주로가 젖어 있고 표면이 반사되는 상태
Slippery Runway	Dry 표면보다 낮은 Braking 성능을 나타내는 활주로로 Wet 또는 Contaminated 상태의 활주로. Slippery 상태에서는 항공기의 가속 성능은 영향이 없고 감속 성능에만 영향을 받는 것으로 간주. Contaminated[32] Runway 는 사용되는 활주로 길이 및 폭에 대해 25% 이상의 표면에 3 mm (1/8 inch)를 초과하는 깊이로 Water 가 있거나 혹은 깊이에 관계없이 Slush, Frost, Dry Snow, Wet Snow, Compacted Snow, 또는 Ice 로 덮여 있는 상태의 활주로

표 3- 9 활주로 상태 구분 및 설명

운항기술기준 8.4.5.8, 미국의 FAR 121.195 b)착륙성능제한(Landing Limitations)에서 항공운송사업자는 목적지나 교체비행장의 착륙 접근로에서 모든 장애물을 회피하여 착륙공항의 이용 가능한 착륙 거리 내에서 착륙이 가능해야 하고, 목적지나 교체공항에 도착할 때 비행기 중량이 비행기가 활주로 말단 상공 50ft 지점부터 활주로 상태에 따라 정한 거리 내에서 완전하게 착륙하여 정지할 수 있어야 한다고 규정하고 있다.

- 건조 활주로(Dry Runways)에서는 터보제트 항공기는 착륙가능거리의 60% 이내, 터보프롭 항공기는 착륙가능거리의 70% 이내
- 습윤 활주로(wet Runways) 또는 오염된 활주로(Contaminated Runways)로 예보되었다면 건조한 활주로에 요구되는 착륙거리의 115% 이상이 되어야 한다. 다만 비행교범에 습윤 활주로에서 착륙거리에 대해 별도로 규정한 경우에는 건조한 활주로에서 요구되는 115%보다는 짧은 착륙거리를 사용할 수 있지만 이 경우에도 건조한 활주로에서 요구되는 착륙거리보다 짧아서는 안 된다(그림 3- 23).

---

[32] Contaminant 의 종류
- Standing Water: 활주로 표면에 존재하는 3mm 를 초과하는 깊이의 물
- Slush: 활주로 표면에서 눈이 녹기 시작하여 눈과 물이 섞여진 상태
- Frost: 대기 중의 수증기가 활주로 표면에 얼어붙은 결정체
- Dry/Wet Snow: Dry Snow 와 Wet Snow 의 구분은 온도를 기준으로 구분. 만일 온도가 - 1℃(30°F) 이상이면 Wet 이고, - 1℃(30°F) 미만이면 Dry.
- Compacted Snow: 항공기 바퀴 등으로 인해 압력을 받아 덩어리 형태로 활주로 표면에 눌려진 눈으로 Compacted Snow 에 눈과 얼음이 혼합되어 Ice 에 가깝다면 Ice 혹은 Wet Ice 로 적용.

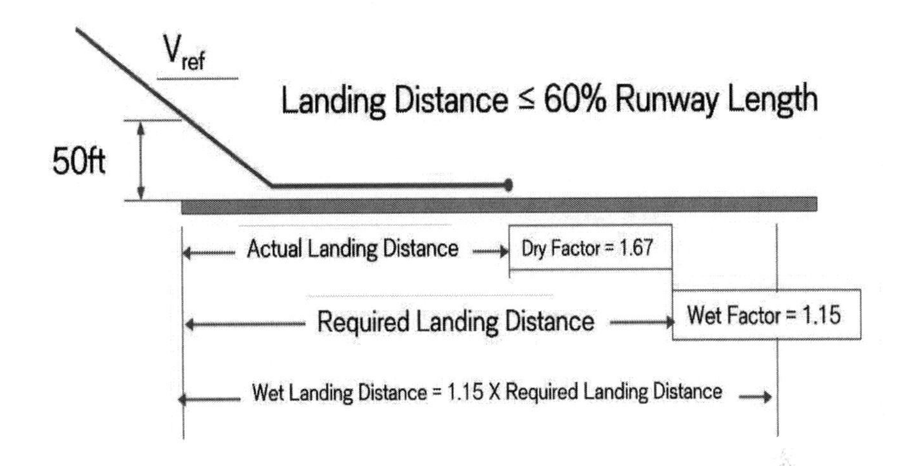

그림 3- 23 착륙거리 설명

오염이 되었는가를 활주로 상태 평가기준이라고 하는 RCAM(runway condition assessment matrix)이라는 방법으로 표현한다. 표 3- 10 이 RCAM 이며 Assessment Criteria 는 활주로의 상태를 나타내는 것으로 RWYCC(Runway Condition Code)로 0~6 까지 표현하며 숫자가 낮을수록 미끄럽다는 뜻이다. Downgrade deceleration or directional control observation 은 조종사에게 받은 활주로 정보로 현재 보고된 활주로상태보다 더 미끄러울 경우 RWYCC 를 조정하기 위해 구성되어 있다. 이러한 정보들은 SNOWTAM 으로 보고되며 실제로 보고되는 양식은 그림 3- 24 와 같다.

Assessment Criteria		Control/Braking Assessment Criteria	
Runway Surface Description	RWYCC	Vehicle Deceleration or Directional Control Observation	Pilot Braking Action
Dry	6	n/a	n/a
● Frost ● Wet (The runway surface is covered by any visible dampness or water up to and including 1/8-inch (3 mm) depth) Up to and including 1/8-inch (3 mm) depth: ● Slush ● Dry Snow ● Wet Snow	5	Braking deceleration is normal for the wheel braking applied and directional control is normal	Good
-15℃ and colder outside air temperature ● Compacted Snow	4	Braking deceleration or directional control is between Good and Medium	Good to Medium
● Slippery When Wet (wet runway) ● Dry Snow or Wet Snow (Any depth) On Top of Compacted Snow **Greater than 1/8-inch (3 mm) depth:** ● Dry Snow ● Wet Snow **Warmer than -15℃ outside air temperature:** ● Compacted Snow	3	Braking deceleration is noticeably reduced for the wheel braking effort applied or directional control is noticeably reduced	Medium
Greater than 1/8-inch (3 mm) depth: ● Standing Water ● Slush	2	Braking deceleration or directional control is between Medium and Poor	Medium to Poor
● Ice	1	Braking deceleration is significantly reduced for the wheel braking effort applied or directional control is significantly reduced	Poor

• Wet Ice • Slush On Top of Ice • Water On Top of Compacted Snow • Dry Snow or Wet Snow on Top of Ice	0	Braking deceleration is minimal to non-existent for the wheel braking effort applied or directional control is uncertain	Poor / Nil

표 3- 10 오염에 대한 활주로 평가 기준(ICAO)

NOTAM NO. SWRK0005

GG RKZZNAXX
260148 RKRRYNYX
SWRK0005 RKSI 01260131
(SNOWTAM 0005
RKSI
01260050 15L 5/5/3 75/75/100 01/01/25 DRY SNOW/DRY SNOW/DRY SNOW
01260131 16L 5/5/5 75/75/75 01/01/02 DRY SNOW/DRY SNOW/DRY SNOW
01260120 16R 5/3/3 75/100/100 01/20/20 DRY SNOW/DRY SNOW/DRY SNOW

RWY 15L CHEMICALLY TREATED.RWY 16L CHEMICALLY TREATED.RWY 16R CHEMICALLY TREATED.)

그림 3- 24 SNOWTAM Sample

해당 SNOWTAM 은 2023 년 1 월 26 일 01 시 48 분에 발행되었다. 01260050 15L 의 뜻은 1 월 26 일 00 시 50 분에 활주로 15L 에서 보고되었다는 뜻이고, 5/5/3 은 표 3- 10 의 RWYCC 의 코드이고 활주로를 3 부분으로 나누어 보고한 정보이다. 75/75/100 은 해당 15L 를 3 부분으로 나눈 지역에 각각 75%/75%/100%로 오염되어 있다는 정보이고 01/01/25 는 각각 1mm/1mm/25mm 의 두께로 오염물이 존재한다는 뜻이다. DRY SNOW/DRY SNOW/DRY SNOW 는 이 오염물이 DRY SNOW 라는 것을 알려준다.

항공기는 이륙을 진행하다가 중지할 수도 있는데, 이륙을 정지할 수 있는 구간은 활주를 시작해서 V_1 Speed 에 도달하는 때이다. 만약 V1 Speed 에 도달하기 전에 이륙을 중단하고자 한다면 멈춰야 하는 지점은 활주로의 끝이나 정지로(Stopway)의 끝지점이다. 활주로가 건조한 상태에서는 미끄러운 상태보다는 이륙 도중 항공기가 멈추는데 어렵지 않지만 미끄러운 상황에서 이륙을 중지해야 하는 경우 SNOWTAM 정보를 알아야 한다. 위의 표는 Standing water 물이 고여 있는 상황과 Slush 진창 눈의 상황으로 표를 보면 왼쪽에 95, 90, 85…등의 숫자가 나열되어 있다 이것은 건조활주로의 활주로 제한중량과 장애물 제한중량 중 적은 값이다. 그 옆을 보면 오염물의 두께(깊이)에 따라서 빼 줘야 하는 값들이 나와있다.

Slush/Standing Water Takeoff
Maximum Reverse Thrust
Weight Adjustments (1000 KG)

DRY FIELD/OBSTACLE LIMIT WEIGHT (1000 KG)	SLUSH/STANDING WATER DEPTH								
	3 mm (0.12 INCHES)			6 mm (0.25 INCHES)			13 mm (0.50 INCHES)		
	PRESS ALT (FT)			PRESS ALT (FT)			PRESS ALT (FT)		
	S.L.	5000	10000	S.L.	5000	10000	S.L.	5000	10000
95	-11.1	-12.9	-14.6	-14.0	-15.7	-17.5	-20.0	-23.2	-26.5
90	-10.3	-12.0	-13.8	-12.8	-14.5	-16.3	-18.0	-21.3	-24.5
85	-9.4	-11.1	-12.9	-11.5	-13.3	-15.0	-16.1	-19.3	-22.6
80	-8.5	-10.3	-12.0	-10.3	-12.1	-13.8	-14.1	-17.4	-20.6
75	-7.7	-9.4	-11.2	-9.1	-10.9	-12.6	-12.2	-15.5	-18.7
70	-6.8	-8.6	-10.3	-8.0	-9.7	-11.5	-10.5	-13.7	-17.0
65	-6.0	-7.7	-9.5	-6.9	-8.6	-10.4	-8.8	-12.1	-15.3
60	-5.1	-6.8	-8.6	-5.8	-7.5	-9.3	-7.3	-10.6	-13.8
55	-4.2	-6.0	-7.7	-4.7	-6.5	-8.2	-5.9	-9.1	-12.4
50	-3.3	-5.1	-6.8	-3.7	-5.5	-7.2	-4.6	-7.9	-11.1
45	-2.5	-4.2	-6.0	-2.8	-4.5	-6.3	-3.5	-6.7	-10.0
40	-1.6	-3.3	-5.1	-1.8	-3.6	-5.3	-2.4	-5.6	-8.9

그림 3- 25 Slush/standing water takeoff weight adjustment

예를 들어서 그림 3- 25 에서 80,000kg 의 제한중량을 가진 활주로에서 이륙하고자 하고 해당 활주로가 해수면의 높이에 6.7mm 깊이의 물이 고여 있다면 위에 동그라미 친 부분의 값을 뺀다. -10.3 으로 80,000kg 에서 10,300kg 을 감소해야 한다는 의미로 결과는 69,700kg 이고 이 값을 기반으로 해서 성능을 계산하게 된다.

6.6 활주로 강도

항공기가 특정 활주로에 착륙하기 위해서는 항공기의 착륙시 발생하는 힘을 활주로가 지탱할 수 있는 정도의 강도를 가져야 한다. 항공기가 착륙할 때 발생하는 힘과 활주로의 강도를 표현하는 방법으로 항공기 등급번호(Aircraft Classification Number, ACN)과 포장등급수치 (Pavement Classification Number, PCN)을 사용한다. 포장 등급수치(Pavement Classification Number, PCN)는 기초 지반의 강도, 포장 재질 및 두께에 의해 결정되는 활주로의 강도를 표시하는 수치로써, 포장 등급수치는 각국 정부가 발행하는 항공정보간행물에서 찾을 수 있으며, 항공기의 항공기등급번호 수치와 비교하여 강도 제한 운항 중량이 결정된다.

포장방식	지반강도	타이어압력 운용 범위	포장강도 산출 방식
R= 딱딱한 (Rigid) F= 유연한 (Flexible)	A=강함 B=중간 C= 낮음 D= 매우 낮음	W= 제한 없음 X=27psi(1.5Mpa)까지 Y=145psi(1.0Mpa)까지 Z=73psi(0.5Mapa)까지	T= 기술적방법 U=항공기를 이용한 산출

표 3- 11 PCN

항공기 등급번호(Aircraft Classification Number, ACN)는 활주로 포장면에 대해 항공기가 미치는 영향의 정도를 표시한 수치로써 국제민간항공기구 부속서 14 (ICAO Annex14)에 명시되어 있다. ACN 은 항공기 제작사가 새로운 항공기를 제작해서 운영하고자 할 때 계산하여 AFM 에 반영해야 한다.

제 4 장 비행계획 정보

1. 항공기상서비스 목적과 체계

1.1 개요

항공기상은 운항관리에서, 안전(Safety)과 정시성(Schedule), 그리고 경제성(Economy)이라는 전략적 목표를 달성하는데 가장 중요한 환경적인 요소이다. 항공기는 3 차원 공간인 대기를 비행하기 때문에 기상 상태에 따라 안전한 운항 여부와 지연 또는 결항이 결정된다. 또한 위험기상으로 인해 도착지 공항에 도착하지 못하고, 비행계획 작성 시 고려한 교체공항으로 회항을 해야 하는 경우가 발생할 수 있다. 따라서 기상에 대한 이해와 항공기상정보의 해석, 그리고 이를 바탕으로 한 의사결정은 운항관리의 본래 목적을 달성하는데 중요한 과정이다. 항공기상에 관한 교육 및 훈련은 ICAO 협정을 체결한 대부분의 국가에서 항공종사자 자격시험의 기본 요구 사항이다. 항공기의 운항관리에서는 대기과학 및 항공기상에 대한 기본적인 이해를 바탕으로 기상정보를 활용하는 것이 필수적이다.

1.2 항공기상정보 서비스의 제반 규정 및 실행절차

항공기상정보 서비스는 항공기의 운항에 있어 항공교통관제기관, 공항관리자, 항공운송사업자, 조종사, 운항관리사 등 거의 모든 분야에서 각자의 업무 수행을 위해 이용된다. 국내외 항공기상 정보 제공은 대한민국 기상청의 항공기상청이 책임지고 있다. 이들의 업무는 국제항공항행의 특성을 반영하여, 기상 업무 중에서도 국제적 협력과 통일된 규정을 따르는 것이 특징이다. 세계기상기구(WMO) 및 국제민간항공기구(ICAO)의 권고와 표준에 따라 기상당국은 항공기상업무를 수행해야 한다. 우리나라의 항공기상청은 세계기상기구 회원국 및 국제민간항공협약 체약국으로서, 세계기상기구의 기본기술규정 제 2 권(WMO No.49 Volume Ⅱ)과 국제민간항공협약 부속서 3(ICAO Annex 3)에서 정한 표준과 권고에 따라 항공기상정보 서비스를 제공한다.

미국의 경우, 미국해양대기국(NOAA) 산하의 국립기상청(NWS), 연방항공청(FAA), 국방부(DOD)에서 각각의 채널을 통해 항공기상정보를 제공한다. 또한, 기상서비스에 대한 요구가 늘어남에 따라 영리를 목적으로 하는 민간 항공기상서비스 업체들도 많이 운영되고 있다. 항공종사자가 항공기 운항에 기상정보를 참고하기 전에, 기상정보나 예보가 100% 정확하지 않을 수 있다는 점을 인식해야 한다. 따라서, 실시간으로 제공되는 다양한 기상정보를 바탕으로 정확한 의사결정을 위해 지속적으로 종합적이고 분석적인 판단력을 발휘하는 것이 필요하다.

1.3 항공기상정보의 관측 및 자료수집 및 가공

항공기상정보는 지표면에서 대기상층까지 다양한 기상관측 방법에 의해 수집된다. 기상정보는 크게 지표면(Surface). 상층대기(Upper air), 그리고 레이더 정보로 제공되며, 이 정보는 다시 전문(Text) 방식의 관측 및 예보정보와 기상레이더 및 차트(chart) 형태로 가공되어 제공된다. 지표면의 기상상태에 관한 정보는 주로 항공기가 이 착륙하는 공항을 중심으로 제공된다. 항공기상관측 업무는 대부분 자동화되어 있으며, 공항에 설치된 기상관측장비(AMOS)[33]를 통해 풍향, 풍속, RVR, 기온, 기압, 강수량 등을 관측한다. 이 정보는 주로 활주로상의 기상을 실시간으로 관측하여 정시관측보고(METAR)생성을 위한 자료로 활용된다.

상층대기의 관측은 라디오존데(Radiosonde)[34], 기상레이더, 위성 등을 통해 이루어지며, 상층대기를 운항하는 조종사의 관측보고(PIREPs)도 중요한 실시간 관측정보 중 하나이다. 기상레이더는 바람과 강수(Precipitation) 등 기상 정보를 제공하기 위해 관측자가 활용하는 장비이다. 주로 도플러 방식의 공항기상레이더(TDWR)를 사용하여 항공교통관제사가 공항에 이 착륙하는 항공기에 위험요인이 되는 돌풍이나 윈드쉬어(Wind Shear)를 조기에 탐지하고, 조종사들에게 적시에 통보하기 위해 사용된다.

이렇게 세가지 주요 기상데이터가 수집된 후 기상당국이 이를 취합하고 가공하여, 항공기상정보로 생산하게 된다. 국제 항공교통의 특성상, 우리나라에서 생산된 항공기상정보는 위성수신시스템(International Satellite Communication System, ISCS) 및 항공고정통신망(Aeronautical Fixed Telecommunication Network, AFTN)을 통해 외국과 교환된다. 기상당국은

---

[33] 공항기상관측장비 (AMOS: Aerodrome Meteorological Observation System) - 공항의 활주로상의 풍향·풍속, 시정, 활주로가시거리, 운고, 기온, 이슬점온도, 기압 및 강수량 등 기상상태를 자동으로 측정, 가공, 분배하는 항공기상관측의 기본적인 장비이다.

[34] 라디오존데(Radiosonde) - 상층대기의 기상상태의 측정을 위해, 헬륨가스가 든 특수한 기상기구로, 상층대기의 정보를 온도·기압·습도 등을 지상국에 전파로 보내는 기구가 달린 장치이다.

국내에서 생산된 항공기상정보와 세계공역예보시스템(WAFS)에서 제공된 자료[35] 를 바탕으로 항공기 운항에 필요한 항공기상정보를 서비스한다. 항공기상정보는 항공사, 공군, 항공기 운항 관련 기관에 항공고정통신망이나 항공기상청의 웹 페이지를 통해서 제공한다. 제공되는 항공기상정보는 항공관측보고, 항공예보, 항공특보로 나눌 수 있으며, 기상정보의 활용을 위한 해석방법에 대해 알아본다. 이 장은 항공기상청에서 발행한 항공기상서비스 사용자 안내서를 참고하여 용어의 정의, 관측/예보 보고 방법 등을 정리하였다.

2. 항공기상 관측 및 보고(AVIATION WEATHER REPORTS)

2.1 개요

항공기상관측보고는 현재의 기상상태에 대한 정확한 정보를 항공종사자가 이용할 수 있도록 국제적으로 통일된 기준으로 관측되어 보고된다. 각 기상관측보고는 각각 다른 시간대의 현재의 정보로써 제공되며, 항공기상관측보고는 정시관측보고(METAR: Aviation routine weather reports), 조종사관측보고 Pilot weather reports (PIREPs), 그리고 기상레이더관측보고(SDs: Radar weather reports)로 분류할 수 있다.

2.2. 정시관측보고(METAR: Aviation routine weather report)

2.2.1 정시관측보고(METAR) 의미와 분류

정시관측보고(METAR: Aviation routine weather reports)는 주로 현재 공항 지표면에 대한 대기의 관측 결과로 제공된다. 각 지역에서 관측된 기상정보는 중앙 기상국으로 보내어지고, 여기서 종합된 기상보고를 국제적으로 통일된 표준코드에 따라 제공하게 된다 항공기의 운항에 있어 중요한 기상정보인 METAR 는 현재 공항에 대한 기상정보를 제공해주고,

35 세계공역예보수신시스템 (WAFS: World Area Forecast Receiving System) - 국제민간항공기구(ICAO)의 부속서 3 을 근거로 1982 년부터 국제민간항공기구는 국제선을 운항하는 항공기에게 전세계 항공로 및 공역의 상층바람 및 기온예보(WINTEM)와 중요위험기상예보(SIGWX) 등의 항공기상정보를 제공하기 위한 세계공역예보수신시스템을 운영하고 있으며, 우리나라는 현재 워싱턴(ISCS)으로부터 세계공역예보자료를 수신 받고 있다.

이를 바탕으로 비행 전 항공기의 이착륙과 기타 운항 조건들을 결정하는데 영향을 준다.

※ METAR 의 분류
가. 정시관측
1) 정시관측보고(METAR)
2) 국지정시관측보고(MET REPORT)
나. 특별관측
1) 특별관측보고(SPECI)
2) 국지특별관측보고(SPECIAL)
다. 수시관측
항공교통업무기관의 요청이 있을 때
항공기사고관측보고

표 4- 1 METAR 의 분류

2.2.2 정시관측보고(METAR)의 전문작성 시 보고되는 기상요소

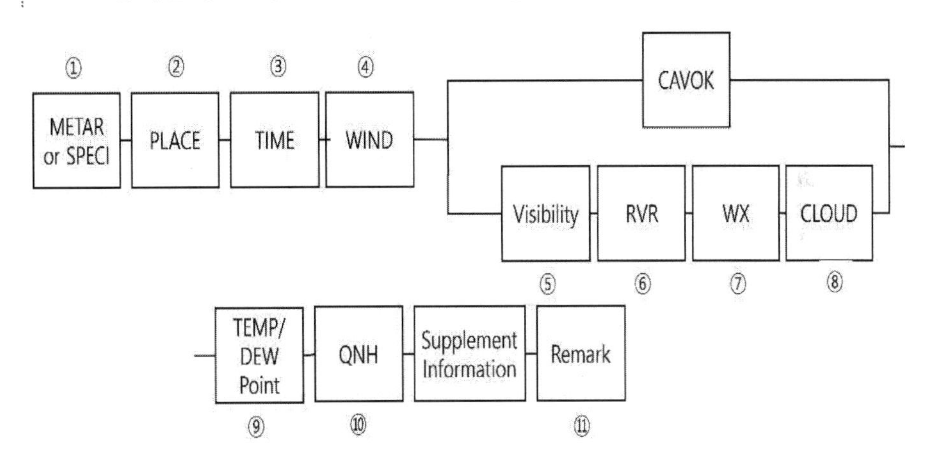

그림 4- 1 METAR 전문 작성 시 보고 기상요소

① 보고의 종류(Type of report)—정시보고 또는 특별보고(METAR or SPECI)

정시관측보고는 METAR 로 표기되며, 정시관측 사이의 기상의 특정 기준 값이 변화할 경우 실시되는 특별보고는 SPECI 또는 Special 로 표기된다. SPECI 는 국제항공협정의 부속서 3 (ICAO Annex 3)과 세계기상기구의, 기술규정(WMO Technical Regulation No49)에서 정한 특정 기준 값에서 변화가 있을 때 사용된다, 그리고 Special 은 당 공항 내에서, 주로 이착륙

항공기를 위해 사용되며, 기상당국, 항공교통업무기관 및 사용자의 협의에 의해 결정된 기준 값에서 변화가 있을 때 표기되게 된다. 또한 항공기 사고(Accident observation)가 발생한 경우, 사고원인에 항공기상요인이 있었는지 기록하기 위해 정시관측과 동일한 모든 기상요소에 대해 관측이 이루어지며, 보충 정보란에 ACCID 로 표기된다.

② 위치정보(Station identifier)

4 자리의 영문대문자로 표기되며, 국제 민간 항공기구(ICAO)에서 정한 공항코드를 표기한다.

③ 날짜와 보고시간(Date and time of report)

관측을 수행한 시간의 6 자리의 숫자로 표기되며, 그 달의 날짜/시각, 분으로 표기된다. 여기서 시간은 국제표준시(Universal Time Coordinated)가 기준이며, 대문자 Z 는 그리니치 표준시(GMT: Greenwich Mean Time)를 일컫는 말이다. GMT time zone 을 알파벳 Z 로 표기하고 Zulu time 이라고 읽는다.

④ 바람(Wind)

풍향과 풍속은 항공기의 이착륙에 중요한 영향을 미치는 기상 요소이다. 활주로 상의 풍향과 풍속에 따라 항공기의 양력, 활주 거리, 조종 방법, 사용 활주로의 방향 선택, 승객과 화물의 적재량 등이 달라진다.

바람의 관측은 보통 착륙 접지대에서 6~10m 높이에서 이루어지며, 풍향은 진북을 기준으로 0~360° 범위에서 10° 단위로, 풍속은 kt 단위로 관측된 결과를 보고한다. 풍향과 풍속의 관측 결과는 5 자리 숫자로 표기되며, 처음 세 자리 숫자는 풍향을, 나머지 두 자리 숫자는 풍속을 나타낸다. 예를 들어, 32013KT 는 풍향이 320°이고 풍속이 13kt 임을 의미한다. 이 외에 METAR 에서 바람 식별군의 특별한 기상상태의 코드 해석은 다음과 같다.

- 풍속이 1kt 미만인 경우 무풍(WIND CALM) 이라 하여 00000 으로 표기
- 바람 속도는 100KTS 이상이면 지시자 P 를 사용하고 99 로 보고한다.
- 관측 전 10 분 동안에 평균풍속으로부터 10 kt 이상 변화하였을 때, Gust 라고 하며, 평균 풍속 바로 뒤에 G 를 표시(예 31015G25KT)

- 관측하기 바로 전 10 분 동안에 풍향이 60° 이상 180° 미만으로 변하고 평균풍속이 3kt 이상일 때 양극단의 풍향을 양 방향 사이에 "V"자를 넣어서 시계방향 순서로 표기 (예) 02010KT 350V070
- 관측하기 바로 전 10 분 동안에 풍향의 변동이 60° 이상 180° 미만이고 평균 풍속이 3kt 미만일 경우 "VRB"를 사용하여 보고 (예) VRB02kt

⑤ 시정 Visibility

대기의 투명도를 거리로 나타낸 것으로 정의할 수 있으며, 이는 보통 눈으로 특정 물체를 보고 식별할 수 있는 최대 거리를 의미한다. 시정 관측 값은 주간에는 주로 빛의 산란, 흡수 또는 시정 장애 요인의 존재 유무 등의 영향을 받고, 야간에는 불빛을 이용하여 시정을 측정하며 빛의 세기(flux density) 등의 영향을 받는다. 공항의 상태를 대표하는 것이어야 하며, 이러한 관측의 경우 각 방위 별 시정의 변동에 특별히 주의해야 한다. 시정은 활주로 위 약 2.5m 높이에서 측정해야 하며, 국지정시 및 특별보고를 위한 시정관측장비는 활주로와 접지대를 따라서 시정을 가장 잘 감지할 수 있는 곳에 설치해야 한다. 시정이 800m 미만인 경우 50m 단위로, 800m 이상 5km 미만인 경우 100m 단위로, 5 km 이상 10km 미만인 경우 1km 단위로, 10km 이상인 경우 CAVOK 를 사용할 조건일 때를 제외하고는 9999 로 표시해야 한다. 시정의 측정값이 보고 단위와 일치하지 않을 경우 낮은 쪽으로 절삭해야 한다.

시정은 관측 방법에 따라 수평시정, 수직시정, 활주로시정으로 구분된다. 수평시정(Horizontal visibility)은 관측 지점에서 특정 목표물을 확인할 수 있는 수평 거리이고, 수직시정(Vertical visibility)은 수직 방향으로 특정 목표물을 확인할 수 있는 거리이다. 항공기 이착륙에 필요한 정보인 활주로시정(Runway Visibility)은 활주로에서 활주로 방향으로 볼 때 특정 목표물을 확인할 수 있는 수평 거리로, 투과율계를 통해 관측된다.

또한, 시정은 보고 방법에 따라 최단시정(Shortest visibility)과 우세시정(Prevailing visibility)으로 구분된다. 최단시정은 방위별로 수평시정이 동일하지 않을 때 각 방위 별 시정 중 가장 짧은 거리를 의미하며, 우세시정은 방위별로 수평시정을 관측하여 수평원이 180˚ 이상 차지하는 최대 시정을 의미한다. 일반적으로 METAR 에서는 우세시정을 사용한다(그림 4- 2).

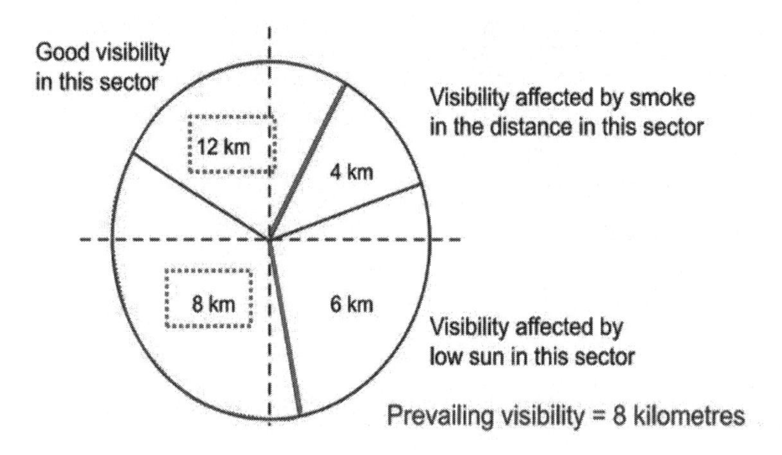

그림 4-2 우세시정

- 시정은 우세시정을 4 자리의 숫자를 사용하여 m 단위로 보고해야 한다. 예) 4000(시정 4000m), 0350(시정 350m)
- 시정이 10km 이상인 경우 CAVOK 를 사용할 조건인 때를 제외하고는 "9999"로 보고해야 한다.
- 최단시정이 1500m 미만이거나, 우세시정의 50% 미만이고 5000m 미만일 때 우세시정과 최단시정을 모두 보고해야 한다. 이때 가능하다면 최단시정 값에는 공항의 위치를 기준으로 한 일반적인 방향을 8 방위로 표기한다. 예) 2000 1200NW, 0800 0450S, 6000 2800E
- 최단시정이 한 방향 이상에서 관측될 때는 운항 상 중요한 방향의 최단시정이 보고되어야 한다. 예) 4000 1400N
- 시정이 급격히 변동하여 우세시정을 결정할 수 없을 때는 방향표기 없이 최단시정을 보고해야 한다.

⑥ 활주로 가시거리(RVR: Runway Visual Range)

활주로가시거리(Runway Visual Range)는 활주로 중심선 상에 있는 항공기의 조종사가 활주로 표면 표지 또는 활주로를 식별하거나 활주로 중심선을 알아보게 하는 등화를 볼 수 있는 거리로 정의한다. 활주로가시거리는 활주로 위 약 2.5m(7.5ft) 높이에서 측정한다. 활주로가시거리는 다음의 경우를 포함하여 시정이 악화된 기간 동안에 사용하기 위하여 모든 활주로에서 측정한다.

- ILS 운영등급 I (CAT I)의 계기접근 및 착륙운영을 위한 정밀접근활주로
- 이륙용으로 사용되며, 고광도 활주로등 그리고/또는 중심선등이 있는 활주로

관측 방법은 대부분의 공항에서 장비를 통한 계기관측으로 이루어지며, 보통 METAR, SPECI 에 사용되는 RVR 값은 10 분 평균값을 기준으로 다음과 같이 보고된다.

- 활주로가시거리의 약어 RVR 를 나타내는 R 로 시작하고 다음에 활주로 지시자가 붙고, / 다음에 m 단위의 RVR 값을 보고
  예) R32/0400 (32 방향 활주로가시거리 400m), R32L/0400 (32 방향 왼쪽 편 활주로가시거리 400m)
- 활주로가시거리가 상한치 2000 m 를 초과할 때는 P 를 사용하여 보고. 예) R15/P2000 (15 방향 활주로가시거리 2000m 초과)
- 활주로가시거리가 하한치 50m 미만일 때는 M 을 사용하여 보고 단, 각 공항에서는 M 뒤에 시스템이 결정할 수 있는 최솟값을 사용하여 보고 예) R15/M0050(15 방향 활주로가시거리 50m 미만), R24/M0150(24 방향 활주로가시거리 150m 미만)
- 착륙접지대의 대푯값만 보고해야 하며, 활주로상 위치 표시는 하지 않음 착륙 접지대 활주로가시거리 값을 4 개까지 보고할 수 있으며 그 값에 대한 활주로 표시 예) R16L/0500 R16R/0450
- 관측시작 직전 10 분간의 활주로가시거리의 변동은 다음과 같이 보고. 활주로가시거리가 10 분 동안에 뚜렷한 경향 즉 처음 5 분간 평균보다 다음 5 분간 평균이 100m 이상 변화하는 뚜렷한 경향이 나타나면 이러한 경향을 표시해야 한다. 활주로가시거리 값이 상승 또는 하강의 경향을 보였을 때는 각각 약자 U 또는 D 를 표시. 이러한 상황에서 10 분간 활주로가시거리가 현저한 변동경향을 나타내지 않았을 때는 약자 N 을 사용하여 보고. 경향표시가 불가능할 때에는, 앞의 약자 중 아무 표시도 하지 않음
  예) R12/1100U, R26/0550N, R20/0800D

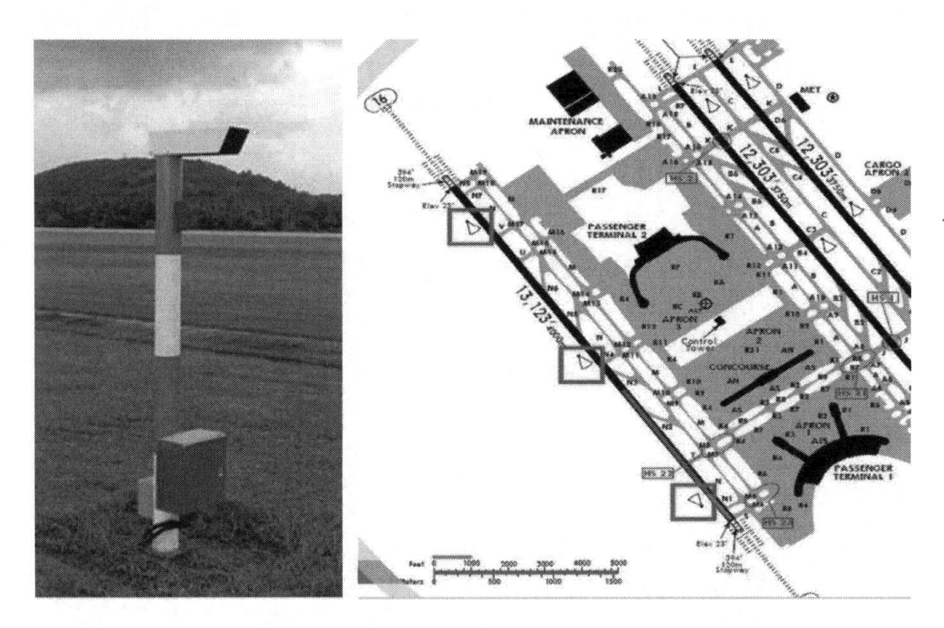

그림 4- 3 RVR transmitter and AIP 상 RVR 표시

⑦ 현재 일기(Weather)

공항에서 발생하는 일기현상은 관측되고 보고되어야 하며, 자동관측장비로 수행할 경우, 그 장비로 적절히 결정할 수 없는 현재일기 요소에 대한 수동 삽입표가 만들어져야 한다. 현재일기 관측은 당해 공항의 상태를 대표하는 일기현상을 관측해야 하고, 특정 현재일기 현상은 그 인근(8~16km)의 상태를 대표하는 것이어야 한다. WMO CODE TABLE 4678(WMO No.306)의 강도와 상태를 나타내는 수식어(qualifiers)와 기상현상(weather phenomenon) 부호를 결합하여 표 4- 2 와 같이 표시한다.

수식어		일기현상		
강도	상태	강수	장애	기타
- 약함 보통 (수식어 없음) + 강함 (잘 발달된 먼지/모래 소용돌이와 깔대기 구름) VC 인접	MI 얕은 BC 산재한 PR 부분적인 (공항의 일부를 덮고 있을 때) DR 낮게 날린 BL 높게 날린 SH 소낙성의 TS 천둥번개의 FZ 어는	DZ 이슬비 RA 비 SN 눈 SG 쌀알눈 PL 얼음싸라기 GR 우박 GS 싸락 우박 또는 눈싸라기 UP 알려지지 않은 강수	BR 박무 FG 안개 FU 연기 VA 화산재 DU 넓게 퍼진 먼지 SA 모래 HZ 연무	PO 먼지/모래 소용돌이 SQ 스콜 FC 깔대기 구름(토네이도 또는 용오름) SS 모래폭풍 DS 먼지폭풍

표 4- 2 WMO CODE TABLE 4678(WMO No.306)

⑧ 구름 또는 수직 시정 (Sky condition)

공항 또는 그 주변의 구름 상태는 활주로가시거리와 함께 항공기 이착륙 최저 기상 조건을 결정하는 중요한 요소이다. 운저고도는 보통 공항표고로부터의 높이를 보고해야 한다. 공항표고보다 활주로 전단의 표고가 50ft(15m)이상 낮은 정밀접근 활주로를 사용할 경우 도착하는 항공기가 통보되는 운저고도를 활주로 전단의 표고와 참조할 수 있도록 국지적 협정을 체결해야 한다. 구름군은 운량, 운고(운저고도 또는 수직시정), 운형으로 구성되며 보통 6자리로 보고된다. METAR에서 운량은 구름에 의해 가려진 부분을 Octas로 표현한다. Octas는 구름이 하늘을 덮고 있는 정도를 나타내는 값으로, 지평선에서 지평선까지의 하늘을 8 분위로 나눈 것이다. 관측 전문에는 다음 표시 기준에 따라 운량을 보고한다.

- 1/8 ~ 2/8: FEW(Few)
- 3/8 ~ 4/8: SCT(Scattered)
- 5/8 ~ 7/8: BKN(Broken)
- 8/8: OVC(Overcast)

운저고도가 비슷한 운층의 구름이 산재하고 있을 때는 동일고도로 간주하여 운량을 보고해야 한다. 한 층의 구름이 적란운, 탑상적운, 보통의 구름으로 구성되어 있을 때 운형은 적란운으로 운량은 동일고도에 있는 모든 운량의 합으로 보고해야 한다. 운저고도의 보고기준은 다음과 같다.

- 운저고도는 250 ft(75 m)까지는 50 ft(15 m) 간격으로 300ft(90 m) 부터 10,000ft(3,000m) 까지는 100 ft(30 m) 간격으로 보고
- 운저고도 100 ft 미만의 구름이 관측되었을 때는 "NSNSNS000"으로 보고 예) SCT000, FEW000
- 산악지대에서 구름이 관측지점의 고도보다 낮을 경우 구름은 NSNSNS///" 보고 예) SCT///, FEW///CB
- 관측지점에서 강수 또는 시정장애 현상으로 하늘이 차폐되어 구름을 관측할 수 없을 때는 수직방향으로 특정목표물을 확인할 수 있는 거리 즉, 수직시정을 관측하여 보고 예) VV001, VV002
- 운고계가 없는 공항에 한하여 수직시정관측이 불가능할 때는 VV///로 보고해야 하고 운고계가 있는 공항에서는 운고계를 참고하여 000 ft 까지 관측 예) VV///, VV000

중요한 대류운〔CB(적란운), TCU(탑상적운)〕이외의 구름의 형태는 식별하지 않는다. 운항 상 중요한 운량과 구름고도(운고)는 다음의 순서에 따라 보고한다.

- 최저 구름층은 보고되어야 할 운량에 관계없이 적절하게 FEW, SCT, BKN 또는 OVC 로 표시
- 제 2 층 구름층은 3 oktas 이상을 가리고 있는 그 다음 운층 또는 운괴, SCT, BKN 또는 OVC 로 표시
- 제 3 층 구름층은 5 oktas 이상을 가리고 있는 그 다음 높은 운층 또는 운괴, BKN 또는 OVC 로 표시
- 적란운(CB) 또는 탑상적운(TCU)이 관측될 때는 상기 1)~3)의 제한을 받지 않고 반드시 보고

운항 상 중요한 구름이란 운저고도가 5000 ft(1500 m)미만 또는 가장 높은 최저섹터고도(MSA: Minimum Sector Altitude)의 두 값 중 더 높은 것 아래에 운저고도가 있는 구름, 운저고도에 관계없이 적란운 또는 탑상적운을 뜻한다. 항공기 운항에 영향을 줄 수 있는 기상현상이 일정기준 이상인 경우에는 그 현상의 명칭 또는 관측값을 구체적으로 명시하는 대신 CAVOK 이라는 용어를 사용하고 있다. Ceiling And Visibility OK(CAVOK)는 시정이 10km 이상이고, 운항상 중요한 구름이 없을 때, 강수, 대기물,먼지현상, 천둥번개 등의 중요일기가 없을 때 시정, 활주로가시거리, 현재일기, 구름정보 대신 사용한다. NSC(Nil Significant Cloud)는 운항상 주요한 구름이 없고

수직시정에 제한이 없으나 CAVOK 약어 사용이 적절하지 않을 경우 사용한다.

⑨ 기온과 이슬점 온도

기온과 이슬점 온도는 항공기의 성능에 큰 영향을 미치는 주요 기상 변수로, 항공기의 이착륙에 필요한 활주로 거리와 탑승 인원 및 화물 무게 계산에 활용된다. 관측된 기온과 이슬점 온도는 가장 가까운 섭씨 온도로 반올림되어 두 자리 숫자로 표시되며, 섭씨 0 도 이하의 경우 M 을 앞에 붙여 영하임을 나타낸다.

⑩ 기압 QNH

항공기 고도계의 정확한 보정치를 구하기 위해 착륙하는 항공기의 기압고도계 설정과 항공관제 시 항공기가 적정 고도를 유지하도록 기압 관측을 실시한다. 보고 형식은 hPa 과 inch 단위로 관측되며, hPa 은 정수 단위로, inch 는 소수점 두 자리까지 보고된다. hPa 은 소수점 이하를 절사하고, inch 는 소수점 세 자리 이하를 절사한다. 여기서 Q 는 hPa, A 는 기압의 inch 단위를 의미한다. 예) QNH 995.6hPa 30.27inch ⇒ Q0995 A3027

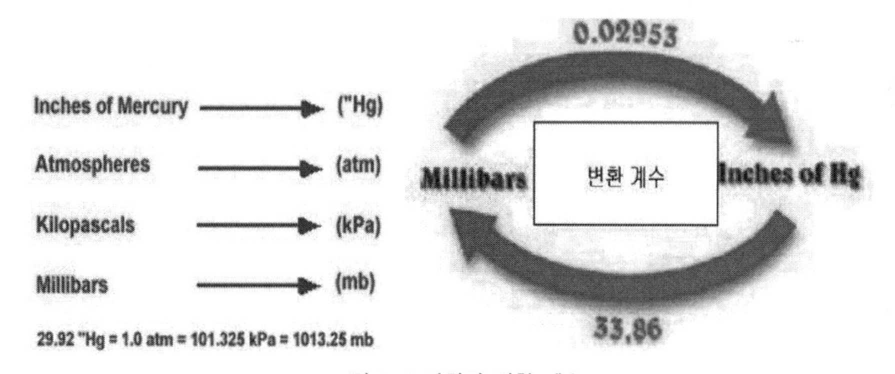

그림 4-4 단위의 변환 계수

⑪ 보충 정보(Remarks)

운항에 중요한 최근의 일기 현상을 표기하며, 윈드쉬어, 활주로 상태 등을 보고한다.

2.2.3 경향 예보(TREND FORECAST)

METAR 또는 SPECI에 추가되는 경향 예보는 예보자가 작성하며, 관측 시간 이후 2 시간 동안의 착륙을 위한 예보로, 가능한 발생에 대한 예보자의 최종 추정치를 나타낸다. 지상의 바람, 시정, 현재 일기 및 구름 등 항공기 운항에 중요한 기상 요소들 중 중대한 변화가 예상될 때 METAR 에 포함되는 예보 정보이다. 경향 예보는 BECMG, TEMPO, 시간군, GGgg: FM(from), TL(until), AT(at) 중 적절한 문자 지시자 뒤에 여백 없이 시간을 붙여서 작성한다.

2.2.4 METAR 전문의 해석

METAR RKSI 292000Z CCA 30015G25KT 1200 NE R15R/1000VP1500N R15L/1200VP1500U -SN BKN008 OVC040 01/M02 Q0997 REFZRA RWY VIS 15L/2000 NOSIG

전문	해석	작성방법
METAR	공항기상 정시관측전문	전문의 종류 METAR: 정시관측전문 SPECI: 특별관측전문
RKSI	인천국제공항	ICAO 에서 지정하는 지점식별부호, 영문 4 글자
292000Z	그 달의 29 일, 2000 UTC	관측된 시간
CCA	수정전문	CCA: 수정(corrected)전문 RRA: 지연(relayed)전문
30015G25KT	북서(300˚)풍 10 분 평균 풍속 15 knots, 10 분간 최대풍속 25 knots.	풍향: 북풍(360), 동풍(90), 남풍(180), 서풍(270) 풍속 1 knot = 약 0.5 m/sec (1 knot = 1 NM/1 시간)
1200 NE	최단시정 1,200 m	특정 방향으로 시정이 안 좋을 때는 그 방향을 표시해준다.

		이 경우, 북동(NE)쪽으로는 시정이 가장 나빠서 1,200 m.
R15R/1000V P1500N R15L/1200V P1500N	활주로 15 R 방향 시정 1,000 m 이고 최근 10 분간 1,000 - 1,500 m 로 가변적. 활주로 15 L 방향 시정 1,200 m 이고 최근 10 분간 1,200 - 1,500 m 로 가변적.	최단시정이 1,500 m 미만일 때는 RVR 10 분 평균 값을 보고한다. 최단시정이 RVR 보고 범위보다 좋으면 RVR 값 앞에 P 를 붙여준다. 관측시간 이전에 RVR 값이 상당히 크게 변하면 먼저 V 를 쓰고 1 분간 평균 최대, 또는 최소값을 보고한다. RVR 값 다음의 U, D, N /U - RVR 값이 커지는 경우, /D - RVR 값이 작아지는 경우 /N - RVR 값 변화가 없는 경우
- SN	현재 약한 눈이 날리고 있음.	현재 날씨는 강도, 관측소와 거리 등을 나타내는 한두 개의 수식어와 기상현상 지시자로 구성된다.
BKN008 OVC040	800 feet 에 구름 BKN(5 - 7 oktas), 다음 층 4,000 feet 에 OVC.	구름 층은 운저가 낮은 층부터 보고한다. 운량은 전체하늘의 1/8 단위(okta)로 보고한다. FEW - 1 to 2, SCT - 3 to 4, BKN - 5 to 7, OVC - 8. CB 와 TCU 가 관측되는 경우에는 그 운형을 덧붙여 보고한다 (예 FEW030CB).
01/M02	기온 1 C, 이슬점 온도 -2 C	기온과 이슬점 온도는 정수 단위로 반올림한다. 음수인 경우에는 M 을 붙인다.
Q0997	고도계 setting 997 hPa.	Q 다음에 오는 4 자리 숫자는 현지기압 (단위 hPa).
REFZRA	관측시간 당시는 아니지만 직전 관측시간과 이번	직전 관측시간과 이번 관측시간 사이에 있었던 특이기상현상 언비, 보통 이상의 비, 눈, 날린 눈, 우박 snow pellets, ice pellets; 뇌우, 모래폭풍,

	관측시간 사이에 어는 비가 관측됨.	먼지폭풍; 화산재; 깔때기구름, 토네이도, 용오름.
RWY VIS 15L/2000	활주로 15L 방향 시정 2,000 m.	
NOSIG	중요한 일기변화는 없을 것으로 예상	현재의 날씨상태가 이후 2 시간 동안은 별로 변하지 않을 것으로 예상될 때만 NOSIG 를 사용한다. (No Significant Change)
경향예보 예) BECMG 5000	시정 예상치 5,000 m .	

표 4- 3 METAR 전문 해설

2.3 조종사 관측보고 Pilot weather reports (PIREPs)

조종사 관측 보고는 실제 조종사가 비행 중일 때 항공기 운항에 영향을 줄 수 있는 기상 정보를 제공하는 것으로, 실시간 관측 정보이기 때문에 해당 지역을 비행하는 항공기들에게 매우 가치 있는 정보이다. 조종사는 비행 중 구름의 상단(tops of clouds), 윈드쉬어, 난기류(turbulence) 등의 현상과 위치를 눈으로 정확히 확인할 수 있으며, 착빙(Icing)이 발생하는 고도와 위치 정보도 알 수 있다. PIREPs 는 항공기 운항에 영향을 줄 수 있는 기상 현상이 있을 때 수시로 보고되지만, 특히 공항 지역에서 운고가 5,000ft 이하이거나 시정이 5mile 이하일 때 항공교통센터(ATC)는 지역을 비행하는 조종사들에게 PIREPs 를 보고하도록 요청한다. 또한 예보되지 않은 기상 상황이 발생했을 때도 조종사들은 기상당국(FSS 나 ATC)에 보고하며, 이렇게 수집된 기상 정보는 항공기상당국이 정리하여 다른 조종사들에게 비행 중 조언에 사용된다.

3. 항공기상예보 AVIATION FORECASTS

3.1 개요

한 지역에서 관측된 기상 상태에 대한 보고는 해당 지역의 기상 예보를 생산하는 데 기본 자료로 이용된다. 관측된 보고를 바탕으로 기상 상태의 경향을 판단하여 예보를 작성하기 때문이다. 다양한 예보 정보는 비행 전에 비행계획에서 사용되며, 항공기의 운항에 있어 이착륙, 항로 등 운항 조건을 결정하는 주요 요소 중 하나이다. 항공기상예보는 공항, 구역, 항공로에 예상되는 기상 상태에 대한 간결한 기상 요소의 시간 및 공간적 변화 가능성을 포함한다. 예보 기술의 한계로 인해 특정 예보 요소의 값은 예보 기간 동안 발생할 수 있는 가장 개연성 있는 기상 정보로 이해되어야 한다. 항공기상예보에는 공항예보(TAF: terminal aerodrome forecast), 지역 예보(FA: aviation area forecast), 비행 중 기상 조언 정보(inflight weather advisories: SIGMET, AIRMET), 상층 바람 및 기온 예보(FD: winds and temperatures aloft forecast), 착륙 예보, 이륙 예보, 항공로 예보 등이 포함된다.

3.2 공항예보(TAF: Terminal Aerodrome Forecasts)

공항예보란 공항에 예상되는 기상현상에 대해 발표하는 항공기상예보로 정의한다. 공항예보는 공항기상보고의 일반적인 형식을 따르며, 송신을 위해 약어화 된 형식으로 표현될 수 있고, 통신망으로 교환할 때는 TAF 형식으로 부호화 될 수 있다. 예보는 주로 지상풍, 시정, 예상되는 중요한 기상 현상과 구름, 그리고 관련된 중대한 기상 변화를 포함한다. 공항 예보구역은 해당 공항의 비행장 표점(ARP) 기준 반경 8km(단, 구름 예보는 16km) 이내 지역을 말한다. 발표된 공항예보는 항공고정통신망(AFTN)을 활용하여 국내, 외로 교환한다. 공항예보의 유효 시간은 지역 항공 항행 협정을 근거로 각 지역별로 결정된다.

3.2.1 전문 표현 방법

공항예보의 전문 내용은 예보형태의 식별, 위치 식별자, 예보 발표 시각, 누락예보 식별(필요한 경우), 예보의 유효일자와 기간, 취소예보 식별(필요한 경우), 지상풍, 시정, 일기현상, 구름, 기온, 유효기간동안 이들 요소 중 하나이상에 대해 예상되는 중요 변화가 포함된다. 바람, 시정, 구름은 정시관측보고의 방법과 동일하고, 변화군이 포함되는데 다음 표 4-4 변화 및 확률 지시자와 관련 시간군을 사용하여 표시한다.

지시자 종류	지시자	내용
변화지시자	BECMG (becoming 약어)	특정기간동안 기상요소(바람, 시정, 구름, 일기현상)가 규칙적 또는 불규칙적으로 변하여 특정 값이 도달할 것으로 예상할 때 사용. 구름은 여러 개의 구름군 중 하나만 변화해도 모든 구름군을 포함하여 표현. 만일 변화군이 더 이상 사용되지 않는다면 BECMG 특정기간 후에 주어진 기상현상이 시간 이후부터 예보기간 종료 시까지 지속되는 것으로 이해해야 함. 변화기간은 보편적으로 2 시간을 초과할 수 없으며 어떠한 경우라도 4 시간을 초과할 수 없음
	TEMPO (temporary 약어)	특정기간동안 일시적으로 기상요소(바람, 시정, 구름, 일기현상)가 변할 것으로 예상할 때 사용. 단, 기상현상 변화의 지속시간은 매 경우 1 시간미만 시간동안 변화했다 회복했다 해야 하고, 각 변동시간의 합이 특정기간의 1/2 미만일 것으로 예상될 때 사용. 만약 매 경우 일시적 변동시간이 1 시간 이상 지속되거나 각 변동시간의 합이 특정기간의 1/2 이상 될 것으로 예상되면 변화지시자 BECMG 를 사용
	FM (from 약어)	특정시간에 기상현상이 다른 기상현상으로 뚜렷하게 변화할 것으로 예상될 때 사용. FM 이후에는 모든 예보요소를 표현해야 하며 FM 시간군 이전에 주어진 모든 현상은 FM 시간군 이후에 표현된 현상으로 대체
확률지시자	PROB (probability 약어)	PROB'는 특정기간에 예상되는 기상현상의 발생확률이 30% 또는 40%일 때 사용

표 4-4 변화와 관련된 지시자 및 내용

3.2.2 TAF 예

```
TAF RKSI 251212 24010G25KT 6000 -RA BKN010 OVC040
          TEMPO 1801 2000 -SN BKN008 OVC012
          PROB30 2022 0800 SN
          FM 0130 28010KT 3000 -SN BKN012 OVC025
          BECMG 0608 00005KT 4000 BR
          BECMG 0911 VRB03KT CAVOK
```

표 4- 5 TAF 예시

3.2.3 해설

<table>
<tr><th>부호</th><th>해설</th><th>비고</th></tr>
<tr><td>TAF</td><td>공항예보(TAF)</td><td>공항예보(TAF)수정예보(TAF AMD)</td></tr>
<tr><td>RKSI</td><td>대한민국, 인천국제공항</td><td>ICAO 에서 지정하는 4 자리 지점식별부호, 영문 4 글자</td></tr>
<tr><td>251212</td><td>25 일 1200 UTC 부터 다음날 1200 UTC 까지 예보</td><td>앞의 두 자리 - 날짜, 가운데 두 자리 - 예보시작시간(UTC), 끝 두 자리 - 예보 종료시간(UTC)</td></tr>
<tr><td>24010G25KT</td><td>지상풍 240 도 10 knots, gust 25 knots 예상.</td><td rowspan="3">바람, 시정, 구름</td></tr>
<tr><td>6000 -RA</td><td>약한 비와 함께 시정 6,000 m 예상</td></tr>
<tr><td>BKN010 OVC040</td><td>구름 1,000 feet BKN, 4,000 feet OVC 예상.</td></tr>
<tr><td rowspan="2">TEMPO 1801</td><td colspan="2">1800UTC 와 0100UTC 사이에 비연속적인 일기변화 예상. TEMPO 1801: 지정 시간 동안(1800 - 0100UTC) 기상현상이 단속적으로 일어날 것으로 예상되는 경우</td></tr>
<tr><td>2000 -SN BKN008 OVC012</td><td>약한 눈과 함께 시정 2,000 m 예상, 구름은 800 feet 에 BKN, 1,200 feet 에 OVC</td></tr>
<tr><td>PROB30 2022 0800 SN</td><td colspan="2">2000UTC 과 2200UTC 사이에 다음 기상현상이 나타날 확률 30 % 보통 정도의 눈과 함께 우세시정 800 m 예상</td></tr>
<tr><td rowspan="2">FM0130Z</td><td colspan="2">0130UTC 를 기점으로 다음 일기현상으로 바뀔 것으로 예상.</td></tr>
<tr><td>28010KT 3000 -SN BKN012 OVC025</td><td>바람 서풍(280) 10 knots, 약한 눈과 함께 시정 3,000 m, 구름 1,200 feet BKN 2,500 feet OVC</td></tr>
</table>

BECMG 0608	0600 - 0800UTC 사이에 다음 일기 현상이 점차적으로 변해 0800UTC 부터는 다음의 일기상태를 유지할 것으로 예상.	
	00005KT 4000 BR	바람은 없고, 시정 4,000 m 예상. 눈은 그칠 것으로 예상. BR 은 mist 를 뜻하는 프랑스어(brume).
	VRB03KT CAVOK	풍속은 3 knots 정도로 유지하면서, 풍향이 60 도 이상 변할 것으로 예상, ceiling 과 시정 모두 양호. * CAVOK: Ceiling And Visibility OK

표 4- 6 TAF 해설

3.3 공역기상예보

공역기상예보는 항로를 비행 중인 항공기에게 잠재적으로 위험이 될 수 있는 위험기상 정보에 대해 조언해주는 예보정보를 말하며, 비행계획을 작성할 때에도 이용된다. 공역기상예보는 SIGMET, AIRMET 이 있다.

3.3.1 중요기상정보(SIGMET: SIGNIFICANT METEOROLOGICAL INFORMATION)

SIGMET 정보는 유효기간 시작 4 시간 전에 발표한다. 다만, 화산재와 열대저기압은 사전에 경고하기 위해서 유효기간 시작 12 시간 전에 발표해야 하며, 최소 6 시간마다 업데이트해야 한다. SIGMET 정보의 유효시간은 4 시간을 초과하지 않아야 하며, 화산재구름과 열대저기압 같은 특별한 경우에는 유효시간을 6 시간까지 연장할 수 있다. 화산재 구름과 열대저기압에 관한 SIGMET 전문은 지역항공항행협정에서 지정한 화산재주의보센터(VAAC)와 열대저기압주의보센터(TCAC)에서 제공하는 주의보 정보를 기반으로 작성할 것을 권고한다. 다만, 열대저기압 중심이 인천비행정보구역 내에 위치할 것으로 예상되거나 위치한 경우 열대저기압 SIGMET 정보는 기상청에서 발표하는 태풍예보를 근거로 발표한다. SIGMET 정보는 지역항공항행협정에 따라 기상감시소, WAFCs, 그리고 타 기상관서에 전파하며, 화산재에 관한 SIGMET 정보는 VAACs 에도 전파한다. SIGMET 발표를 필요로 하는 현상 목록은 SIGMET 전문에 사용되는 약어와 함께 표 4- 7, 표 4- 8 과 같이 나타난다.

약어	의미	
OBSC	Obscured	연무나 먼지 등에 가려져 희미한 것을 의미
EMBD	Embedded	다른 구름 층 사이에 끼어 있는 것을 의미
ISOL	Isolated	동떨어져 있는 상태를 의미함(대상구역의 1/8 미만)
OCNL	Occasional	듬성듬성한 상태를 의미(대상구역의 1/8 ~ 4/8)
FRQ	Frequent	빽빽한 상태를 의미(대상구역의 5/8 ~ 8/8)

표 4-7 SIGMET 전문에 사용되는 약어 및 해설

기상현상	사용 예
열대저기압	10 분 평균지상풍속 34kt(63 ㎞/h) 이상인 열대성 저기압 … TC(저기압명칭)
난류	보통 난류 MOD TURB 심한 난류 SEV TURB
착빙	심한 착빙 SEV ICE 어는 비에 의한 심한 착빙 SEV ICE(FZRA)
산악파	심한 산악파 SEV MTW
먼지보라	강한 먼지보라 HVY DS
모래보라	강한 모래보라 HVY SS
화산재	화산재 VA(알고 있다면, 화산명칭)
적란운	동떨어져 있는 적란운 ISOL CB 듬성듬성한 적란운 OCNL CB 빽빽한 적란운 FRQ CB
우박	GR

표 4-8 SIGMET 에 사용되는 기상 현상 및 사용 예

뇌우, 열대성 저기압 또는 심한 스콜라인과 관련된 전문은 난류 또는 착빙과 관련된 내용을 포함하지 않지만, 뇌우를 동반한 강한 우박의 발생은 표시해야 한다. SIGMET 정보는 종종 항공기 보고, 특히 특별 항공기 보고에 근거하며, 기상 위성 자료 및 기상 레이더 같은 지상 시설의 관측 또는 예상에 근거할 수도 있다. SIGMET 정보 전문은 기상 감시소가 발표하며, 항공교통업무(ATS) 기관을 통해 비행 중인 항공기와 항공 종사자에게 제공된다. 비행 중인 항공기는 보통 항공기 위치에서 2 시간 정도의 비행 시간 안에 해당하는 거리의 항공로에 영향을 미치는 SIGMET 정보를 수신하게 된다. 이러한 현상이 공역 내에 더 이상 발생하지 않거나 더 이상 발생이 예상되지 않을 때는 발표 기관에 의해 SIGMET 전문이 취소된다.

3.3.2 SIGMET 예

RKRR SIGMET3 VALID 251600/252200 RKSS-
① ② ③ ④
INCHEON FIR TC ORCHID OBS 33.2N 126.0E AT1600 FRQ TS TOPS
⑤ ⑥ ⑦
FL500 WI 150NM OF CENTER MOV NE10KT. NC.
⑧ ⑨
ORCHID TC CENTER 260400 33.4N 126.3E 261000 33.6N 126.8E
⑩

3.3.3 해설

① SIGMET 전문이 관계되는 비행정보구역을 담당하는 ATS 기관의 위치부호(RKRR: ICN FIR)

② 전문의 식별부호와 번호
③ 유효시간(UTC)
④ 전문을 발표하는 기상감시소의 위치부호
⑤ 비행정보구역
⑥ 기상현상: 평문약어 사용
⑦ 기상현상의 설명 - 관측: OBS, 예상: FCST, 위치(위, 경도)와 고도(ft)
⑧ 기상요소의 관측 또는 예상되는 이동방향(°) 및 속도(KT)
⑨ 강도변화 -
- INTSF(INTenSiFy): 강도증가
- WKN(WeaKen): 강도약화
- NC(No Change): 강도불변
⑩ 유효시간 외에 제공되는 정보
- 화산재 구름과 태풍에 대한 SIGMET 전문은 최소한 6 시간마다 발표
- 화산재 구름의 궤도와 태풍중심의 위치에 대한 예보는 유효 시간외 12 시간까지의 정보를 제공

3.3.4 저고도 중요기상 정보(AIRMET)

우리나라의 경우 AIRMET 을 인천비행정보구역 내 10,000ft 이하 저고도(산악지역은 15,000ft 또는 그 이상의 고고도를 포함한다)를 운항하는 항공기에 영향을 줄 수 있는 기상현상의 변화가 발생하거나 발생이 예상될

때 발표하는 항공기상특보로 정의한다. AIRMET 정보의 목적은 관련 비행 정보 구역이나 공역의 저고도 항공기 운항의 안전에 영향을 줄 수 있는 특정 항공로 기상 현상의 발생이나 예상에 대해 조종사에게 통보하는 것이다. 이는 저고도를 비행하는 시계 비행 조종사, 단발기 및 경항공기 조종사에게 해당되는 위험한 기상을 조언한다. AIRMET 이 제공될 때 기상 상태는 중간 정도의 착빙이나 요란 기류, 30KT 이상의 풍속, 광범위한 계기 비행 상태, 극심한 산악파 등이 포함된다. 난류 및 착빙과 관련된 뇌우 또는 적란운과 관련된 정보는 포함되지 않지만, 뇌우를 동반한 우박의 발생은 표시할 필요가 있다.

AIRMET 전문은 관련 항공교통업무(ATS) 기관을 통해 비행 중인 항공기에 배포되며, 인접 비행 정보 구역의 기상 감시소(MWOs)와 관련 기상 당국 간의 합의에 의해 기타 기상 관서에 전송된다. AIRMET 정보는 그 현상의 발생이 예상되는 시각으로부터 4 시간 전에 발표하며, 전문의 유효시간은 4 시간을 초과하지 않아야 한다. AIRMET 전문은 현상이 더 이상 발생하지 않거나 더 이상 발생이 예상되지 않을 때 발표 기관이 취소해야 한다. AIRMET 전문은 다음과 같은 기상 정보를 포함한다.

3.3.5 AIRMET 예

YUCC AIRMET 2 VALID 221330221630 YUDO-
① ② ③ ④
AMSWELL FIR MOD MTW OBS AT 1325 48 DEG N 10 DEG E AT FL090
⑤ ⑥ ⑦ ⑧
STNR WKN
⑨ ⑩

① AIRMET 전문과 관련된 비행 정보 구역(FIR) 또는 그 공역을 담당하는 항공교통업무(ATS)의 위치 표시. (☞ YUCC)
② 전문 식별 부호와 일련 번호. (☞ AIRMET 2): 전문 식별 부호(AIRMET) 뒤의 번호는 0001UTC 에서 ~ 2400UTC 동안에 발표 기관이 발표한 AIRMET 정보 전문의 숫자에 부응하는 일련 번호이다.
③ UTC 기준의 유효 기간을 표시하는 날짜-시간군. (☞ VALID 221215/221600): 유효 기간은 현상의 예상 지속 기간이며 지상에서 비행 중인 항공기에 대한 정보의 송신은 여전히 유효한 AIRMET 들만 전달되는 것으로 이해되어야 한다.

④ 전문을 생산하는 기상 감시소의 위치 표시, 본문과 전문을 분리하기 위하여 -을 붙인다. (☞ UDO)
⑤ 다음 줄에 AIRMET 이 발표되는 비행 정보 구역 또는 통제 지역의 명칭. (☞ AMSWELL FIR)
⑥ 약어만을 사용한 AIRMET 발표를 야기시킨 기상 현상과 그에 대한 서술(☞ MOD MTW)
⑦ 정보 종류: 관측되고 지속될 것으로 예상되면 약어 OBS 를 사용, UTC 로 관측 시간 표시하고 예보가 가능하면 약어 FCST 를 사용. (☞ OBS AT 1325)
⑧ 위치 및 고도. 위/경도 또는 위치 또는 국제적으로 잘 알려진 지리적 특성. (☞ 48 DEG N 10 DEG E AT FL090)
⑨ 이동: 나침반의 8 방위 중 한 방향, ㎞/h 또는 knot, 또는 정체(stationary)로 표시되는 관측된 이동 또는 예상되는 이동. (☞ STNR)

⑩ 강도의 변화: 약어 INTSF, WKN 또는 NC 를 적절히 사용.
0001UTC 이후로 Donlon/International 기상 감시소(YUDO)가 AMSWELL 비행 정보 구역(약어화 된 평이어 및 YUCC Amswell 공역 통제소로 식별)에 대해 발표한 2 번째 AIRMET 전문. 전문은 22 일 1330 UTC 부터 1630UTC 까지 유효함; 1325UTC 에 북위 48.0 도 동경 10.0 도 비행 고도 9,000ft 상공에 보통 강도의 산악파가 관측됨; 산악파는 정체하면서 약화될 것으로 예상됨.

3.4 Wind Shear 경보

윈드쉬어는 많은 항공기 사고의 원인으로 위험한 기상 현상 중 하나이다. 공항에서 윈드쉬어가 발생하면 이착륙하는 항공기에 심각한 위협이 될 수 있다. 윈드쉬어는 저층 기온 역전, 뇌우, 마이크로버스트, 깔때기 구름(토네이도 또는 용오름), 돌풍 전선, 지상 전선, 지형에 의한 강한 지상풍 등에 의해 발생한다.

항공기 접근 구역에서의 윈드쉬어는 예를 들어 WS WRNG SURFACE WIND 320/20KMH WIND AT 50M 360/50KMH IN APCH(접근로 상의 윈드쉬어 경보 지상 바람 풍향 320 도, 풍속 20 ㎞/h, 50m 상공의 바람 풍향 360 도, 풍속 50 ㎞/h)와 같이 보고된다. 마이크로버스트가 조종사에 의해 관측되거나 지상에 설치된 윈드쉬어 탐지 또는 원격 탐지 장비에 의해 탐지되는 경우, WS WRNG MBST APCH RWY 26 와 같이 윈드쉬어 경보에 마이크로버스트에 관한 내용을 포함해야 한다.

지상에 설치된 윈드쉬어 탐지 또는 원격 탐지 장비에 의한 정보가 윈드쉬어 경보 작성에 이용되는 경우, 기상 당국, 관련 항공교통업무(ATS) 기관 및 관련 운항자 간에 합의된 접근로 또는 이륙로를 따르는 활주로의 특정 부분과 관련되어야 한다. 항공기 보고가 윈드쉬어 경보 작성에 이용되거나 이미 발표된 경보를 확인하는 데 사용될 때는 항공기 기종을 포함한 항공기 보고를 변경하지 않은 채 경보에 포함시킨다.

윈드쉬어 경보 전문
예) WS WRNG B747 REPORTED MOD WS IN APCH RWY 34 AT 1510
☞ 해석: 윈드쉬어 경보 보잉 747 항공기가 1510 UTC 에 활주로 34 로 접근 중에 보통 강도의 윈드쉬어를 보고했음.

조종사가 윈드쉬어를 보고할 때, 조우한 윈드쉬어의 강도를 주관적으로 평가하여 보통(moderate), 강한(strong), 심한(severe) 등의 용어를 사용할 수 있다. 이러한 보고는 윈드쉬어 경보에 변경 없이 통합된다.

4. 일기도(WEATHER CHART)

일기도는 현재의 기상 관측 자료와 예보 자료를 기반으로 분류할 수 있다. 전문적인 기상 정보에 비해 일기도는 한눈에 해당 지역의 전체적인 기상 현상을 관찰하거나 예측된 정보를 파악할 수 있다. 따라서 각 일기도의 특성과 그 안에서 사용되는 기호들의 정확한 의미를 이해하는 것이 중요하며, 이는 비행계획 작성과 비행감시(Flight Watch) 과정에서 항공기가 안전한 경로를 따라 비행할 수 있도록 돕는 기본 자료가 된다.

일기도는 현재 기상을 관측하여 그림으로 표현한 분석일기도(Analysis Chart)와 현재 기상 정보를 바탕으로 향후 기상을 예측하여 그림으로 표현한 예상일기도(Forecast Chart)로 구분할 수 있다. 분석일기도에는 지표면 부근의 현재 기상 상태를 표현한 지표분석도(Surface Analysis Chart), 항공정시관측보고(METAR)를 기준으로 작성된 기상묘사도(Weather Depiction Chart), 레이더 관측을 통한 정보를 묘사한 레이더 기상요약도(RADAR Summary Chart), 고도에 따라 특정 고도 별 기상을 묘사한 등압분석도(Constant Pressure Analysis Chart) 등이 있다.

예상일기도는 상층의 예상되는 위험 기상을 묘사한 고고도 위험기상 예보(High Level Significant Weather Chart)와 상대적으로 낮은 저층의 예상되는 위험 기상을 묘사한 저고도 위험기상 예보(Low Level Significant

Weather Chart), 상층풍과 기온을 예측한 상층풍 및 기온 예보도(Wind and Temperature Aloft Chart) 등으로 구분할 수 있다.

4.1 지상일기도(Surface Analysis Chart)

지상일기도는 지표면 부근(해수면을 기준으로 1000mb 고도)의 기상을 분석한 관측도로 저기압, 고기압, 기압골, 기압마루, 기온, 노점온도, 바람, 기상, 시정상태, 전선에 대한 전반적인 정보를 묘사하고 있다.

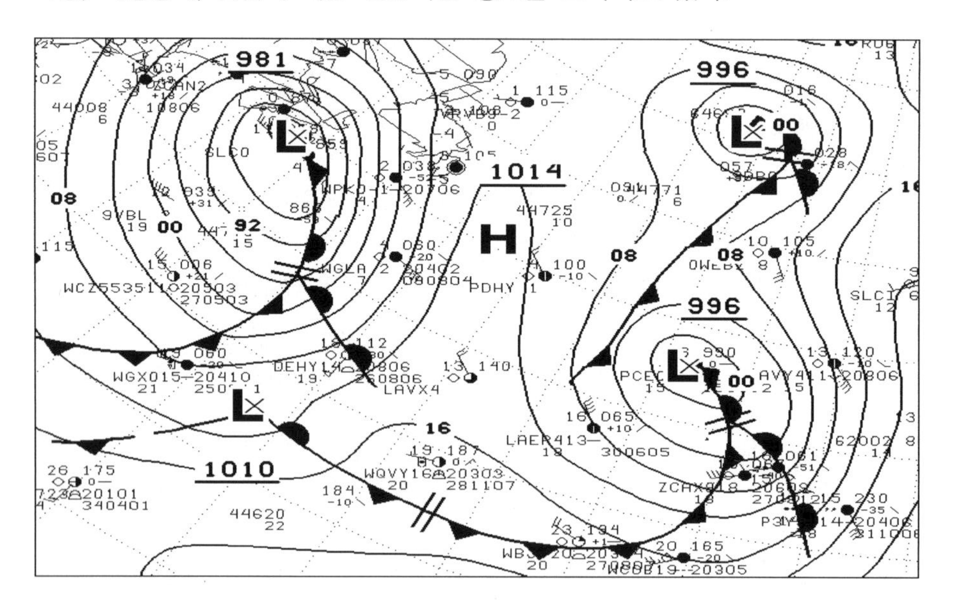

그림 4- 5 지상일기도

지상일기도를 해석하려면 등압선에 대한 이해가 필요하다. 지상일기도의 등압선은 1,000mb 를 기준으로 4mb 간격으로 그려지며, 해당 기압은 굵은 숫자로 표시된다. 등압선 간격이 좁을수록 기압 차이가 커서 풍속이 강해진다. 지표면에서는 마찰력의 영향으로 풍속이 약해진다. 저기압은 L, 고기압은 H 로 표시된다. 지상일기도를 더 잘 이해하려면 기호의 의미를 정확히 알아야 하며, 지상일기도에 사용되는 기호는 표 4- 9 에 나와 있다.

기 호	의 미	기 호	의 미
	한랭전선		한랭전선 소멸
	온난전선		온난전선 소멸
	정체전선		정체전선 소멸
	폐색전선		폐색전선 소멸
	전선 변경		고기압 중심부
	한랭전선 발생		저기압 중심부
	온난전선 발생		Tropical wave
	정체전선 발생	 T.D. XXX	열대 저압부
	기압골	 TRPCL STORM XXX	열대성 폭풍
	Dry Line	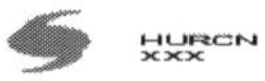 HURCN XXX	허리케인
	기압마루		Squall Line

표 4-9 지상일기도 기호

지상일기도에는 각 지역의 기상 관측소로부터 관측된 현천, 바람, 온도, 노점온도, 구름의 형태 및 경향 등을 묘사한다. 일반적으로 지상의 관측소로부터 관측된 기상 정보는 원으로 표시되며, 기타 기상 정보는 그림 4-6 과 같은 방법으로 묘사된다.

만약 그림 4- 6 과 같이 지상일기도에 묘사되어 있다면 다음과 같이 해석할 수 있다. 바람은 약 350° 방향에서 15 Knot로 불어오고, 온도는 34°, 이슬점 온도는 30°, 현재 기상은 지속적으로 중간 강도의 비가 내리고 있다. 현지 기압은 1010.7 mb 이며 최근 3 시간 동안 6 mb 감소한 후 일정한 기압을 유지하고 있으며, 최근 6 시간 동안 강수량은 0.45 mm 이다. 각 기상 관측소로부터 측정된 기상 정보들이 지상일기도에 묘사되며, 이를 통해 현재 지표 부근의 기상 상태를 확인할 수 있다. 각 부분별 해석 방법은 다음과 같다.

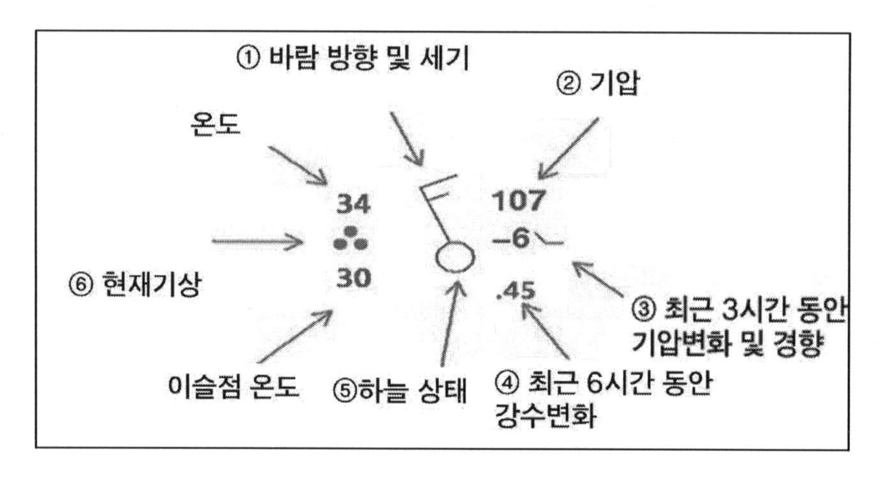

그림 4- 6 지상일기도 기상 묘사

① 바람의 방향 및 세기

바람의 방향을 해석할 때는 관측소를 의미하는 원 쪽으로 바람이 불어오는 것으로, 바람의 세기는 그림 4- 7 과 같이 해석할 수 있다.

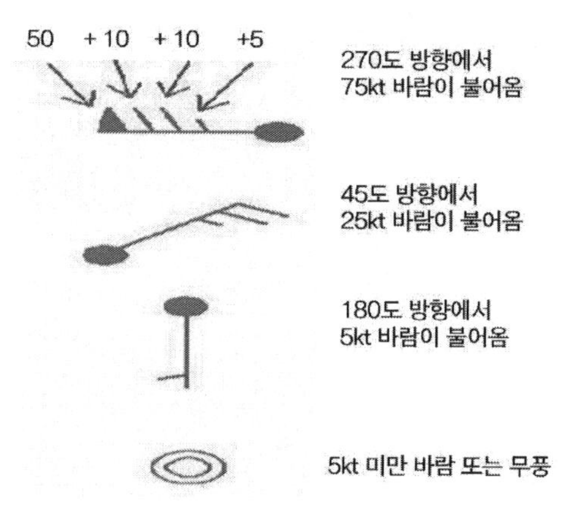

그림 4- 7 Wind 해석

② 기압

기압은 세자리 숫자로 묘사된다. 우선 가장 앞의 자릿수가 0 일 경우 뒤의 두 개의 수에 10 을 곱하면 관측된 기압이 되며, 가장 앞 자릿수가 1 일 경우 세자리 정수 앞에 10 을 삽입하고, 10 으로 나눈 수가 기압이 된다. 예를 들어 기압이 093 으로 기술되었다면, 기압은 930mb 이고, 193 으로 기술되었다면, 기압은 1019.3mb 이다.

③ 최근 3 시간 동안 기압변화 및 경향

최근 3 시간 동안의 기압변화의 양은 정수로 표기되고, 기호로 기압변화의 경향이 기술되는데 해석은 아래 표 4- 10 과 같이 한다.

기 호	의 미	기 호	의 미
	기압 지속적 감소		기압 지속적 상승
	기압 감소 후 일정		기압 상승 후 일정
	기압 큰 감소 후 약간 상승		기압 약간 감소 후 큰 증가
	기압 약간 상승 후 큰 감소		기압 큰 상승 후 약간 감소
	기압 일정		

표 4- 10 기압의 변화 경향

4.2 기상묘사도(Weather Depiction Chart)

기상묘사도는 그림 4- 8 과 같이 항공정시관측보고(METAR)를 기준으로 만들어진 일기도로 해당지역의 현천, 하늘상태, 시정, 운고(Celling) 등을 묘사한다.

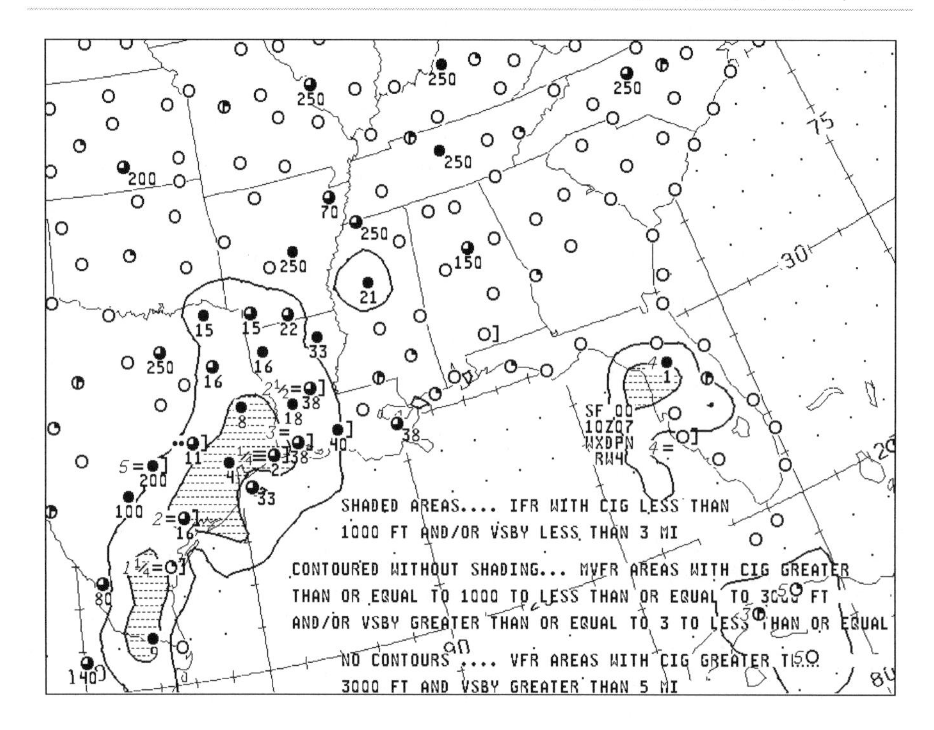

그림 4- 8 기상묘사도

기상 묘사도의 특이한 점은 일기도상에 시계비행상태, 계기비행상태에 대한 표시가 이루어진다는 것이다. 일기도 상의 빗금 친 부분은 계기비행상태를 말하는 실랑이 10,000ft 이하 또는 시정이 3mile 이하인 지역을 말하며, 빗금이 없는 등고선에 의해 묘사된 부분은 실리 1,000ft~3,000ft 또는 시정 3~5mile 인 지역 MVFR 지역의 기상상태를 말한다. 기타 다른 외부지역은 시계비행상태를 말한다. 기상묘사도는 항공정시관측보고(METAR)를 기준으로 작성되기 때문에 지표 분석도와 마찬가지로 관측소를 기준으로 현재 하늘상태, 운고 등이 보고되며, 세부사항은 그림 4- 9 와 같다.

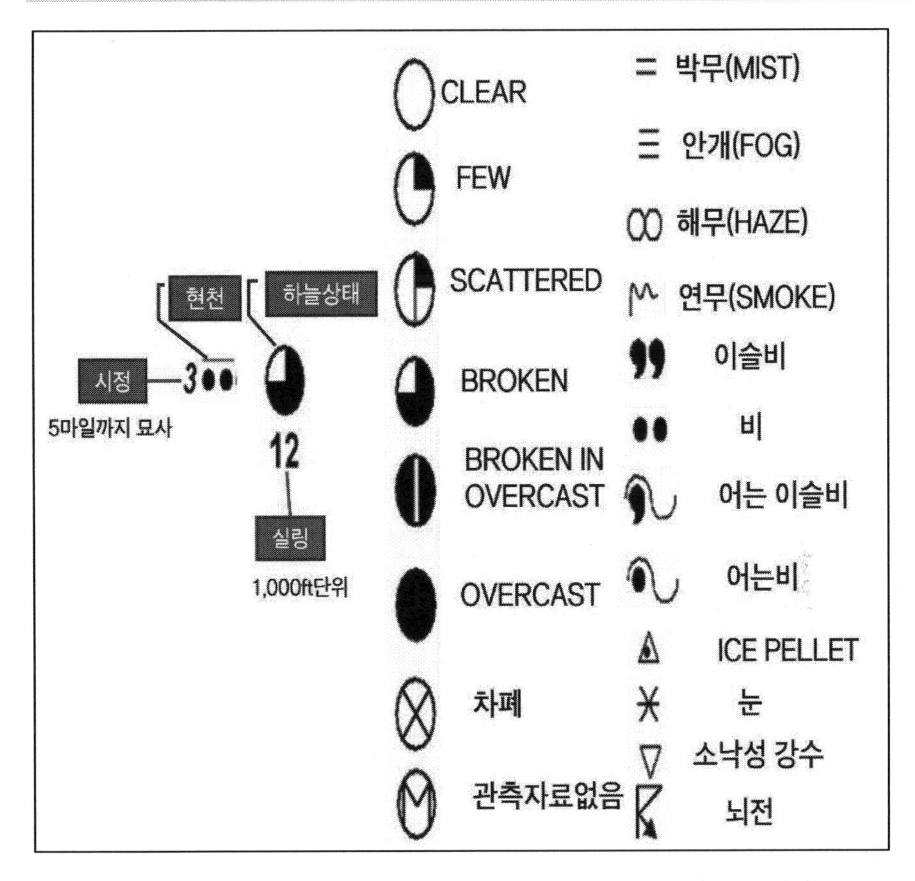

그림 4-9 기상묘사도 시정, 현천, 하늘상태, 운고 해석

4.3 등압면일기도(Constant pressure chart)

지표 부근의(1,000mb 등압면 지역) 기상을 지상일기도에서 묘사한 것을 앞에서 확인했다. 등압면일기도는 지상일기도보다 높은 고도의 등압면에 대한 일기도를 나타내며, 상층일기도라고 부르기도 한다. 상층일기도는 등압면 별로 13 개의 등압면(표 4- 11)을 구분하여 각 등압면의 고도에 대한 기상을 묘사한다. 각 등압면의 대표 고도는 아래와 같은데 특히, 등압면일기도는 상층의 기압계가 지상 기압계의 변화보다 먼저 일어나기 때문에 상층의 변화를 분석하여 지상의 일기 변화를 예측하는 데 이용할 수 있다.

기 압	대표 고도 (FLIGHT LEVEL)
850 mb	5,000 (4.800) ft
700 mb	10,000 (9,900) ft
500 mb	18,000 (18,300) ft
450 mb	21,000 (20,800) ft
400 mb	24,000 (23,600) ft
350 mb	27,000 (26,600) ft
300 mb	30,000 (30,100) ft
250 mb	34,000 (34,000) ft
200 mb	39,000 (38,700) ft
150 mb	45,000 (44,600) ft
100 mb	53,000 (53,100) ft
70 mb	60,500 (60,510) ft
50 mb	68,000 (67,600) ft

표 4- 11 등압면일기도 등압면 별 대표고도

각 등압면에 해당하는 고도별로 일기도에 묘사되는 요소들이 다르다. 이는 고도별로 항공기의 운항에 미치는 요소들이 다르기 때문이며, 각 고도 별 분석 요소는 표 4- 12 와 같다.

등압면 (mb)	분 석 요 소						
	등고선	노점 편차선	등온선	등노점 선	전선	기압골과 기압마루	Jet Stream
850mb	O(30M 간격)	O	O	△	O	△	
700mb	O(60M 간격)	△	O	△	△	O	
500mb	O(60M 간격)		O			O	△
300mb	O(120M 간격)		O			△	O
200mb	O(120M 간격)		O				O
100mb	O(120M 간격)		O				O

표 4- 12 등압면일기도의 분석 요소 △: 분석하는 경우도 있다.

지상 부근과는 달리 상층의 기상정보를 수집하기 위해서는 지표의 관측소가 아닌 라디오 존데, 항공기, 위성 등 여러 가지 관측소 형태(Plotting

Models)로 기상 정보들이 수집된다. 따라서 관측소의 형태에 따라서 다른 기호로 표시되고, 그에 따른 의미 또한 아래 표 4- 13 과 같다.

라디오 존데	기상관측용 항공기	운항 항공기 보고	위성
TT hhh DD h_ch_c	TT hhh DD R	TT $P_aP_aP_a$	$P_aP_aP_a$

기 호	의 미
	바람의 방향과 속도를 기술하며, 기술방법은 지상일기도와 동일함.
TT	온도
$P_aP_aP_a$	해면기압으로부터 1000ft 단위의 기압고도
DD	온도-이슬점 온도차이(Temperature-Dew point Spread)
R	기상관측용 항공기 형식

표 4- 13 관측소 형태와 기상 묘사

4.4. 레이더 기상 요약도(Radar Summary Chart)

레이더 기상 요약도(Radar Summary Chart, 그림 4- 10)는 레이더의 반송파를 이용하여 해당지역의 중요한 뇌우의 선과 셀을 보여준다. 레이더 기상 요약도는 강우의 형태, 강도 및 강도 추세, 강우의 범위, 반향의 최대 높이, 강우의 이동 등이 묘사되며, 구름이나 안개 등은 레이더에 포착되지 않는다 즉, 강수의 강도와 이동에 관한 레이더 보고를 묘사한 것으로 SQUALL LINE, 뇌우 핵, 그리고 심한 강수 구역 등에 대한 정보를 묘사한다.

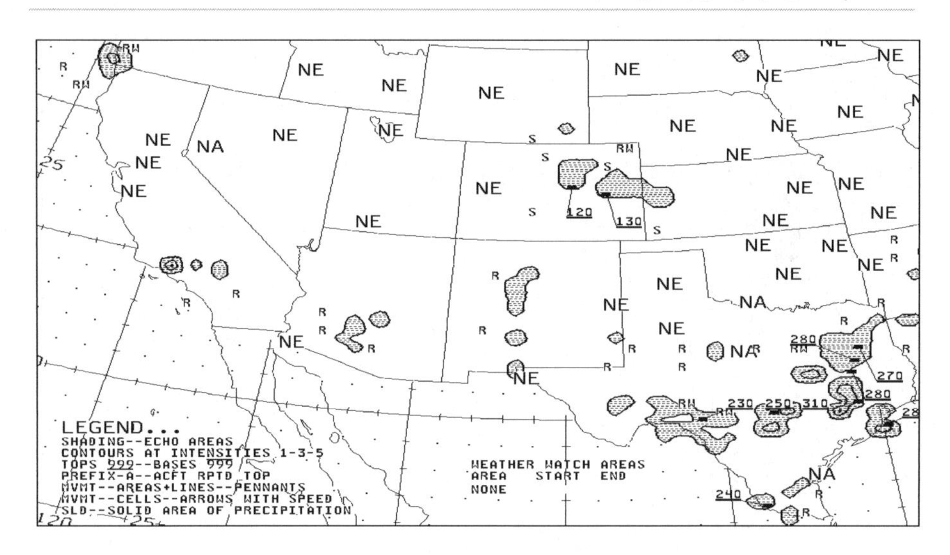

그림 4-10 레이더 기상 요약도

레이더 기상요약도에 묘사되는 정보는 강수의 형태, 강수 강도, 기상현상 셀의 움직임과 레이더 반송파의 형태와 최상위 고도(Echo Top)가 묘사되며 각 정보들에 대한 해석은 다음 그림 4-11 과 같이 한다.

ATC Weather Radar Echo Terminology	Precipitation Description	Reflectivity (dBZ)
Light	Trace to light rain	<30 dBZ
Moderate	Light to moderate rain	30-40 dBZ
Heavy	Heavy rain; possible small granules	>40-50 dBZ
Extreme	Very heavy rain; hail; pea/marble or greater size hail	50+ dBZ

450 Highest echo top in area in hundreds of feet MSL (45,000 feet MSL).

그림 4-11 RADAR SUMMARY CHART INTENSITY NOTATION

기 호	의 미
R	비
RW	소낙성 비
S	눈
SW	소낙성 눈
T	뇌우

표 4-14 레이더 기상요약도 기호

4.5. 중요기상예보도(Significant weather chart)

중요기상예보도는 ICAO Annex 3 에 따라 항로상에 영향을 미칠 수 있는 기상 현상을 예보한다. 고도에 따라서 저고도 중요기상예보도(10,000ft 이하, 그림 4- 14), 중고도 중요기상예보도(10,000ft~FL250,그림 4- 15), 고고도 중요기상예보도(FL250~FL630, 그림 4- 12)로 구분하는데 우리나라의 경우 고고도 중요기상예보도의 경우 세계공역예보센터의 발표 자료에서 인천비행정보구역이 포함된 ICAO Area M 자료를 추출하여 제공하고, 저고도 및 중고도 중요기상예보도는 항공기상청에서 발표한다. 항공기의 순항단계에서 대부분 전이고도이상의 고도에서 운항하기 때문에 중요기상 예보도의 사용은 순항단계의 항공기에 대해서 비행의 안전을 보장하고, 비행계획에 대해 손쉽게 항로의 적용을 할 수 있다. 저고도, 중고도 중요기상예보도는 태풍[36] 또는 열대성 저기압, 전선의 위치, 예상 이동 방향 및 속도. 고·저기압 중심의 위치, 예상 이동 방향 및 속도, 강수현상, 뇌우, 우박, squall line, 보통 또는 강한 난류, 보통 또는 강한 산악파, 보통 또는 심한 착빙, 운량, 운형, 운저고도, 운정고도에 대한 기상정보를 묘사하고, 고고도 중요기상 예보도는 태풍 또는 열대성 저기압, 청천난류(CAT: Clear Air Turbulence), CB(우박, 착빙, 뇌우포함), 제트기류, 권계면, 지상전선(항공로상 위험기상 현상을 동반할 때) 등에 대한 정보를 묘사한다. 중요기상예보도에서 공통적으로 사용하는 기호는 표 4- 15, 표 4- 16, 표 4- 17, 표 4- 18, 표 4- 19, 표 4- 20 과 같다.

기 호	의 미	기 호	의 미
6	태풍/열대성 저기압	H	고기압
L	저기압	→ 10	이동방향 및 속도

표 4- 15 태풍, 열대성저기압, 고기압, 저기압, 이동방향 및 속도

[36] 태풍의 강도는 중심의 기압보다 중심 최대풍속을 기준으로 분류한다. 세계 기상기구(WMO)는 열대 저기압 중에서 중심 부근의 최대 풍속이 33m/s 이상인 것을 태풍, 25~32m/s 인 것을 강한 열대폭풍, 17~24m/s 인 것을 열대 폭풍, 그리고 17m/s 미만인 것을 열대 저기압으로 구분한다.

기 호	의 미	기 호	의 미
15	지상 한랭전선의 위치, 예상 이동방향 및 속도	20	지상 온난전선의 위치, 예상 이동방향 및 속도
	지상 폐색전선의 위치, 예상 이동방향 및 속도		지상 준 정체전선의 위치

표 4- 16 전선

기 호	의 미	기 호	의 미
	보통 난류		보통 착빙
	심한 난류		심한 착빙
310 240	난류발생 예상 최저 및 최대고도	100 060	착빙 발생 예상 최저 및 최대고도

표 4- 17 난류, 착빙

기 호	의 미	기 호	의 미
	비		소낙성 눈
	소낙성 비	★	눈
,	안개 비	▲	우박
	어는 비		

표 4- 18 강수현상

기 호	의 미	기 호	의 미
	뇌전		심한 스콜라인
	광범위한 모래 또는 먼지폭풍		광범위한 연무
	광범위한 안개		광범위한 박무
	방사능 오염	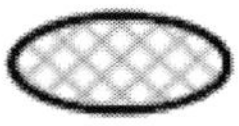	산악파
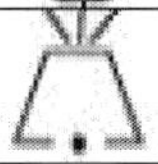	화산분출		산악 차폐
	청천 위험기상구역		위험기상구역 (구름 속)
■	화산재	◇	강풍

표 4-19 기타 현상기호

용 어	내 용	용 어	내 용
OBSC	Obscured, 연무나 먼지 등에 가려 희미한 것을 의미함	ISOL	Isolated, 동떨어져 있는 상태를 의미함(위험기상예상구역의 50%미만을 차지)
EMBD	Embedded, 다른 구름 층 사이에 기여 있는 것을 의미함	OCNL	Occasional, 듬성듬성한 상태를 의미함(위험기상예상구역의 50~75%를 차지)
		FRQ	Frequent 빽빽한 상태를 의미함(위험기상예상구역의 75%이상을 차지)

표 4-20 적운형구름

저고도 중요기상예보도와 고고도 중요기상예보도의 가장 큰 차이는 고고도 중요기상예보도에는 제트스트림과 대류권계면의 높이를 묘사한다는 것이다. 특히 제트스트림은 순항단계에서 효율적인 비행을 위해 반드시 필요하며, 제트스트림 발생지역에는 청천난류가 발생할 가능성이 높기 때문에 이에 대해 반드시 섬검해야 한다. 제트스트림은 굵은 화살표로 방향과 제트스트림이 존재하는 지역에 대한 정보를 기술한다(표 4-21).

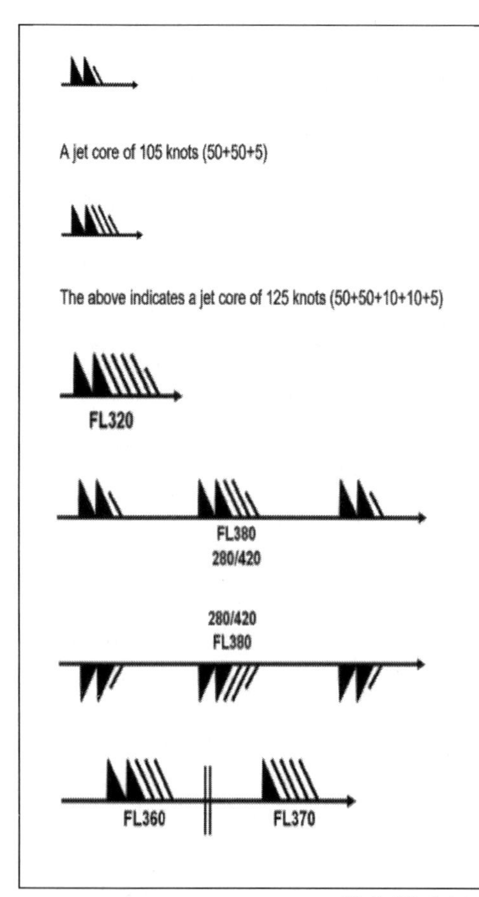 	제트기류 정보는 제트기류의 바람이 가장 강한 제트코어가 80KT 이상일 때 지시하고 바람 깃으로 표시하며 화살표는 제트코어의 끝을 표시 - 제트코어의 고도는 바람 깃 아래에 표시(FL320) - 제트코어를 따라 최대 풍속이 120kt 이상일 경우 최대 바람의 위치에서 추가적으로 수직 범위 정보 제공(FL280~FL420) 남반구에서는 아래쪽으로 표시 Change Bars 제트기류를 따라 20kt 이상 풍속의 변화 또는 고도가 ± 3,000ft 이상 변할 때

표 4- 21 Jetstream 해석

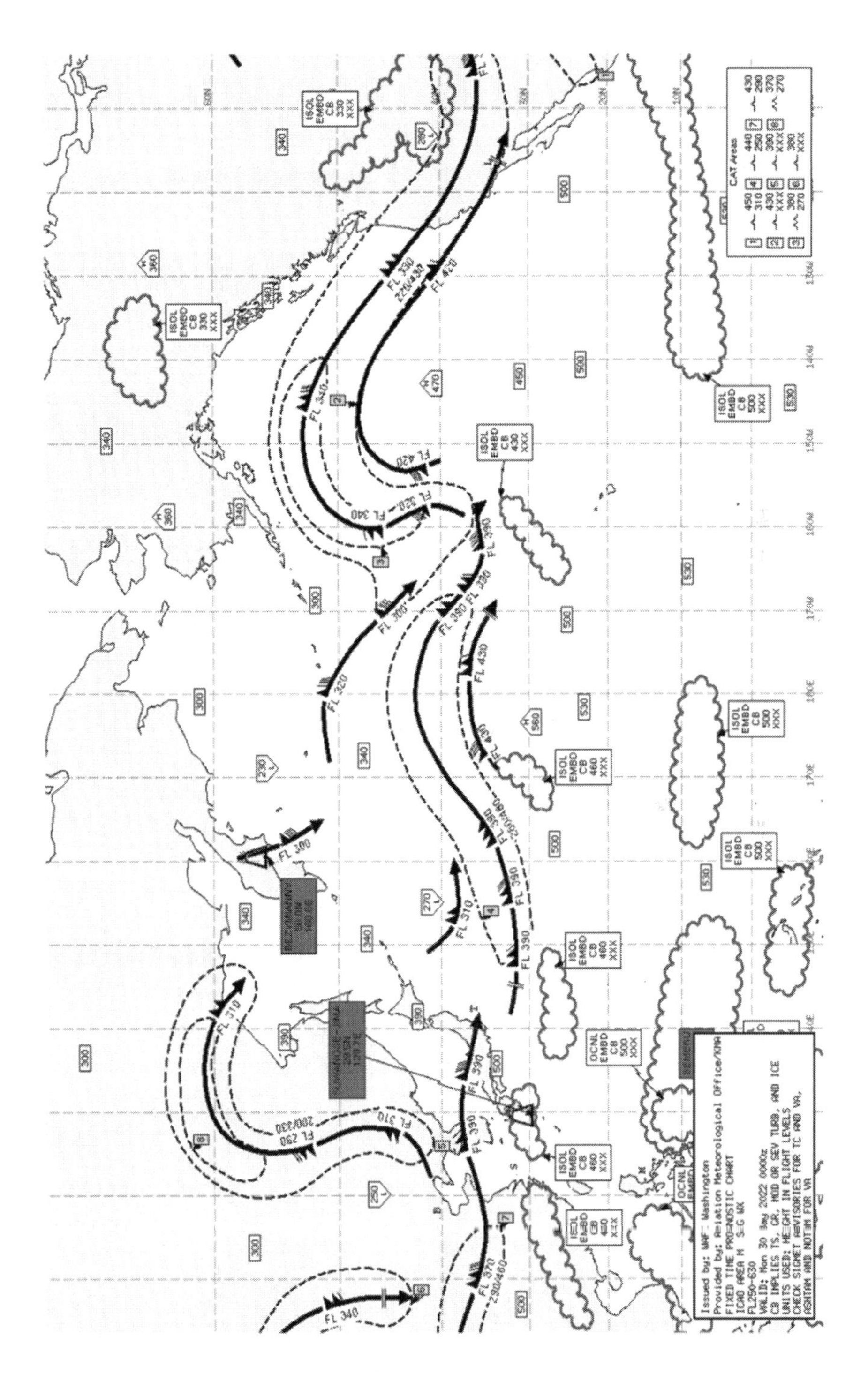

그림 4- 12 SIG WX Chart

```
Issued by: WAFC Washington
Provided by: Aviation Meteorological Office/KMA
FIXED TIME PROGNOSTIC CHART
ICAO AREA M  SIG WX
FL250-630
VALID: Tue 07 Jun 2022 0000z
```

그림 4- 13 SIG WX Chart Index

Issued by: WAFC Washington

Provided by: Aviation Meteorological Office/KMA

Fixed time Prognostic Chart

ICAO area M SIG WX

FL 250 - 630

유효시간: 2022 년 6 월 7 일 00Z

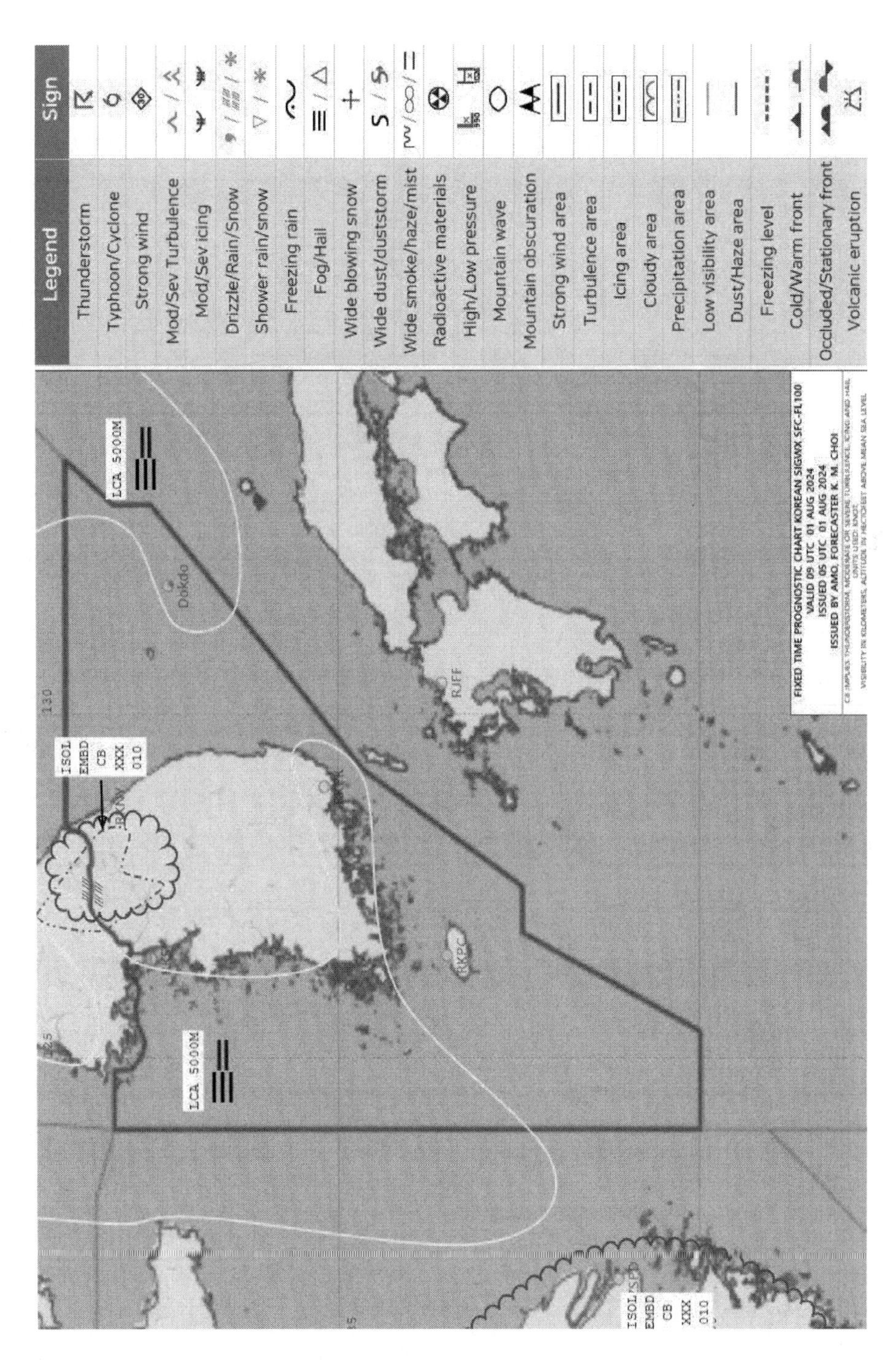

그림 4- 14 저고도 SIG WX Chart

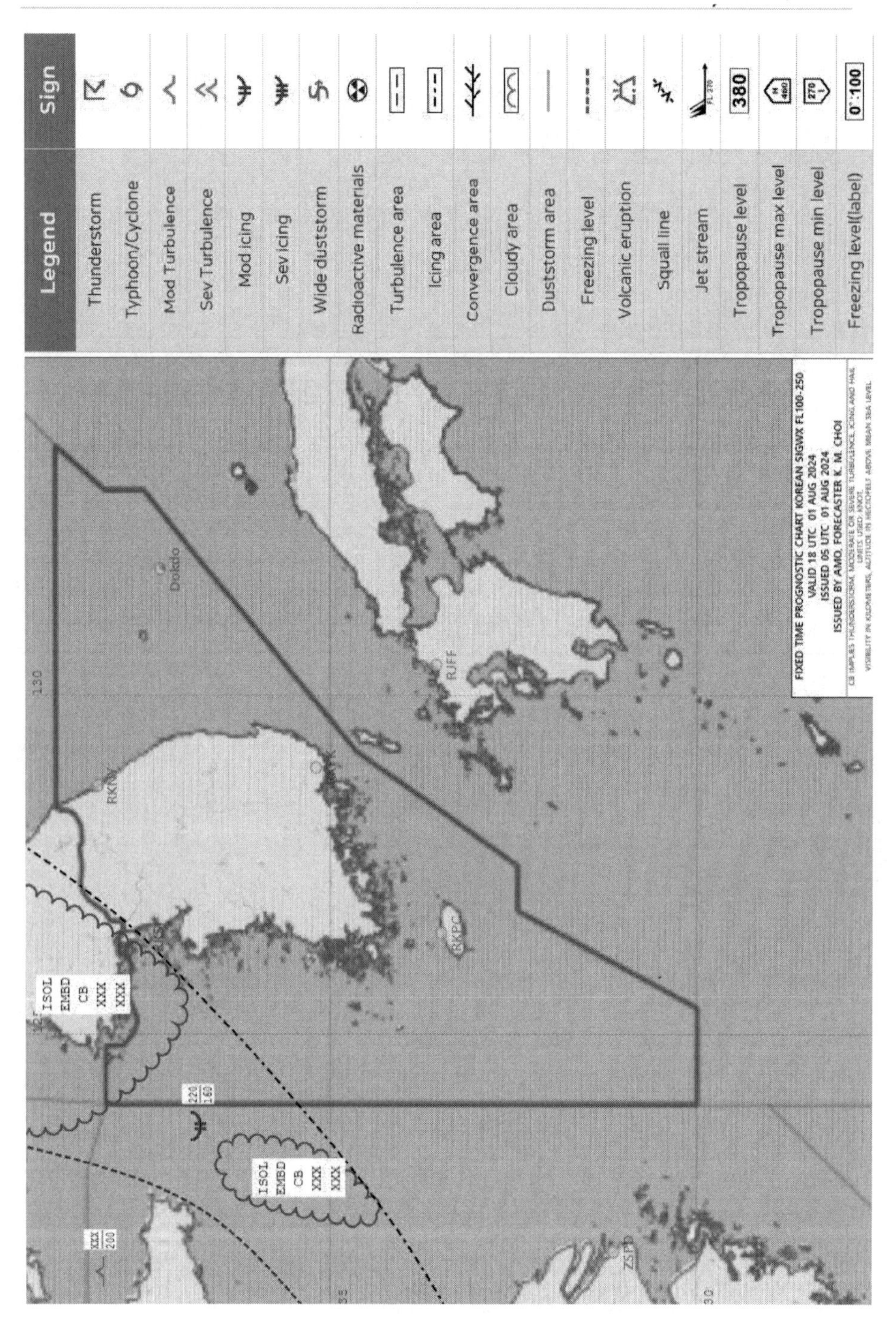

그림 4- 15 중고도 SIG WX Chart

저고도 중요기상 예보도에는 아래 그림 4- 16 과 같은 방법으로 운고와 시정, 그리고 어는점, 대류현상에 대해서 기술한다.

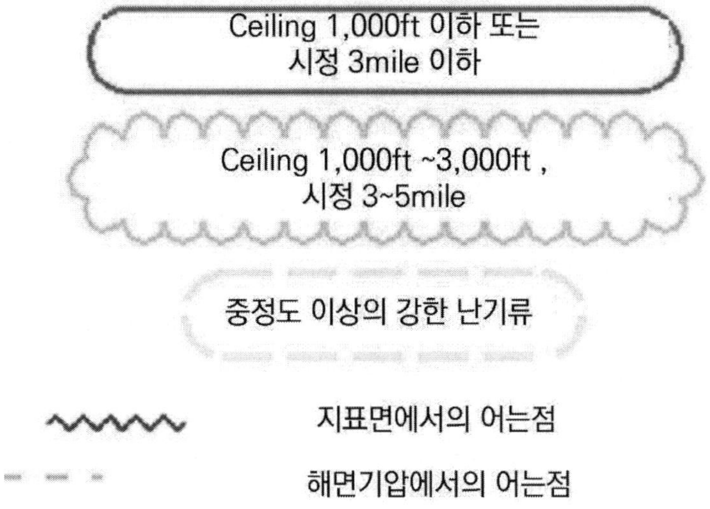

Ceiling 1,000ft 이하 또는
시정 3mile 이하

Ceiling 1,000ft ~3,000ft ,
시정 3~5mile

중정도 이상의 강한 난기류

지표면에서의 어는점

해면기압에서의 어는점

그림 4- 16 저고도 중요기상 예보도 기호

4.6 WINTEM 예보도(Wind and temperature aloft chart)

WINTEM 예보도는 ICAO 에서 지정한 세계공역예보센터가 항공사에서 비행계획서를 작성할 수 있도록 풍향 및 풍속, 기온(Wind and Temperature)을 예상한 일기도로 일정 격자 간격의 상층 바람과 기온 예상 자료이다. 지구를 둘러싸고 있는 대기를 수평으로 위도 1.25 도(약 140km) 간격, 수직으로는 FL050/100/180/240/300/340/390 에 격자점을 기준으로 하루에 4 번 생산, 00, 06, 12, 18UTC 에 발표한다. 풍향 및 풍속은 기호로, 기온은 섭씨온도(℃) 단위의 숫자로 표시하는데 상층의 기온은 기본적으로 영하로 예상할 수 있어서 기온이 plus 인 경우 PS 를 붙이고 숫자로 표시하고 minus 인 경우 숫자만 표시한다(그림 4- 17).

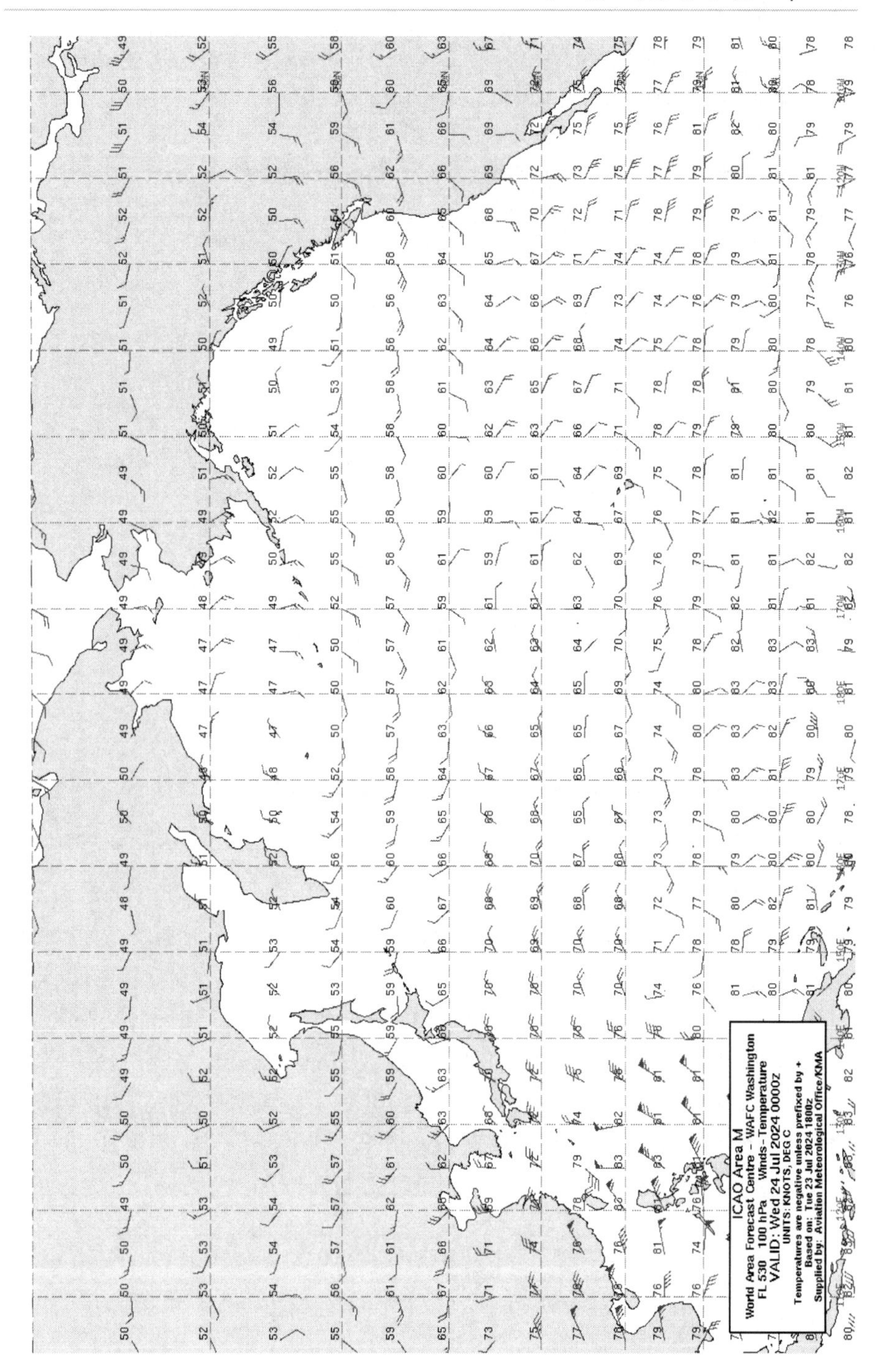

그림 4- 17 WINTEM Chart

5. 비행정보업무(FLIGHT INFORMATION SERVICE)

5.1. 일반

비행정보업무는 각 국가의 비행 정보구역(FIR) 내에서 모든 항공기의 안전한 운항과 효율적인 항행을 지원하기 위해 필요한 정보를 제공하는 역할을 한다. 이 정보는 항공안전법과 국제 민간 항공기구(ICAO)의 표준에 따라 생산되며, 항공통신망과 컴퓨터 등의 전자 통신 장치, 그리고 우편을 통해 항공기와 국내외 항공교통 관련 기관에 제공된다. 항공정보취급소의 지정과 운영, 항공정보의 생산, 그리고 항공정보 교환을 위한 기관의 지정 등이 이 업무에 포함되며, 통신망의 운영은 비행정보구역을 관할하는 국가가 책임을 진다.

비행 정보 관리에 관한 국내의 법 규정은 항공안전법, 항공안전법 시행 규칙, 국토교통부 훈령(항공 정보 업무 규정)이 있고, 국제 규정으로는 ICAO ANNEX 15(Aeronautical information services), ICAO document 8126(Aeronautical information services manual), ICAO Annex4 (Aeronautical charts), ICAO document 8697 (Aeronautical chart manual), ICAO document 8400(ICAO abbreviations and codes), ICAO document 7910(Location indicators), ICAO document 9674(World geodetic system) 이 있다.

5.2. 비행정보 업무의 종류

5.2.1 항공정보 간행물(AIP, AERONAUTICAL INFORMATION PUBLICATION)

항공항행에 필수적이고 영구적인 성격의 항공정보를 수록한 항공 정보 간행물은 국제민간항공기구(ICAO) 부속서 15 의 항공 정보 발행 기준에 따라 정부 당국 또는 정부의 인가를 받은 기구에서 의무적으로 발간된다. 항공정보간행물은 국제적인 표준 및 통일성을 확보하기 위해 수록해야 할 내용, 간행물의 구성, 편집 순서, 발간 간격 및 크기 등 AIP 발간에 필요한 제반 요건 및 절차에 대한 표준지침서에 따라 작성되므로 세계적으로 동일한 형태로 자료를 제공한다. 또한 정기적으로 수정판을 발행하여 신설 또는 변경된 내용에 대한 정보를 제공한다. 항공정보 간행물은 NOTAM 으로 발행되는 중요한 사항이 아닌 행정 또는 항공 정보 운용에 관한 일반 사항이 수록된 PART1 GEN(일반 사항), 항공로를 포함한 각종 공역의 현황 및 운용에 관련된 정보가 수록된 PART2 EN-ROUTE(항공로), 그리고 공항 및 헬기장의 현황 및 운영에 관련된 정보가 수록된 PART3 AERODROMES(비행장)으로 구성된다. 각 PART 는 아래 표 4- 22 와 같은 절을 수록하고 있다.

PART1 GEN	PART2 EN-ROUTE	PART3 AERODROMES
GEN0: 머리말 및 기록표 GEN1: 국내 규정 및 기준 GEN2: 도표 및 부호 GEN3: 업무 GEN4: 비행장, 헬기장 및 항공항행업무 사용료	ENR1: 일반 규칙 및 절차 ENR2: 항공교통업무 공역 ENR3: ATS 항공로 ENR4: 무선 항행 안전 시설/시스템 ENR5: 항행 경고 ENR6: 항공로 지도	AD0: 제 3 부 내용 목차 AD1: 비행장, 헬기장 소개 AD2: 비행장 AD3: 헬기장

표 4- 22 항공정보간행물 PART 별 세부 사항

5.2.2. 항공정보 회람(AIC, AERONAUTICAL INFORMATION CIRCULAR)

항공정보회람(AIC)은 비행안전 · 항행 · 기술 · 행정 · 규정개정 등에 관한 내용으로서 항공고시보 또는 항공정보간행물에 의한 전파의 대상이 되지 않는 정보를 수록한 공고문을 말한다. AIC 는 일반적으로 다음과 같은 정보를 공고하는 데 사용된다.

- 법률, 규정, 절차 또는 시설의 중요한 변경에 관한 장기계획
- 비행 안전에 영향을 미칠 수도 있는 단순한 설명 또는 조언에 관한 정보
- 기술적, 법률적 또는 행정적인 사항에 관한 설명 또는 조언의 성격을 띠고 있는 정보 또는 통보

5.2.3. AIRAC (AERONAUTICAL INFORMATION REGULATION AND CONTROL)

항공정보관리절차(AIRAC)은 운영방식에 대한 중요한 변경을 필요로 하는 상황을 국제적으로 합의된 공통의 발효일자를 기준으로 하여 사전에 통보하기 위해 수립된 체제를 말한다. 항공정보업무기관은 다음에 명시된 사항의 설정, 폐지 및 사전계획에 의한 중요한 변경(시험운영 포함)은 규정된

발효일자로 발효시켜야 하며 사전 통보를 위하여 AIRAC 절차에 따라 배포하여야 한다. AIRAC 절차에 따라 공고된 정보는 발효일자로부터 최소 28 일 동안은 변경해서는 안된다.

5.2.4. 항공고시보(NOTAM, NOTICE TO AIRMAN)

항공고시보는 항공 종사자들이 자주 접하는 중요한 항공 정보 운영 시스템으로, 항공기 항행에 중대한 영향을 미치는 항공 시설, 업무, 절차 또는 장애 요소의 신설, 상태 또는 변경에 관한 정보를 제공하는 공고문이다. 고시 대상의 상태나 상황이 3 개월 미만 동안 일시적으로 지속되고, 항공기 안전 운항 확보에 필수적이고 중요하기 때문에, 모든 NOTAM 은 항상 가장 빠른 수단인 전기 통신 매체로 배포되어야 한다.

NOTAM 은 운용 특성에 따라 세 가지로 구분된다:

- SNOWTAM: 비행장 이동 지역 내 눈, 진창, 얼음 또는 이들과 결합된 물로 인한 장애 상태의 존재 또는 제거에 관한 사항.
- ASHTAM: 화산 활동과 화산재에 의한 비행 장애 사항.
- 일반 NOTAM: SNOWTAM 및 ASHTAM 이외의 일반적인 항공 정보.

항공 정보에 관한 상황이 이미 발생하였거나 발생할 것으로 예상되고, 이로 인해 항공기의 비행 안전에 중대한 영향을 미칠 우려가 있을 경우, 그 절차에 따라 발행되어야 한다. 특히 항공기 운항 상 중요한 상황에 대해서는 발행 여부를 신중히 검토하여 누락되지 않도록 해야 한다.

NOTAM 은 일반적으로 항공고정통신망(AFTN)으로 배포되며, 국제적 교환을 위한 관련 국제 항공고시보 취급소 간에 상호 합의된 교환 방식 등 AFTN 이외의 방법으로 발송할 경우, 발행 일시 및 발행 기관의 식별 부호를 본문 앞에 사용하여 발행한다.

- 비행장 또는 활주로의 신설, 폐쇄 또는 운영상 중요한 변경
- 항공 업무의 신설, 폐지 및 운영상 중요한 변경
- 항행 안전 시설 및 비행상 시설의 신설 또는 철거
- 시각 보조 시설의 신설, 철거 또는 중요한 변경
- 비행장 등화 시설 중 주요 구성 요소의 운용 중지 또는 복구
- 항공 항행 절차의 신설, 폐지 또는 중요한 변경
- 기동 지역 내 중요한 결함 또는 장애의 발생 또는 제거

- 연료, 윤활유 및 산소 공급의 변경 또는 제한
- 수색 구조 시설 및 업무에 대한 중요한 변경
- 중요 항공 장애등의 신설, 철거 또는 복구
- 즉각적인 조치를 필요로 하는 규정 변경
- 항공 항행에 영향을 미치는 장애 요소의 발생
- 이륙 및 상승 구역, 실패 접근 구역, 접근 구역 및 착륙 대상의 중요 항공 장애물의 설치, 제거 또는 변경
- 비행 금지 구역, 비행 제한 구역 또는 위험 구역의 설정 또는 폐지 또는 상태의 변경
- 요격 가능성이 있거나 VHF 비상 주파수 121.5MHZ로 감시가 필요한 지역 및 그러한 지역에 위치한 비행로 또는 비행로 중 일부분의 설정 또는 폐지
- 위치 부호의 부여, 취소 또는 변경
- 비행장 소방 구조 능력의 중요한 변경
- 이동 지역 내 눈, 진창, 얼음 또는 이들과 결합된 물로 인한 장애 상태의 발생, 제거 또는 중요한 변경
- 예방 접종 및 검역 기준의 변경을 필요로 하는 전염병의 발생
- 태양 우주 방사선에 관한 예보
- 활화산 활동에 대한 중요한 변경 사항, 화산 폭발의 위치, 일시 및 화산재 구름의 존재, 수평, 수직 확장 상태, 밀도, 크기, 이동 방향과 이로 인하여 영향을 받게 되는 비행 고도와 비행로 또는 지역

발행되는 NOTAM 은 표 4- 23 과 같은 서식으로 발행될 수 있으며, 해석 방법은 아래와 같다.

<table>
<tr><td colspan="2">DOM NOTAM NUM</td><td colspan="2">INTL NOTAM NUM</td></tr>
<tr><td colspan="4">FIR/Q-CODE/TRAFFIC/PURPOSE/SCOPE/LOWER/UPPER/COORDINATIONS, RADIUS</td></tr>
<tr><td>A) LOC Indication</td><td>B) VALID FROM</td><td>C) VALID TO</td><td></td></tr>
<tr><td>D) SCHEDULE</td><td colspan="3"></td></tr>
<tr><td>E) TEXT</td><td colspan="3"></td></tr>
</table>

표 4- 23 NOTAM 기본 서식

NOTAM 발행의 첫 번째 행에는 발행되는 NOTAM 의 일련번호와 식별부호, 그리고 용도가 명시된다. 용도는 중앙 항공고시보 취급소에서 국내 배포용,

국제 배포용 또는 국내외 배포용 등으로 분류되며, 국제 배포용은 A, 국내 배포용은 C, 국내외 배포 SNOWTAM 용은 S 를 사용한다. 일련 번호는 4 자리의 아라비아 숫자로 구성되며, 매년 1 월 1 일 0000UTC 에 0001 번을 시작으로 연속적인 번호가 부여된다. 식별 부호는 신규 발행은 NOTAMN, 대체 발행은 NOTAMR, 취소 발행은 NOTAMC 를 사용한다.

NOTAM 서식의 두 번째 행에는 해당 NOTAM 이 발행된 비행정보구역(FIR)을 명시한다. Q-CODE 는 해당 NOTAM 정보의 객체와 그 상태를 나타내며, 5 개의 알파벳으로 구성된다. 첫 번째 알파벳은 항상 Q 로 시작하며, 두 번째와 세 번째 알파벳은 NOTAM 정보의 객체를, 네 번째와 다섯 번째 알파벳은 해당 객체의 상태를 기술한다.

Traffic(적용 교통 규칙)은 항공기의 비행 방식에 따른 적용 범위를 설정하며, IFR 에만 적용될 경우 I, VFR 에만 적용될 경우 V, IFR/VFR 모두 적용될 경우 IV 로 기술한다. Purpose(목적)는 NOTAM 의 주요 소요 상황을 설정하며, 조종사의 즉각적인 주의가 필요한 경우 N, 비행 전 정보 공고(PIB)에 필요한 경우 B, IFR 비행에 중요한 사항은 O, 기타 NOTAM 은 M 을 사용한다. SCOPE(적용 범위)는 NOTAM 의 내용에 따라 비행장(Aerodrome)일 경우 A, 항로(En-route)일 경우 E, 항법/항행경고(NAV warning)일 경우 W 를 사용한다. 항로 및 비행장 이착륙 구역에 공동으로 필요한 항행 안전 시설의 경우 AE 로 표기한다.

Lower/upper limit(하부/상부 한계)는 공역 구성(CTR, TMA, UIR 등)과 금지 및 제한 구역 등 통제 공역 설정과 관련된 주제일 경우 적절한 하한고도 및 상한 고도를 명시하며, 비행 고도(FL/Altitude)는 해면 고도(MSL) 또는 지상 고도(AGL)로 표기한다. 비행 고도와 관련이 없는 경우에는 000/999 로 표기한다. Coordinates radius(좌표/거리 반경)는 원주로 설정된 지역의 중심점 좌표와 유효 거리 반경 길이를 NM 로 명시하며, 위도 및 경도는 분(Minute) 단위까지, 유효 거리 반경 길이는 3 자리 숫자 단위의 NM 로 기재한다(예: 4700N 01140E 043).

세 번째 행 이하는 항목별로 구성된다.

A) 해당 NOTAM 이 적용되는 공항의 ICAO 공항 코드.
B) 신규(N), 대체(R) 또는 취소(C) NOTAM 이 발효되는 시작 일시를 UTC 로 환산하여 10 자리 숫자로 명시.
C) NOTAM 의 종료 일시를 명시하며, 영구적인 정보는 PERM 으로

표기하고, 영구적이지 않은 경우에는 UTC 로 환산하여 10 자리 숫자로 명시. 유효 기간이 불확실한 경우 EST 를 추가.

D) 장애 상황, 시설의 운용 상태 또는 운영 조건 등에 관한 정보를 공고한 NOTAM 이 특정 기간에만 시행될 경우 그 일정을 기재.

E) NOTAM 의 내용을 기술.

C1989/07 NOTAMN				A0381/07 NOTAMN			
Q) RKRR	QMWHW	IV	M	A	000	999	3733N12648E005
A) RKSS		B) 0705100000		C) 0706110900			
D)0000 TO 0900 DAILY							
E) GRASS CUTTING WIP ON BOTH SIDE OF RWY 14L/32R AND 14R/32L							

표 4- 24 NOTAM 작성의 예

5.2.5 SNOWTAM

설빙고시보(SNOWTAM)란 이동지역 내 지표면상에 눈, 얼음, 진창눈, 서리 또는 고여있는 물(서로 혼합된 상태를 포함한다)로 인한 위험상태의 발생 또는 해소에 관한 사항을 알려주는 항공고시보를 말한다. SNOWTAM 은 공항 내 항공기가 영향을 받을 수 있는 지역을 대상으로 하며, 유효 기간은 24 시간으로 명시되지 않는다. 24 시간 이내에 재 발행되거나 내용이 변경될 경우 수시로 발행되며, 후속 SNOWTAM 이 발표되지 않는 한 24 시간 이후에는 자동으로 소멸된다. SNOWTAM 은 SW + 일련 번호로 시작하며, 여타 NOTAM 과는 다른 부호를 사용한다.

SWEA0149 EADD 02170055
① ② ③ ④ ⑤

(SNOWTAM 0149
⑥

EADD 02170055 09L 5/5/5 100/100/100 NR/NR/NR WET/WET/WET)
⑦ ⑧ ⑨ ⑩ ⑪ ⑫ ⑬

① 설빙고시보를 나타내는 부호인 SW
② 국가부호(예를 들어 우리나라는 “RK” 사용
③ 4 자리 숫자그룹의 설빙고시보 일련번호

④ 설빙고시보 발행대상 비행장의 4 자리 문자 위치부호(DOC7910 위치 부호)

⑤ 관측일시(UTC 로 월, 일, 시 및 분 단위까지)

⑥ 메시지의 가독성을 위해 SNOWTAM 일련 번호 뒤, 항공기 성능란 뒤에는 한 줄을 비움

⑦ 비행장 위치 부호

⑧ UTC 기준 관측 월, 일, 시, 분을 나타내는 8 자리 숫자 그룹

⑨ 낮은 숫자의 활주로 번호(활주로 방향), 한 활주로에는 1 개의 활주로 번호가 기재되며 가장 낮은 번호부터 기재

⑩ 3 분할한 활주로 각 부분에 대한 상태 코드 - 1 자리 숫자(0,1,2,3,4,5,6)를 사선으로 분리하여 3 곳의 구역에 기재

⑪ 3 분할한 활주로 구역의 비율. 비율이 제공되는 경우, 25,50,75,100 으로 표시하고 사선으로 분리 표기

⑫ 활주로 상태가 보고되지 않은 경우 해당 활주로 분할 구역에 대하여 NR 을 삽입하여 강조

⑬ 활주로 분할 구역의 상태

활주로 각 분할 구역의 소량 오염 물질의 깊이가 제공된 경우, 각 구역에 오염 물질의 깊이를 mm 단위로 기입하고 사선으로 분리하여 표기하는데 이 정보는 다음 종류의 오염에 대해서만 제공된다.

- 고여있는 물: 04 로 보고한 뒤 이후 측정값 보고. 3~15mm 범위의 상당한 변화
- 진창 눈: 03 으로 보고한 뒤 이후 측정값 보고. 3~15mm 범위의 상당한 변화
- 젖은 눈: 03 으로 보고한 뒤 이후 측정값 보고. 5mm 의 상당한 변화
- 마른 눈: 03 으로 보고한 뒤 이후 측정값 보고. 20mm 의 상당한 변화

제 5 장 DISPATCH TO WEIGHT

1. 개요

항공기의 기본 중량에 이륙을 위해 탑재해야 하는 모든 물품의 중량을 더하면 이륙 중량을 계산하는 것은 간단해 보일 수 있다. 그러나 특정 항공편을 위해 탑재해야 하는 물품의 무게를 결정하는 것은 항상 간단하지 않다. 비행 전에 모든 물품의 무게를 실제로 측정하고 기본 중량을 확인해야 한다. 항공기의 이륙 중량과 무게 중심(Center of Gravity)을 정확하게 계산하는 것은 안전과 효율적인 연료 소모 측면에서 매우 중요하다. 항공기 운항 중 어느 때라도 비행교범(AFM)에 수록된 인증된 중량과 무게 중심의 제한을 초과해서는 안 된다.

각 항공기 제작사는 이 제한 범위 내에서 모든 중량과 무게 중심에서 항공기의 구조, 감항성, 취급 및 성능 요구 사항을 충족한다는 것을 항공당국으로부터 인증을 받아야 한다. 항공기 운항자는 물건을 탑재하거나 내릴 때 항공기가 뒤로 기울어져 손상이 발생하지 않도록 기울기 제한을 숙지해야 한다. 실제 이륙 중량이 계산된 중량보다 크면 인증된 최대 중량 제한을 초과할 수 있으며, 이로 인해 구조적인 문제가 발생할 수 있다. 또한 항공기의 성능과 취급 품질이 예상보다 떨어질 수 있다. 예를 들어, 중량이 예상보다 클 경우 실속 속도가 빨라지고 이륙 거리가 길어지며 상승 능력이 떨어질 수 있다. 또한 비행계획을 작성할 때 계산된 연료량보다 더 많은 연료가 소모될 수 있다. 이로 인해 승무원은 필요한 연료량에 대한 신뢰를 잃을 수 있다.

반대로 실제 이륙 중량이 계산된 중량보다 현저히 적으면 항공기가 운반할 수 있는 유상 화물을 충분히 탑재하지 못해 항공사는 수익 손실을 겪을 수 있다. 또한 불필요한 초과 연료를 탑재하여 연료 비용이 높아질 수 있다. 출발 시 항공기의 중량을 정확하게 계산하는 방법은 지상에서 항공기의 무게를 실제로 측정하는 기내 중량 및 균형 시스템을 사용하는 것이다. 그러나 이러한 시스템은 아직 미국 연방항공청 등 항공 당국의 인증을 받지 못했다. 따라서 이러한 시스템은 기존의 계산 방법을 확인하고 일부 화물기의 무게 중심이 무너져 기수가 들리는 사고인 Tipping 을 방지하는 용도로 사용된다.

이륙 시 항공기에 탑재하는 모든 물품의 무게를 측정하여 이륙 중량을 결정하는 일반적인 방법과 해당 규정 요건 및 지침을 검토한다. 이번 장에서 다루는 요건과 지침은 JAR-OPS 1 하위 법령인 JAR-OPS 요건, FAA 자문 자료인 AC120-27E, 그리고 우리나라 행정규칙인 항공기 중량 및 평형 관리 기준을 참고하였다.

2. 이륙중량 구성 요소

항공기의 이륙 중량은 일반적으로 표준운항중량(Operational Empty Weight, OEW)에 승객, 화물, 수하물 등의 유상하중(Payload)과 연료의 무게를 더하여 계산한다. 표준운항중량은 국내 행정규칙인 항공기 중량 및 평형 관리기준에서는 OEW 로, 미국 FAA 에서는 DOW(Dry Operating Weight), 일부 항공사에서는 SOW(Standard Operating Weight)로 불린다. 이는 항공기 자체중량(Basic Empty Weight) 또는 기단 운항 중량(Fleet Operational Empty Weight)에 운항용 용품을 추가하여 산정한 중량으로 정의된다. 이륙 시 항공기 무게를 구성하는 요소는 다음 그림 5- 1 과 같은 범주로 구분하여 계산할 수 있으며, 아래의 표 5- 1 과 같이 표시할 수 있다.

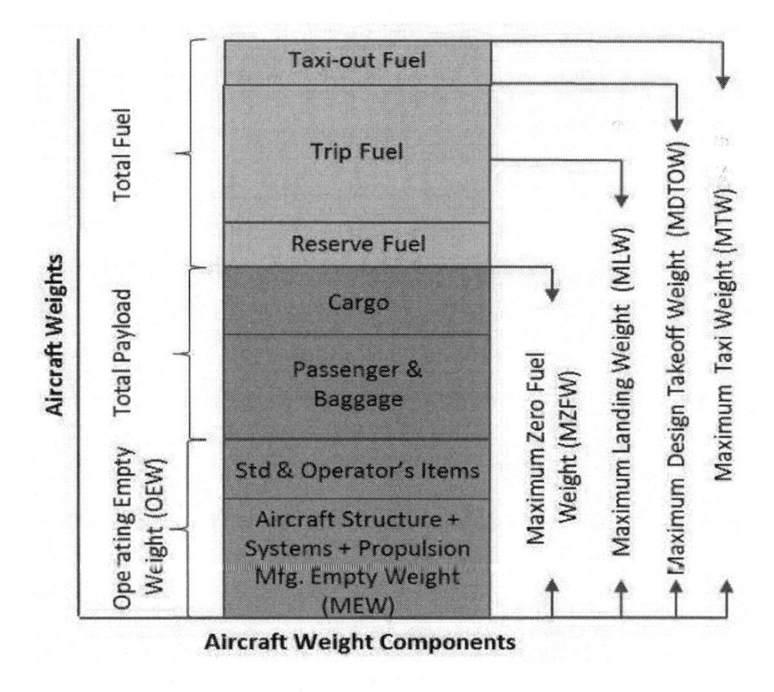

그림 5- 1 이륙 중량 요소

이륙중량 = 항공기 자체 중량 + 승객 + 휴대수하물 + 위탁수하물 + 화물 + 총 탑재 연료 - 지상이동 연료(Taxi fuel)

<table>
<tr><td rowspan="6">TAXI WEIGHT</td><td rowspan="5">TAKE OFF WEIGHT</td><td rowspan="4">LANDING WEIGHT</td><td rowspan="3">ZERO FUEL WEIGHT</td><td rowspan="2">STANDARD OPERATING WEIGHT</td><td>BASIC EMPTY WEIGHT</td></tr>
<tr><td>OPERATING ITEM</td></tr>
<tr><td colspan="2">PAYLOAD (ALLOWABLE CABIN LOAD)</td></tr>
<tr><td colspan="3">RESERVE FUEL (FUEL OVER DESTINATION)</td></tr>
<tr><td colspan="4">TRIP FUEL</td></tr>
<tr><td colspan="5">TAXI FUEL</td></tr>
</table>

표 5-1 항공기 중량의 구분

2.1 MANUFACTURE'S EMPTY WEIGHT (MEW)

항공기가 제작된 상태에서의 무게로 항공기의 구조물, ENGINE 과 같은 동력장치, 그리고 항공기가 운항하는데 필수적인 각종 시스템 및 장비의 중량이다.

2.2 BASIC EMPTY WEIGHT (BEW)

항공기 자중(Basic Operating Weight)은 표준 물품들의 변수를 반영한 항공기 자체 중량으로 정의된다. 항공기 자중에 포함되는 항목은 항공기에서 쉽게 분리할 수 없는 모든 품목의 무게와 장거리, 중거리, 단거리 여부, 노선 유형, 운송 승객 수 또는 운송 화물의 양에 따라 달라지지 않는 모든 품목의 무게를 합한 것이다. 항공기 자중에는 사용 가능한 연료, 화물, 위탁 수하물, 승객, 승객의 기내 반입 수하물의 무게는 포함되지 않는다.

항공기 중량 및 평형 관리 기준에 따르면, 항공기 자중은 이륙 중량을 구성하는 요소 중 가장 큰 단일 구성 요소이며, 실제 계량 결과를 기반으로 해야 한다. 항공기는 운항에 투입되기 전에 중량 측정을 해야 하며, 항공기 중량 측정 프로그램에 따라 최종 중량 측정 이후 48 개월을 초과하지 않도록 중량 측정 주기를 유지해야 한다. 정기 운송용 항공기는 매 3 년마다 정기적으로 중량을 측정해야 한다. BEW 에는 다음 항목이 포함된다.

- UNUSABLE FUEL

- ENGINE OIL & SYSTEM OIL
- TOILET & CHEMICAL CHARGE
- 각종 EMERGENCY EQUIPMENT
- GALLEY STRUCTURE & BAR UNIT

2.3 STANDARD OPERATING WEIGHT (SOW)

표준 운항 중량은 OPERATING EMPTY WEIGHT (OEW), BASIC OPERATING WEIGHT (BOW), 또는 DRY OPERATING WEIGHT (DOW)라고도 한다. 이는 항공기 자체 중량(BEW)에 항공기를 운항하는 데 필요한 항목(OPERATING ITEM)을 합한 중량으로, 비행의 종류와 노선에 따라 다르다. 여기서 운항용 물품(Operational items)은 항공기 자체 중량에는 포함되지 않지만, 운항을 위해 필요한 승무원, 항공기에 탑재되는 예비 부품, 지원 용품(객실 용품, 물, 탑재 도서 등)을 의미한다. 항공기 중량 및 평형 관리 기준에서는 운항용 용품을 아래와 같이 13 개로 구분하고 있다.

- 승무원, 추가 승무원, 및 승무원 휴대품
- 탑재 매뉴얼 및 항행 장비품
- 승객 서비스 용품, 예를 들어 배게, 이불, 및 잡지책, 기내판매품 등
- 객실, 주방(galley), 및 바(bar)를 위한 장비품으로 제거할 수 있는 서비스 용품들
- 음식과 음료, 주정 음료유도 포함
- 추후 사용할 유류들, 유용하중(useful load)에 포함된 것들은 아님
- 모든 비행에 필수적인 비상 용품들
- 구명정(life rafts), 구명복(life vests), 및 비상 송신기(emergency transmitters)
- 항공기 단위 선적(unit load) 장치들
- 음용수(potable water)
- 배출 가능한 사용 불가능 연료
- 보통 항공기에 탑재되는 예비 부품(spare parts)이면서 화물(cargo)로 계산되지 않는 부품들
- 기타 운영자에 의하여 기본품으로 간주된 모든 장비품

2.4 기단운항중량(Fleet Operational Empty Weight, FOEW)

기단운항중량(Fleet Operational Empty Weight, FOEW)은 동일 모델과 형태의 항공기 기단이나 그룹에 대해 사용하는 평균 운항중량(OEW)으로 정의된다. 운영자는 기단의 일부 항공기에 대해서만 중량 측정을 선택할 수 있으며, 이 경우 표본 중량 측정에 의해 결정된 중량과 모멘트 변화치를 기단의 나머지 항공기에 적용할 수 있다. 기단(Fleet)은 다수의 동일한 모델의 항공기로 구성된다. 예를 들어, 같은 기종의 여객기와 화물기는 다른 기단으로 간주되며, 같은 기종의 다른 버전도 다른 기단으로 간주되어야 한다.

2.5 PAYLOAD

유상 탑재량으로 승객, 수화물, 화물, 우편물, ULD, 회사 지정 탑재 장비 등을 합한 무게이다.

2.5.1 승객 중량

승객 중량(Passenger weight)은 해당 승객의 실제 중량 또는 승인된 평균 중량으로 계산된다. 성인은 만 13 세 이상, 어린이는 2~12 세, 유아는 2 세 미만으로 구분되며, 유아는 자체 좌석을 차지하지 않기 때문에 성인의 일부로 간주된다. 대형 항공기의 경우, 각국의 규정에 따라 운항사는 실제 무게나 규정에 게시된 표준 허용량을 기준으로 승객의 무게를 계산할 수 있다. 그러나 승객의 무게를 측정하는 것은 수하물의 무게를 측정하는 것보다 훨씬 어렵기 때문에 대형 항공기에서는 실제 무게를 사용하는 경우가 드물다.

항공사는 최소한 5 년 주기 또는 필요 시 승객 표준 중량을 측정하여 그 결과로 산출된 평균 중량을 승객 표준 중량으로 적용한다. 승객 표준 중량은 전산 시스템이나 수작업으로 항공기 무게 및 중량 배분 산정 시 동일한 값으로 적용되어야 한다. 운영자가 승객 표준 중량을 산정할 때는 항공기 내로 가지고 들어가는 휴대용 수하물의 중량도 고려해야 하며, 승객 평균 중량은 국제선, 국내선, 동계, 하계, 성별, 나이에 따라 구분하여 운영할 수 있다.

2.5.2 수하물의 처리

항공사는 승객의 짐을 운송약관에서 정한 중량과 부피 기준에 따라 기내 반입수하물과 승객위탁수하물로 구분하여 항공기에 탑재할 수 있다. 기내 반입수하물(Carry-on bag)은 승객이 항공기에 휴대하고 탑승하는 것을 운항증명소지자가 허용하는 수하물로 정의된다. 이러한 수하물의 크기와 모양은 승객 좌석 아래나 저장실에 보관할 수 있는 크기와 모양이어야 한다. 운항증명소지자는 회사의 정책과 해당 항공기의 객실 내부 시설 등을 고려하여 기내에 반입할 수 있는 수하물의 개수, 무게 및 크기를 정한다. 승객위탁수하물(Checked baggage)은 승객 화물로 항공기 화물실에 실리는 수하물을 말한다. 여기에는 항공기 객실에 실리기에는 너무 크거나 법규, 회사의 정책 또는 보안 프로그램에 따라 화물실에 실려야 하는 수하물들이 포함된다.

2.5.3 화물

항공기 중량 및 평형 관리 기준에 따르면, 화물은 항공기 화물실에 실리는 모든 것을 의미한다. 여기에는 수하물, 우편물, 화물, 속달 우편물, 회사 자재, 살아있는 동물, 위험물, 상위품의 하위 부류로서 위험한 자재들이 포함된다. 위탁 수하물과 정비를 위한 예비 부품을 제외한 모든 항목이 포함된다.

JAR-OPS (Joint Aviation Requirement for the operation of commercial air transport) 및 FAA 규정 모두에서 화물의 무게는 실제 계측 결과를 기준으로 해야 한다고 명시하고 있다. 특히 JAR-OPS 1.605(d)에 따르면, 운항사는 실제 계측을 하거나 JAR-OPS 1.620 에 명시된 표준 승객 및 수하물 중량을 사용하여 유상하중 (JAR-OPS 에서는 Traffic Load, 대한민국의 항공기 중량 및 평형 관리 기준에서는 Payload)을 설정해야 한다. 유상하중은 JAR-OPS 1.607(f)에서 비수익 하중을 포함한 승객, 수하물, 화물의 총 질량으로 정의된다.

FAA 규정에는 운송업체가 화물의 중량을 계산하는 방법에 대해 구체적으로 규정하고 있다. AC 120-27E(2 장 2 절 207a 항)에 따르면, 운항사는 회사 자재, 항공기 부품 및 항공기로 운송되는 화물에 대해 실제 중량을 사용해야 한다고 명시하고 있다. 대한민국의 항공기 중량 및 평형 관리 기준에서도 회사 자재 및 화물에 대해 실제 중량을 사용해야 한다고 규정하고 있다.

우편물의 경우, 운영자는 탑재 목록에 기록된 우편물의 중량을 사용하여 계산해야 한다. 만약 운영자가 선적 우편물을 분리해야 할 경우, 각 묶음의 중량을 실제로 산정할 수 있으며, 이는 산정된 중량들의 합이 전체 선적물의 실제 적하 목록 상의 중량과 동일할 경우에 해당한다.

2.6 이륙연료탑재량

이륙을 위한 연료탑재량은 이륙을 시작할 때 항공기에 탑재하는 총 연료를 의미한다. 이는 항공기가 출발하기 전에 급유한 총 탑재량에서 이륙을 위해 지상 이동 시 사용되는 지상연료소모량을 제외한, 이륙 직전 활주로에 대기할 때의 연료량을 말한다. 지상활주연료에는 지상 이동 시 사용되는 Taxi fuel 외에도 보조동력장치(APU) 작동 연료, 엔진 시동 연료, 지상 이동 전 짧은 시간 동안의 엔진 공회전 연료 등이 포함될 수 있다. 항공사에서는 기종 별, 공항 별, 시간대별로 지상연료소모량을 구분하여 적용함으로써 정확성을 높인다.

따라서 지상활주연료는 엔진에서 연소된 연료뿐만 아니라 이륙 전 항공기에서 소모되는 모든 연료를 반영해야 정확하다. 여기서 연료는 계측된 연료의 무게만을 고려해야 한다. 연료를 표시하는 시스템에 의해 감지되는 계측된 연료는 조종석의 연료 게이지에 표시되는 총량에 포함되며, 비행 중에 사용할 수 있다. 항공기에는 연료 게이지에 표시되지 않은 연료가 있는데, 이 연료의 대부분은 사용할 수 없지만 소량은 사용 가능하다. 이러한 사용 가능한 연료를 ungauged usable fuel 이라고 하며, 특정 항공기 기종에 대한 중량 및 평형 매뉴얼에는 사용 가능한 연료와 그렇지 않은 연료를 모두 포함한 계량되지 않은 모든 연료의 명목상의 총량이 명시되어 있다.

2.7 ZERO FUEL WEIGHT (ZFW)

어느 구간을 운항하기 위하여 모든 승객 및 화물을 탑재하고 연료만을 탑재하지 않은 상태의 중량을 말한다.

$$ZFW = SOW + PAYLOAD$$

항공기 제작 회사는 중량 초과로 인한 사고를 방지하기 위해 연료를 탑재하지 않은 상태에서 각 항공기종의 최대 허용 중량을 설정하며, 감항 증명 시에도 인가를 받아야 한다. 이를 MAXIMUM ZERO FUEL

WEIGHT(MZFW)라고 한다. MZFW는 항공기가 공중에서 날개 굽힘 모멘트가 과도하게 발생하지 않도록 보장하기 위해 설정된 제한 중량이다. 이는 항공기가 비행 전에 승객, 화물, 수하물 등을 탑재할 때, 연료를 탑재하지 않은 상태에서의 무게가 최대 무연료중량을 초과하지 않아야 함을 의미한다. 이 무게는 유상 하중 대신 특정 탱크에 탑재될 수 있는 사용 가능한 연료를 포함할 수 있다. 무연료중량에 사용 가능하고 소비 가능한 항목들을 추가하는 것은 항공기 구조와 성능 요구사항이 초과되지 않도록 적용 가능한 정부 규정에 따라야 한다. 즉, MZFW는 항공기의 구조적 강도와 성능 요구사항을 충족시키기 위한 중요한 제한 중량으로, 항공기의 안전한 비행을 보장하는 데 중요한 역할을 한다.

2.8 TAXI WEIGHT

승객 및 화물을 탑재하고(ZFW) 연료를 보급한 상태를 말한다. 즉 항공기가 PUSH BACK 시점의 중량이다.

2.9 TAKE OFF WEIGHT (TOW)

항공기가 엔진을 시동하고 이륙 시작 지점까지 활주하는 동안 소모되는 연료를 TAXI FUEL이라고 하며, TAXI WEIGHT에서 TAXI FUEL을 빼면 TAKE OFF WEIGHT 가 된다. 이륙 중량에는 최대이륙중량(MAXIMUM TAKE-OFF WEIGHT, MTOW)이라는 중량 한계가 설정되어 있다. 최대이륙중량은 항공기가 모든 비행 능력 요건을 만족한다는 것이 입증된 가장 무거운 중량이다. 이 무게는 항공기의 구조적 한계에 따라 설정되며, 이륙 시 항공기 구조에 가해질 수 있는 모든 하중을 견딜 수 있도록 중량을 제한한다. 따라서 항공기의 MTOW 는 고도, 대기 온도, 이륙이나 착륙에 사용되는 활주로의 길이에 따라 달라지지 않고 고정되어 있다. 항공기 제작사는 항공기를 인증하여 공장에서 출고할 때 항공기의 기본 중량과 무게 중심의 위치를 운항사에 제공한다. 또한, 공항 이용 시 착륙료를 산정하는 기준이 된다.

2.10 LANDING WEIGHT (LDW)

항공기가 이륙하여 도착 공항에 도착할 때까지 소모되는 연료량을 Trip fuel이라고 하며, TakeOff weight에서 Trip Fuel을 빼면 Landing weight을 산출할 수 있다. Maximum landing weight는 착륙 시 작용되는 힘을 지탱할 수 있는 최대 허용 중량이다. 이는 항공기가 정상적으로 착륙할 수 있는 최대 중량으로, 착륙 시 구조적 손상이 발생하지 않도록 제한된 무게이다. 랜딩 기어의 충격 흡수력, 착륙 거리 요건, 비행 특성 등 다양한 요인에 의해 결정된다.

$$\begin{aligned} LDW &= Takeoff\ Weight - Trip\ Fuel \\ &= (ZFW + Takeoff\ Fuel) - Trip\ Fuel \\ &= ZFW + (Takeoff\ Fuel - Trip\ Fuel) \\ &= ZFW + Remaining\ Fuel \end{aligned}$$

2.11 Runway Limited Take-off Weight (RTOW)[37]

항공기가 이륙할 때 활주로 길이, 이륙상승성능 확보, 장애물을 안전하게 통과하기 위해 설정된 무게로 활주로의 해면고도, 기압, 기온, 풍향, 풍속 등과 직접적인 관련이 있다.

2.12 ALLOWABLE GROSS TAKE OFF WEIGHT(AGTOW)

항공기의 설계 기준에 따라 최대이륙중량이 설정되어 있더라도, 실제 이륙중량은 항공기 성능, 기상 조건, 항로 조건에 따른 연료 보급량, 이착륙 공항의 활주로 상태 등 다양한 요인을 고려해야 한다. 항공기 성능 저하나 사고로 이어질 수 있는 과적을 방지하여 승객, 승무원 및 항공기의 안전을 보장하기 위해 최대허용이륙중량(Allowable Gross Takeoff Weight, AGTOW)을 운용한다. 아래 4 가지 중량 중 최소 값을 허용 최대이륙중량으로 사용한다.

- MTOW (Maximum Take-off Weight)
- Maximum Landing Weight + Trip fuel(항공기 착륙 시의 최대 허용 중량 기준)
- Maximum Zero Fuel Weight + Take-off fuel(항공기 운항 시의 최대 허용 중량 기준)
- Runway Limited Takeoff Weight(RTOW, 이륙활주로 및 상승 경로상의 장애물에 의한 성능상 제한 중량)

실제 주어진 조건하에서 이륙할 수 있는 최대값에 대한 최대허용이륙중량은 매 비행시 산출해야 한다.

---

[37] Airbus 에서는 RTOW 를 Regulated Take-off weight 라고 매뉴얼에 표현하고 있다.

2.13 ACL (Allowable cabin load)

항공기 운항 시 탑재 가능한 승객, 수하물 및 화물의 총 중량을 말하며 허용 탑재량이라고 한다. 이는 최대 허용 이륙 중량에서 항공기 중량 및 연료를 제외한 중량을 의미한다.

$$ACL = AGTOW(Allowable\ Gross\ Takeoff\ Weight) - SOW - Takeoff\ Fuel$$

각종 중량은 아래 제한 사항을 만족해야 한다.

- TAXI WEIGHT ≤ AGTOW + TAXI FUEL
- TAKEOFF WEIGHT ≤ AGTOW
  (and MAX STRUCTURAL TAKEOFF WEIGHT)
- LANDING WEIGHT ≤ MAX ALLOWABLE LANDING WEIGHT
  (and MAX STRUCTURAL LANDING WEIGHT)
- TOTAL FUEL ≤ FUEL CAPACITY
- ACL ≤ MAX STRUCTURAL ACL (= MZFW - SOW)
- PAYLOAD ≤ ACL

그림 5- 2 Payload Range Graph 는 단일 항공기의 탑재량과 항속 거리의 관계는 항공기의 노선이나 경제성을 분석하는 기초 자료로 사용된다. 항공기의 구조는 일정량의 하중을 견딜 수 있도록 설계되어 있으며, 이러한 하중은 항공기가 운반하는 무게에 따라 달라진다. 따라서 항공기의 최대이륙중량이 정해져 있고, 이를 초과하면 구조가 파손될 수 있다. 항공기에 최대탑재중량을 탑재한 후에는 특정 거리를 위해 탑재할 수 있는 연료의 양이 최대 이륙 중량에 의해 제한된다. 이 지점에 도달하면 유상하중을 줄여야만 더 먼 거리를 비행할 수 있다. 또한, 항공기는 최대 착륙 중량에 도달할 수 있는데, 이는 법적으로 탑재해야 하는 연료 이외의 추가 연료가 많을 경우 종종 발생한다

※ PAYLOAD-RANGE GRAPH

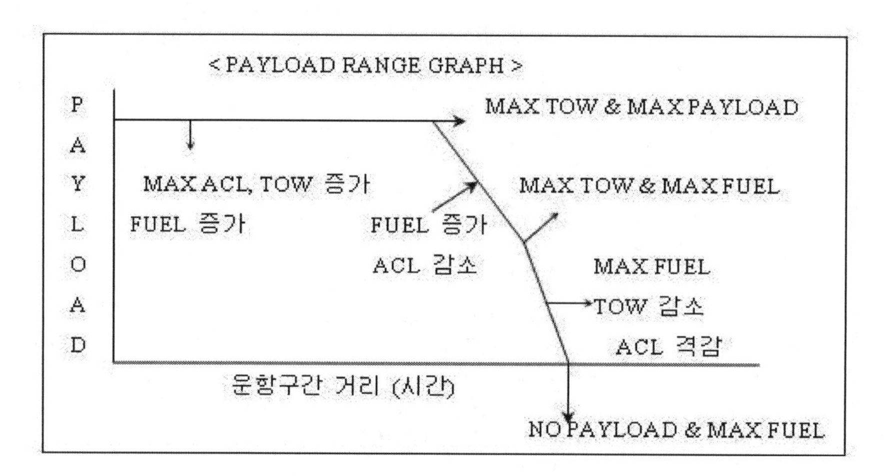

그림 5- 2 Payload Range Graph

제 6 장 항로의 구성 및 항공지도

1. 항행안전무선시설

항공기의 운항 전 과정은 지상과의 지속적인 통신을 유지하며, 지상의 지원을 받아 이루어진다. 따라서 항공기와 지상에는 상호 통신을 위한 다양한 시설이 존재하며, 이러한 시설은 항공기의 안전한 운항에 필수적이다. 국내 항공안전법에서는 항공기의 안전 운항을 위해 지속적인 통신의 필요성을 강조하며, 항공운송사업자의 각 비행은 운항하고자 하는 항로 및 대체 항로상에서 항공교통관제기관과 쌍방향 통신이 가능하여야 하며, 정기편 승객수송 항공운송사업자는 정상적인 운항 상태에서 항로에 걸쳐 모든 비행 편과 신속하고 신뢰성 있는 무선통신을 할 수 있도록 하여야 한다고 규정하고 있다.

현재 항공기의 운항이 이루어지는 항로 및 공항에서 항공기의 항행 또는 착륙을 위해 사용되는 시설로는 정밀 접근용 시설인 계기 착륙 장치(ILS: Instrument Landing System)와 비정밀 접근용 시설인 초단파 전방향식 무선표지(VOR: VHF Omni-Directional Range), 거리 측정 장치(DME: Distance Measuring Equipment), 전방위표지시설/전술항행시설(TACAN: VHF Omni-Directional Range/Tactical Air Navigation), 무지향성 무선표지(NDB) 등의 항행안전무선시설이 있다.

1.1 항행안전무선시설의 개요

오늘날 다양한 형태의 항행안전무선시설이 사용되고 있으며, 각각의 목적에 맞게 활용되고 있다. 이들 시설의 소유주 및 운용자는 각국의 항공당국, 군, 민간 조직, 지방자치단체, 외국 정부 등으로 다양하다. 각국의 항공당국은 항행 안전 시설을 설치, 운용, 유지하며, 관제 공역 내에서 계기비행에 사용되는 이들 시설의 운용을 위한 표준을 규정할 법적 권한을 가진다. 이러한 항행 안전 시설들은 각 국가의 AIP(Aeronautical Information

Publication)의 공항/시설 안내서(Airport/Facility Directory; A/F D)에 요약되어 있다.

1.2 VOR (VHF<Very high frequency> Omni-Directional Range)

1.2.1 기본 개념

항공기가 IFR 또는 VFR OVER THE TOP 에서 비행할 때는 항로상에서 요구되는 항법 무선 장비를 이중으로 장착해야 한다. 항공기가 낮은 주파수대를 이용하여 항행할 때는 ADF 나 RADIO RANGE 와 같은 단일 수신기 외에도 두 개의 VOR 수신기를 장착해야 한다. VOR 은 1960 년대부터 ICAO 에서 단거리용 국제 표준 항행 원조 시설로 채택되어 NDB 와 함께 항행을 위한 주요 표지국으로 사용되고 있다. VOR 은 1946 년부터 미국에서 사용되기 시작했으며, 그 정확성과 안정성 덕분에 급속도로 발전하여 미국 내에 900 개 이상의 스테이션이 설치되었고, 전 세계적으로 확장되어 널리 이용되고 있는 항행 안전 시설이다. ICAO 에서는 1949 년에 VOR 을 채택했다.

VOR 지상 시설은 민간 항공의 국내 항로에서 주요 항법 시설로 사용되며, 저 주파수 시설에서 발생하는 대기의 공전 간섭이나 기타 제한이 제거된 항법 시스템이다. VOR 지상국은 360 도 전 방향으로 전파를 방사하며, 자북 방향(Magnetic Course)의 Radio Beam 을 To or From the Station 으로 이용한다.

1.2.2 VOR RECEIVER 의 구성

OBS(Omni-bearing selector)는 OBS 손잡이를 돌려 조종사가 원하는 VOR 의 Radial 을 선택할 수 있게 한다. TO/FROM Indicator 는 조종사가 선택한 항로가 송신소를 향하고 있는지, 또는 송신소로부터의 위치에 있는지를 알려준다. TO/FROM Indicator 는 VOR 계기 내부에 위치하며, 조종사가 임의로 조작할 수 없고, VOR 송신소에 대한 항공기의 상대적인 위치를 자동으로 나타낸다.

CDI(Course Deflection Indicator)는 OBS 를 통해 선택한 Radial 로부터 실제 항공기의 편차를 나타낸다. 즉, 계기의 중심이 항공기의 위치를 나타내며, 항공기로부터 선택한 항로가 어느 위치에 있는지를 보여준다. CDI 를 통해 선택된 Radial 에 대한 편차는 VOR 계기의 중앙에 가로로 표시된 점으로 알 수 있으며, 각 점은 2°의 편차를 나타낸다.

TO inbound 와 FROM outbound 의 비행 시 CDI 는 자신의 위치로부터의 편차를 의미하지만, TO outbound 와 FROM inbound 시에는 실제 Radial 로부터 항공기의 위치를 반대로 지시한다. 이를 Reverse Sensing 이라고 한다.

WARNING FLAG 는 VOR 국의 신호가 확실하지 않아 계기를 작동시킬 수 없을 때 OFF FLAG 가 점등되며, 항공기의 수신 장비가 작동하지 않거나 지상국의 장비가 작동되지 않을 때, 항공기 계기가 고장일 때도 OFF FLAG 가 점등된다.

1.2.3 VOR 계기를 이용한 비행

VOR 에 주파수를 맞춘 후, 해당 기지가 맞는지 확인하고 주파수를 확인한 다음 비행할 항행 코스를 선택한다. OBS 를 돌려 특정 숫자가 지시 표 위에 오도록 맞추면, VOR 기지에서 송출되는 360 개의 비행 가능한 코스 중 하나를 선택할 수 있다.

그림 6- 1 VOR 의 이용과 같이 항공기가 VOR 기지의 정 중앙을 향해 비행 중일 때, TO/FROM 인디케이터는 TO 를 나타낸다. 항공기가 VOR 기지 상공을 지나갈 때는 OFF(빨간색과 흰색 줄무늬)가 표시되며, 이는 항공기가 VOR 기지의 정 중앙에 위치하고 있음을 의미한다. VOR 기지에서 멀어지면 인디케이터는 FROM 으로 바뀌어 항공기가 멀어지고 있음을 알 수 있다. 예를 들어, 현재 VOR 기지를 향해 비행 중이라면, VOR 을 목적지로 설정했을 때 Indicator 는 TO 를 나타낸다. 목적지에 도착하면 다시 떠나야 하므로 Indicator 는 FROM 으로 바뀐다.

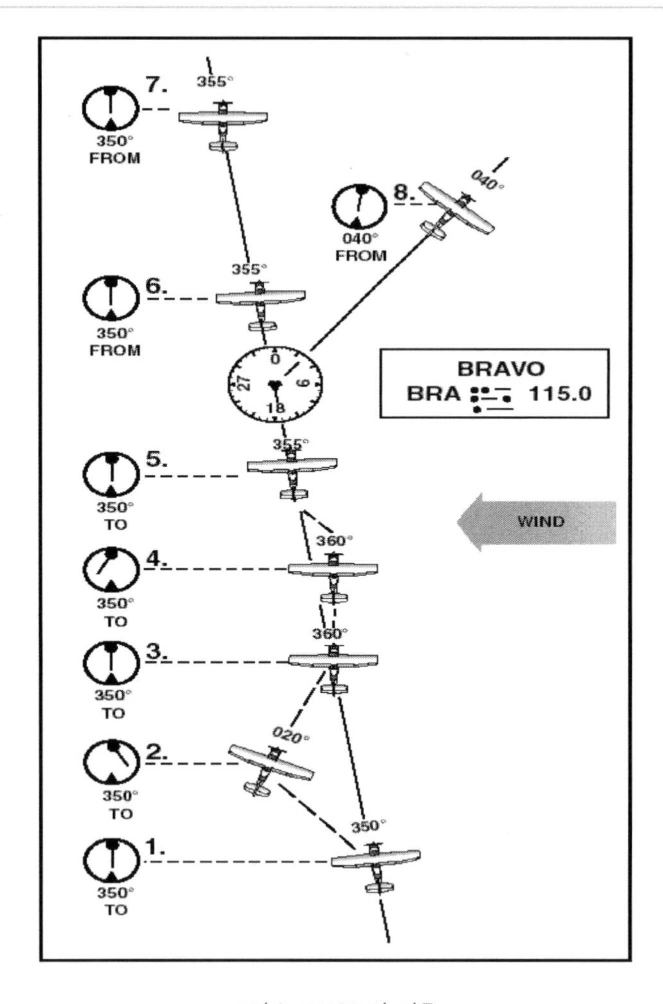

그림 6- 1 VOR 의 이용

CDI(코스 편차 지시기)를 VOR 계기의 정 중앙에 유지하는 것은 쉽지 않다. 선택한 Radial 로 비행 중일 때 VOR 바늘이 중앙에 위치하지 않고 왼쪽이나 오른쪽에 있다면, 이는 선택한 코스와 일치하지 않음을 의미한다. 1 번 항공기의 CDI 는 정 중앙에 있으며 TO 를 나타내므로 현재 VOR 을 향해 똑바로 나아가고 있는 것이다. 4 번 항공기가 VOR 을 향해 똑바로 나아가기 위해서는 왼쪽으로 선회해야 한다. 따라서 VOR 기지의 왼쪽에 위치한 항공기는 오른쪽으로 선회해야 선택한 코스에 맞게 비행할 수 있으며, 반대로 오른쪽에 위치한 항공기는 왼쪽으로 선회해야 원하는 코스에 진입할 수 있다.

1.3 전방위표지시설/전술항행시설(VHF Omni-directional Range/Tactical Air Navigation; TACAN)

VORTAC 는 VOR 의 방위각과 TACAN 의 방위각 및 거리(DME)를 제공하는 두 요소로 구성된다. 비록 여러 요소와 운용 주파수, 안테나 시스템을 활용하지만, VORTAC 은 하나의 통합된 항행안전무선시설로 간주된다. VORTAC 의 두 요소는 동시에 운용되며, 항상 세 가지 서비스를 제공한다.

1.4 거리 측정 시설(DME: Distance Measuring Equipment)

거리 측정시설(DME)은 항공기와 지상 DME 국 간의 거리를 측정하는 장비이다. DME 는 항공기에서 송신된 한 쌍의 펄스를 지상 DME 국이 수신하고, 동일한 펄스 간격으로 다시 항공기로 전송한다. 이 신호 교환의 왕복 시간은 공중 DME 장비에 의해 측정되며, 이를 통해 항공기와 지상 송신소 간의 거리를 계산한다. DME 는 가시선 원리로 작동하여 매우 정밀한 거리 정보를 제공하며, 제공되는 거리 정보는 실제 수평거리가 아닌 경사거리이다.

그림 6- 2 DME 국(좌)과 항공기에 설치된 DME 장비(우)

1.5 ILS (Instrument Landing System)

1.5.1 기본 개념

1940 년대 초 까지만 해도 조종사들은 지상을 볼 수 없는 기상 상태에서 비행하는 것이 불가능하다고 여겼다. 그러나 전자공학의 발달로 인해 1942 년 미국에서 현대적인 계기착륙시설이 개발되기 시작했고, 1947 년

국제 민간 항공 기구(ICAO)는 ILS 방식을 착륙용 표준 시설로 채택했다. 이로 인해 안개나 낮게 형성된 구름, 야간에도 공항의 항공기 착륙 유도 장치가 갖춰져 있다면 계기 착륙이 가능 해졌다.

즉, 비행장에 진입하고 착륙하는 항공기에 대해 전파로 항공기의 강하 경로 정보(수평 및 수직 정보)를 제공하고, 특정 지점에서 착륙 지점까지의 거리를 알려주는 무선 항행 방식이다. 이 정보를 이용하여 조종사는 안전하게 항공기를 착륙시킬 수 있으며, 여기에는 강하 경로를 만드는 지상 장비와 이 정보를 지시해 주는 기상 장치가 포함된다.

1.5.2 기능적 분류

- 유도 정보 (Guidance Information) - Localizer, Glide Slope.
- 거리 정보 (Range Information) - Marker Beacon, DME.
- 시각 정보 (Visual Information) - Approach Light, Touchdown and Center Line Light, Runway Light

1.5.3 ILS 의 구성

계기착륙시설(ILS)은 활주로 중심선 정보를 제공하는 방위각 장비(Localizer), 착륙 활공각 정보를 제공하는 활공각 장비(Glide Path), 그리고 위치 정보를 제공하는 Marker Beacon 으로 구성된다. 방위각 장비는 활주로 중심선의 지시 정보를 제공하며, 활공각 장비는 통상 3 도의 착륙 활공각 정보를 제공한다. Marker Beacon 은 위치 정보를 제공하는 역할을 한다. 완벽한 계기착륙을 위해 ILS 설치 시 DME, VOR, NDB 등의 무선시설 장비를 함께 설치하여 항공기의 정밀 착륙을 유도한다.

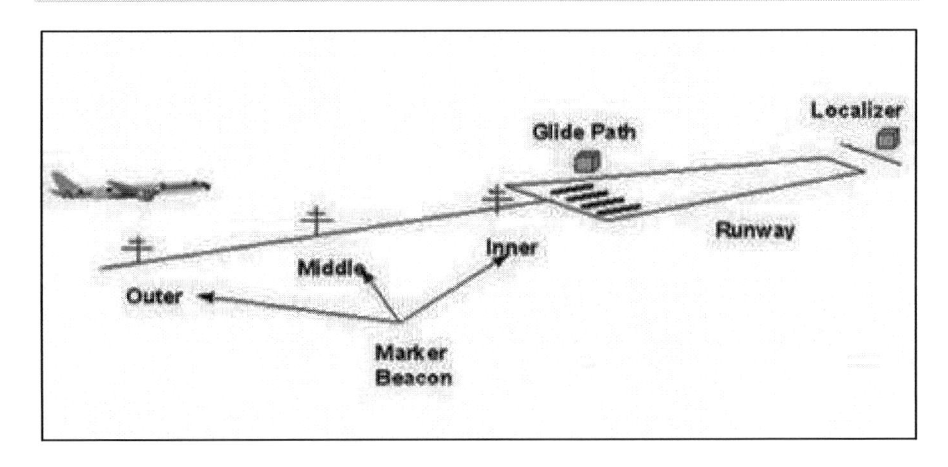

그림 6- 3 ILS 의 구성 및 설치 위치

1.5.4 계기착륙시설에 의한 진입 방법

일반적으로 항공기가 계기착륙시설(ILS)을 이용하기 시작하는 지점은 공항에서 약 25NM 떨어진 곳이다. 이 지점부터 항공기는 ILS 신호를 따라 계기 접근 절차를 수행하며 활주로에 접근한다. 이 지점을 최초접근지점(Initial Approach Fix)이라고 한다. 이 지점부터 조종사는 방위각과 활공각 지시 계기가 계기판 중앙에 정확히 십자형으로 교차되도록 항공기를 정밀하게 조종하며, 항공기의 바퀴(Landing Gear)를 내리고 착륙 결정 지점(DH: Decision Height)까지 접근한다. 항공기가 DH 에 도달하면 조종사는 착륙을 할지, 복행(Go-Around)을 할지 결정해야 하며, 최종적인 판단은 조종사가 내린다.

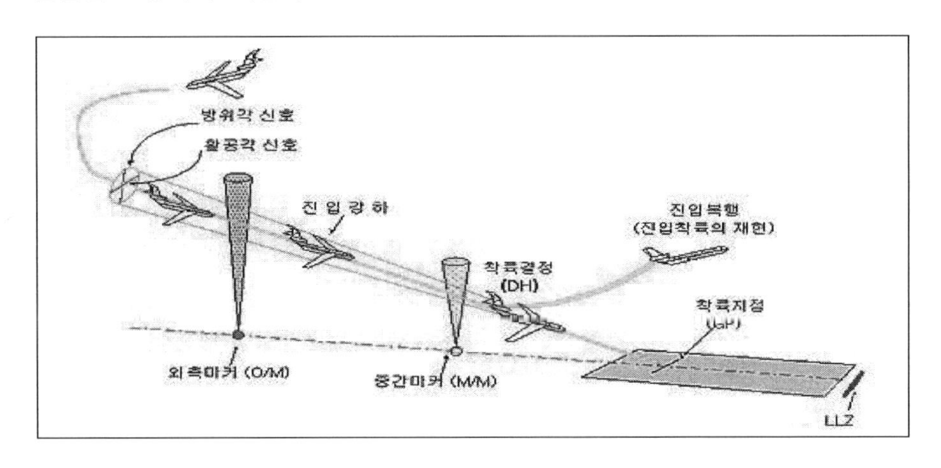

그림 6- 4 계기착륙시설에 의한 진입 방법

1.5.5 항공기 탑재 장비

Localizer 수신기의 안테나는 VOR 안테나와 함께 사용되며, 조종석 상부 또는 수직 꼬리 날개 양면에 설치된다. 고속기에서는 GS(Glide Slope) 수신 안테나와 동일하게 기체 내부에 설치된다. 수신기는 VOR 수신기와 유사하게 작동하여 Localizer 주파수(VHF)를 설정하면 자동으로 GP(Glide Path) 수신기(UHF)도 동일하게 설정된다. Localizer 주파수는 GP 주파수와 짝을 이루어 있어 Localizer 주파수만 선택해도 사용할 수 있다.

일반적으로 Course Indicator (Cross Pointer Indicator)라고 불리는 계기는 중앙에서 왼쪽, 오른쪽, 상, 하로 각각 5 dot 씩 구분되어 있다. 이 계기에는 수평 지침과 수직 지침이 있어, 수직 지침(Localizer)은 항공기가 코스 중앙에서 어느 방향으로 편이 되는지, 수평 지침(GP)은 강하 경로가 코스 중앙에서 어느 방향으로 이탈하는지를 나타낸다. 즉, 침의 이탈은 VOR 과 같이 항공기가 On Course 에서 편이 되는 반대 방향으로 이동하며, Front Course 에서 진입 시 오른쪽으로 편이 되면 침은 중앙에서 왼쪽으로 이동한다(GP 도 동일).

Course Indicator 에는 Localizer, GP indicator 외에도 OFF 표시 Flag 가 있어, Localizer 및 GP 안테나로부터 전파를 충분히 수신하지 못하거나, 수신기의 결함으로 인해 완전한 지시가 불가능할 때, 이 OFF 표시가 나타나 ILS 작동 불능을 경고하고, ADF 또는 RADAR 등 다른 접근 방법을 사용하도록 알려준다. 또한, 지상에는 ILS Monitor 시설이 있어, 시설 별로 고장이 발생하면 경고음과 함께 해당 시설에 경고등이 켜져, 다른 예비 장비를 즉시 가동할 수 있다.

ILS 용으로 설치되는 Marker 를 수신하기 위한 수신기는 OM, MM, IM 을 구분하는 dash 및 dot 음을 들을 수 있는 볼륨 스위치와 OM, MM, IM 상공임을 눈으로 확인할 수 있는 점등 장치 등 두 가지가 있다. 점등 장치(Lamp)는 Marker 상공에서 dash 또는 dot 음을 들을 때, 동일한 주기로 점등되며, OM 은 자주색(Purple), MM 은 호박색(Amber), IM 은 백색(White)으로 점멸하여, 조종사가 시각적, 청각적으로 Marker 위치를 식별하고 Approach Course 상의 특정 지점을 파악할 수 있게 한다.

1.5.6 ILS CATEGORY

계기착륙시설(ILS)의 운영 등급은 활주로의 폭과 길이, 항행 안전 시설의 구성, 그리고 주변 장애물 등을 고려한 비행 점검 결과에 따라 결정된다. 규정에 따른 계기 접근 절차는 결심고도와 시정 또는 활주로 가시 범위(Runway Visual Range, RVR)에 따라 다음 표 6- 1 과 같이 구분된다.

종류		결심고도 (Decision Height/DH)	시정 또는 활주로가시범위(Visibility or Runway Visual Range/RVR)
A 형		75m(250ft)이상 *결심고도가 없는 경우 최저 강하 고도 적용	해당사항 없음
B 형	1 종(Category I)	60m(200ft)이상 75m(250ft)미만	시정 800m(1/2mile) 또는 RVR 550m 이상
	2 종(Category II)	30m(100ft)이상 60m(200ft)미만	RVR 300m 이상 550m 미만
	3 종(Category III)	30m(100ft) 미만 또는 적용하지 않음 (No DH)	RVR 300m 미만 또는 적용하지 않음(No RVR)

표 6- 1 ILS 운영등급에 다른 결심고도 및 시정 도는 활주로가시범위

2. 항공교통업무(AIR TRAFFIC SERVICE)

항공기의 운항은 정밀하게 체계화된 항공교통업무의 지원을 통해 이루어진다. 따라서 항공기의 운항을 이해하려면 항공교통업무의 개념과 체계를 이해하는 것이 필요하다. 항공교통업무의 목적은 항공기 간의 충돌 방지, 기동 지역 내 항공기와 장애물 간의 충돌 방지, 항공교통의 향상 및 질서 유지, 안전하고 효율적인 비행을 위한 조언 및 정보 제공, 수색 및 구조가 필요한 항공기에 대한 관계기관 통보 및 필요 시 협력하는 것이다.

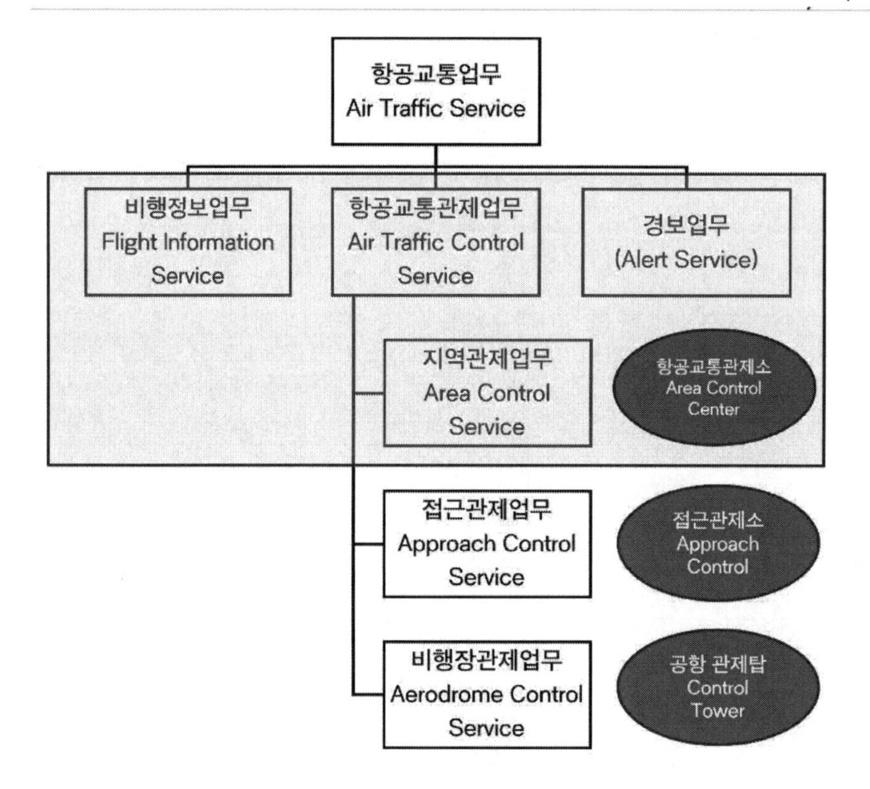

그림 6- 5 항공교통업무 구분

항공교통업무는 크게 세 가지로 구분된다. 첫째, 항공기의 안전하고 정확하며 효율적인 비행에 영향을 줄 수 있는 모든 정보를 수집하고 조직하여 항공기 및 이용자에게 전달하는 항공정보업무(Flight Information Service)이다. 둘째, 항공기가 비행장 지상에서 출발하여 활주로에 도달하기까지, 그리고 이륙하여 목적 비행장에 도착하여 정지하기 전까지 항공기 간의 충돌을 방지하고 항공교통의 질서 있는 흐름을 촉진 및 유지하는 항공교통관제업무(Air Traffic Control)이다. 셋째, 수색이나 구조가 필요한 항공기에 대해 필요한 도움을 줄 수 있는 관계기관에 통보하거나 요구에 응하며, 해당 기관을 지원하는 경보업무(Alert and Research)이다.

국제 민간항공기구(ICAO, International Civil Aviation Organization)는 전 세계의 항공교통업무를 체계적으로 관리하기 위해 그림 6- 6 에서와 같이 7 개의 권역으로 나누고, 이를 ICAO 항공교통관리 권역(ICAO ATM Region: ICAO Air Traffic Management Region)이라고 부른다.

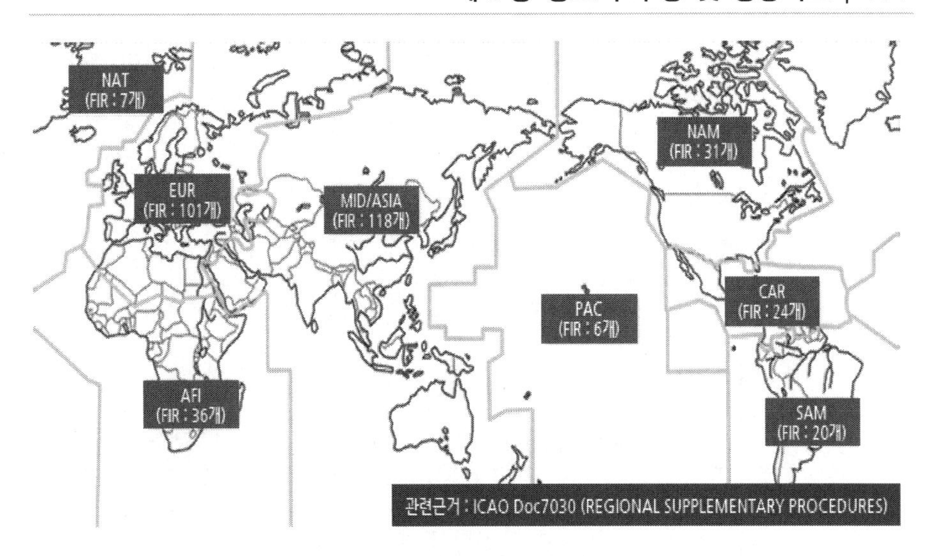

그림 6- 6 ICAO 항공교통 관리권역(출처: 항공교통본부 항공지식정보)

국제민간항공기구(ICAO)는 국제 항공의 편익을 도모하고 안전 운항을 확보하기 위해 각국의 항공교통업무기관이 일정 범위의 공간에서 항공교통 업무를 수행하도록 지정한다. 이러한 구역을 비행정보구역(FIR, Flight Information Regions)이라고 하며, 각 비행정보구역은 ICAO 의 지역항공항행회의에서 논의되고 이사회의 승인을 통해 지정된다. 우리나라에서 관할하는 비행정보구역은 인천 FIR 이다(그림 6- 7).

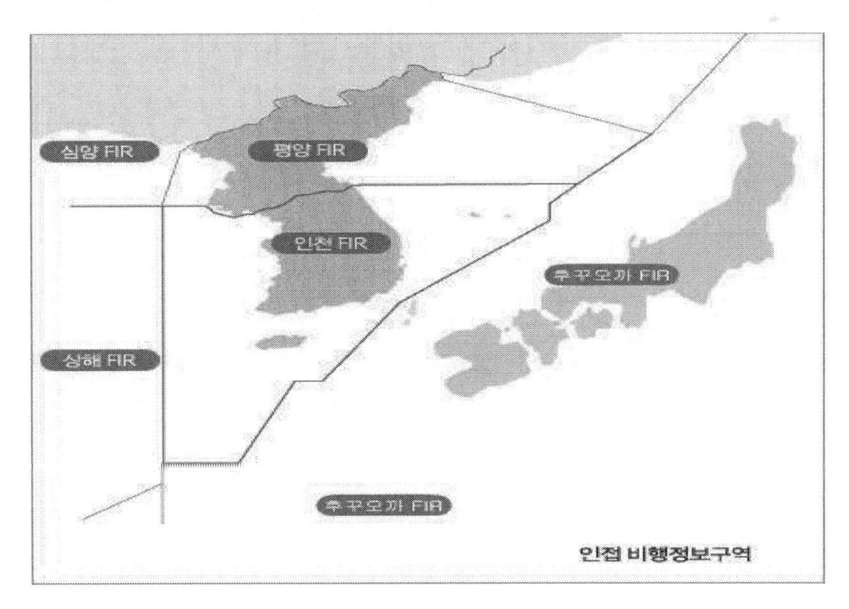

그림 6- 7 인천 FIR(출처: 항공교통본부 항공지식정보)

항공기의 안전한 비행을 위해 통제를 통해 안전 조치가 이루어진 공간을 공역이라 한다. 공역은 항공교통조언업무의 제공 여부 및 해당 공역에 따라 관제공역(Controlled Airspace), 비관제공역(Uncontrolled Airspace), 통제공역, 주의공역으로 구분된다. 각각의 특징은 다음 표 6- 2 와 같다.

<table>
<tr><th>분류</th><th colspan="2">정의</th></tr>
<tr><td>관제 공역</td><td colspan="2">항공교통조언 업무가 제공되도록 지정된 관제공역</td></tr>
<tr><td>비 관제공역</td><td colspan="2">항공교통조언 업무가 제공되도록 지정된 비 관제공역</td></tr>
<tr><td rowspan="3">통제 공역</td><td>비행금지 공역</td><td>안전, 국방상의 이유로 항공기의 비행을 금지하는 공역</td></tr>
<tr><td>비행제한공역</td><td>항공사격, 대공사격 등으로 인한 위험으로부터 항공기의 안전을 보호하거나 그 밖의 이유로 비행허가를 받지 않은 항공기의 비행을 제한한 공역</td></tr>
<tr><td>초경량비행장치 비행제한공역</td><td>초경량 비행장치의 비행 안전을 확보하기 위하여 초경량비행장치의 비행활동에 대한 제한이 필요한 공역</td></tr>
<tr><td rowspan="4">주의 공역</td><td>훈련공역</td><td>민간항공기의 훈련공역으로서 계기비행항공기로부터 분리를 유지할 필요가 있는 공역</td></tr>
<tr><td>군 작전공역</td><td>군사작전을 위하여 설정된 공역으로서 계기비행항공기로부터 분리를 유지할 필요가 있는 공역</td></tr>
<tr><td>위험공역</td><td>항공기의 비행시 항공기 또는 지상시설물에 대한 위험이 예상되는 공역</td></tr>
<tr><td>경계구역</td><td>대규모 조종사의 훈련이나 비정상 형태의 항공활동이 수행되어지는 공역</td></tr>
</table>

표 6- 2 공역의 분류

관제공역과 비관제공역은 제공되는 항공교통업무에 따라 A 등급부터 G 등급까지 구분된다(그림 6- 8). A 등급(Class A) 공역은 항공로를 포함하는 전이고도 (Transition Altitude)[38] 이상의 지역으로, 이 지역을 운항하는 항공기는 IFR 비행을 해야 한다. B 등급(Class B), C 등급(Class C), D 등급(Class D) 공역은 공항(또는 터미널) 주변의 공역으로, 터미널의 항공교통량과 제공되는 관제업무에 따라 구분된다.

B 등급 공역은 해당 공역 내에서 IFR 및 VFR 비행이 모두 허용되며, 모든 항공기에 관제업무 및 분리업무를 제공하는 구역으로, 가장 혼잡한 터미널 지역에 지정된다. 이 공역은 3 개의 층으로 구성되며, 지표면으로부터 10,000ft(MSL)까지 지정된다.

C 등급 공역은 IFR 및 VFR 비행이 모두 허용되며, IFR 항공기에게는 모든 항공기와의 분리 업무가 제공되지만, VFR 항공기에게는 IFR 항공기와의 분리 및 다른 VFR 항공기와의 교통정보만 제공된다. 이 공역은 2 개의 층으로 구성되며, 지표면으로부터 공항표고 상공 5,000ft 까지 지정된다.

D 등급 공역은 IFR 및 VFR 비행이 허용되며, IFR 항공기에게는 다른 IFR 항공기와의 분리 업무와 VFR 항공기와의 교통정보가 제공된다. VFR 항공기에게는 교통정보만 제공된다. 일반적으로 1 개의 층으로 구성되며, 공항표고로부터 상공 5,000ft 까지 지정된다.

관제공역에서 A 등급부터 D 등급 이외의 지역은 E 등급 공역이라 한다. E 등급 공역에서는 IFR 및 VFR 비행이 모두 허용되며, IFR 항공기에게는 관제업무와 분리 업무가 제공되지만, VFR 항공기에게는 교통정보만 제공된다.

---

[38] 전이고도: 항공기가 일반적으로 운항 시에 해면 고도 상 altimeter pressure setting 을 하는 가장 높은 고도로 항공기의 altimeter setting 은 표준 압력인 1013.2mb 이거나 29.92inch 에 맞춤으로써 항공기의 고도가 지정된다.

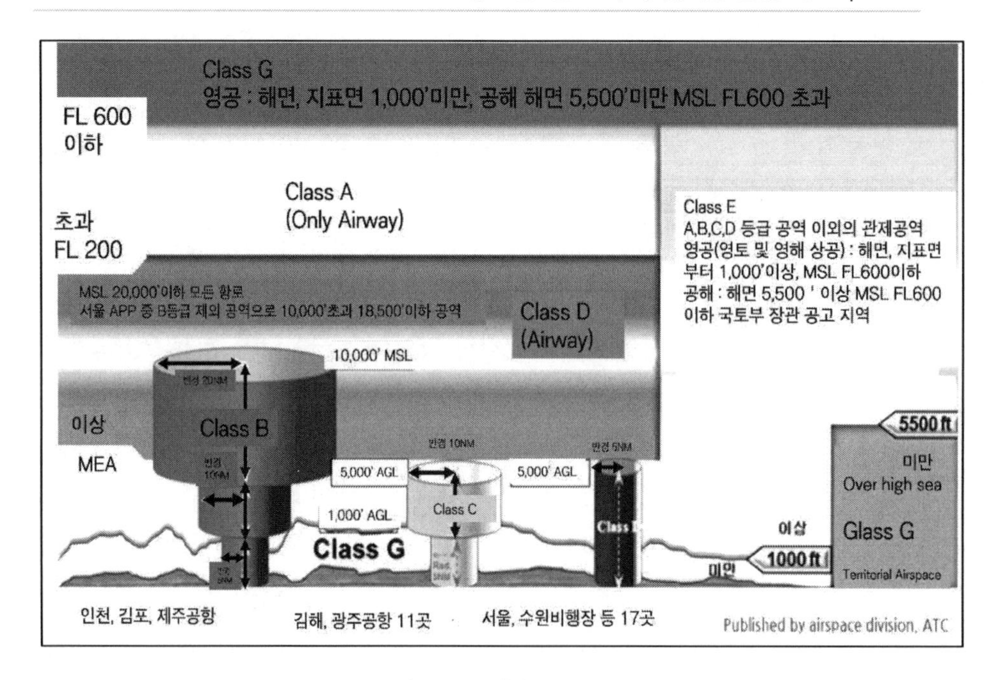

그림 6-8 공역의 등급

3. 항공교통관제 업무

항공교통관제업무는 해당 업무의 특성과 해당업무가 제공되는 지역에 따라서 비행장 관제업무, 접근관제 업무, 지역관제업무로 구분한다. 각 관제업무는 사전에 지정된 구역에 대해서 해당업무를 수행한다(그림 6-9).

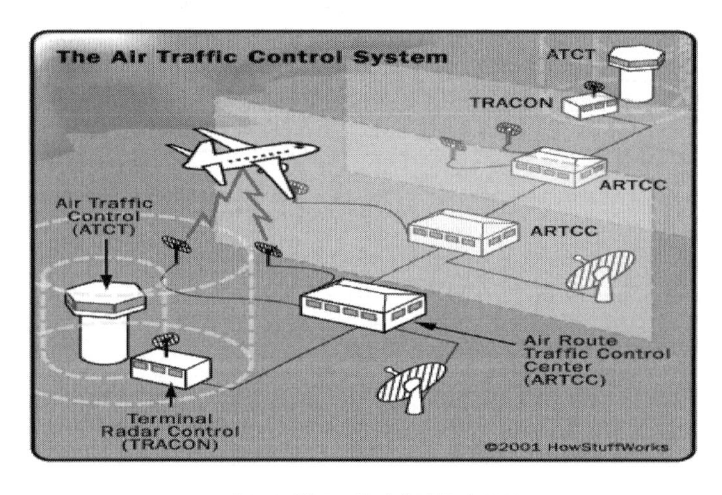

그림 6-9 항공교통관제업무의 분류

3.1. 항공교통관제업무의 구분

그림 6- 10 항공교통관제업무의 구분

비행단계	관제기관	관제석
비행 준비 - 비행 허가	Tower	ATC Clearance Delivery
Push-Back & Start		Ground
Ground Taxi to RWY		Ground
Take-Off		Tower
Climb	Approach Control	Departure
En-route	Area Control Center	Sector Controller
Descent	Approach Control	Approach
Final to Touch-down	Tower	Tower
Ground Taxi to Ramp		Ground

표 6- 3 비행 절차에 따른 항공교통관제 업무

3.1.1 비행장 관제업무

비행장 관제업무는 항공기, 차량, 장비 및 사람들의 안전한 이동을 위해 비행장과 그 주변 공역에서 이루어진다. 이 업무는 충돌 방지를 위한 분리 작업, 허가 발급, 지시, 조언 및 정보 제공을 포함한다. 항공기의 이착륙과 지상 주행에 대한 허가를 발급하고, 다른 관제 기관에서 발급한 허가를 중계한다. 또한, 비행장 내에서 이동하는 차량, 장비, 사람에 대한 이동 및 진입 지시 업무를 수행하며, 항공기 항행에 필요한 기상 정보, 항행 안전 시설, 비행장 운영 상태 및 이용 정보를 제공한다.

비행장 내의 항행 안전 시설 및 비행장 등화 시설의 운용을 담당하고, 관련 항공교통관제기관과의 비행 정보 통보 및 수신을 담당한다. 비행장 내 또는 주변의 항공기 사고에 대한 정보 수집 및 처리에 필요한 정보를 제공하며, 수색 및 구조에 필요한 정보를 항공교통관제소 또는 구조조정센터에 통보하고, 항공기 운항 및 비행장 운영에 관련된 기관과의 업무 협조를 수행한다.

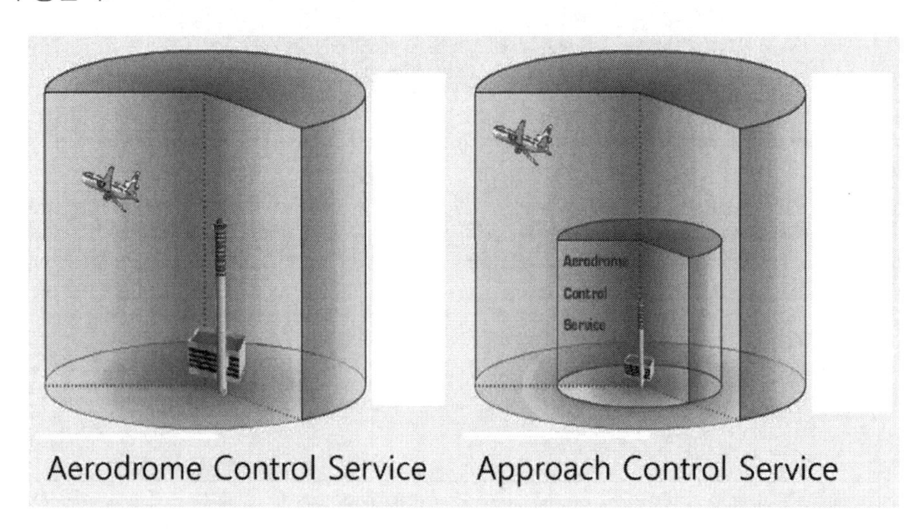

그림 6- 11 Aerodrome approach control service

3.1.2. 접근 관제 업무

접근관제 업무는 공항 지역 또는 접근 관제 구역에서 비행하는 계기비행 항공기에 필요한 항공교통 관제 서비스를 제공한다. 이 업무는 도착 항공기의 강하 및 접근, 출발 항공기의 상승 단계를 포함하며, 공항의 관제탑, 접근 관제소, 지역 관제소 간의 사전 협의 및 협정에 따라 결정된다. 접근관제 업무는 항공기와 지상 장애물 간의 안전한 분리를 위한 허가, 지시, 조언, 정보 제공을 포함한다. 계기비행 항공기의 접근 관제 허가 발급과 다른 관제 기관에서 발급한 허가의 전달을 담당하며, 항공기 착륙에 필요한 정보 및 조언을 제공한다. 또한, 항공기 항행에 필요한 기상 정보, 항행 안전 시설, 비행장 운영 상태 및 이용 정보를 제공한다.

관련 항공교통 관제 기관과의 비행 정보 통보 및 수신 업무를 수행하며, 수색 및 구조에 필요한 정보를 항공교통 관제소 또는 구조조정본부에 통보한다. 접근관제 업무 운영과 관련된 기관과의 업무 협조도 수행한다.

3.1.3. 지역 관제 업무

지역관제 업무는 해당 비행정보구역 내 모든 항공기에 필요한 비행정보 및 경보업무를 제공하며, 공역 운영과 항공교통 흐름 관리를 담당한다. 이 업무는 항공로를 비행하는 계기비행 항공기에 필요한 항공교통 관련 업무를 제공하고, 항공기와 지상 장애물 간의 안전한 분리를 위한 허가, 지시, 조언, 정보를 제공한다. 또한, 계기비행 항공기의 항공교통 관제 허가를 발급하고, 항공기 착륙에 필요한 정보 및 조언을 제공한다. 항공기 항행에 필요한 기상 정보, 항행 안전 시설, 비행장 운영 상태 및 이용 정보를 제공하며, 관련 항공교통 관제 기관과의 비행 정보 통보 및 수신 업무를 수행한다. 관할 공역 내 항공기 사고에 대한 정보 수집 및 처리에 필요한 정보를 제공하며, 지역관제 업무 운영과 관련된 기관과의 업무 협조를 수행한다. 또한, 공역 운영 및 항공교통 흐름 관리 업무와 인접한 비행정보구역 운영 기관과의 항공교통 운영을 위한 협조 업무를 수행한다.

3.2. 자동 국지 정보 방송(ATIS: Automatic Terminal Information Service)

ATIS 는 항공교통량이 많은 주요 비행장이나 공항에서 이착륙하는 항공기에 필요한 정보를 신속하고 효율적으로 제공하기 위해 별도의 VHF 주파수를 사용하여 녹음된 내용을 지정된 순서에 따라 방송하는 업무이다. ATIS 는 다음과 같은 정보를 제공한다.

비행장 명칭	시정 및 활주로 가시거리에 관한 정보
ATIS 식별부호	현재 기상
관측 시간	구름의 높이
예상되는 접근절차의 명칭	온도
사용되는 활주로	노점온도
중요한 활주로 표면 상태	고도계 수정치
체공 지연 사항	접근, 이륙 및 이륙 후 상승단계 기상정보
전이고도	예상되는 착륙의 형태
필수적인 운항정보	기타 ATIS 지시사항
풍향, 풍속 및 중요한 변동에 관한 사항	

EXAMPLE-
"Boston Tower Information Delta. One four zero zero Zulu. Wind two five zero at one zero. Visibility one zero. Ceiling four thousand five hundred broken. Temperature three four. Dew point two eight. Altimeter three zero one zero. ILS-DME Runway Two Seven Approach in use. Departing Runway Two Two Right. Hazardous Weather Information for (geographical area) available on HIWAS, Flight Watch, or Flight Service Frequencies. Advise on initial contact you have Delta."

3.3 CNS (Communication, Navigation, Surveillance)/ATM

3.3.1 개요

SSR, MODE S, 위성통신 등의 통신 기술, VHF, UHF, GNSS 등의 항법 기술, 그리고 ADS, TCAS 등의 감시 기술로 구성된 21 세기 표준 항행안전시설은 과거 FANS(Future Air Navigation System)로 알려져 있었다. 이 시스템은 증가하는 항공교통 수요에 대응하고, 항행안전시설의 한계를 극복하며, 안전한 운항을 위한 새로운 시스템이 필요함에 따라 개발되었다. 이 세 가지 요소는 항공교통관리를 지원하는 핵심 수단으로, 광범위한 교통 흐름을 통합적으로 관리하고, 공항이나 항로에서의 항공 교통량을 예측하여 처리 능력을 초과하는 교통량이 예측되는 경우 전략적으로 항공 교통 흐름을 제어하여 항공 교통의 안전성을 향상시키고 운항을 효율화 하는 역할을 한다.

현재 사용 중인 항행안전시설은 ACARS DATA LINK, 위성통신, GPS 항법 등을 활용하여 항공기가 더욱 정밀하고 안전하게 운항할 수 있도록 지원하는 첨단 시스템이다. ICAO 는 1993 년 12 월에 위성 항행 시스템에 대한 전 세계적인 전환 일정을 수립하고, 각국에 가능한 일정에 따라 다양한 시스템의 도입을 추진하도록 권고하였다. 그 결과, 2000 년부터 CNS/ATM 시스템을 기존 시설과 병행하여 운영하게 되었고, 2010 년까지 기존 시설을 철거하여 2010 년부터는 국제 표준 시스템으로 단독 운영하게 되었다. CNS/ATM 과 현재 시스템의 구성 요소를 비교하면 표 6- 4 와 같다.

분야별	현행 시스템	CNS
통신	VHF 음성통신 HF 음성통신 용도별 개별 통신망(AFTN 등)	VHF 음성/데이터 통신 항공이동위성서비스(AMSS) 2 차 감시 레이더(SSR) 모드 S 데이터 통신 항공종합 통신망(ATN), CPDLC
항행	ILS VOR/DME, NDB INS/IRS 로란 C	필수 항행 실행 성능(RNP) 위성 항법 시스템(GNSS) INS/IRS
감시	공항감시 레이더 2 차 감시 레이더 음성위치보고	SSR 모드 S 자동 항행 감시 시스템(ADS) 항공기 충돌 방지 시스템(ACAS)

표 6- 4 CNS 와 현행 시스템의 구성 요소 비교

3.3.2 ADS/CPDLC

CNS/ATM 의 통신 부문에서 ADS/CPDLC 는 자동 항법 감시 시스템을 의미하며, Automated Dependent Surveillance /Controller and Pilot Data Link Communication 의 약어이다. 현재 운항 중인 항공기의 관제는 레이더 사이트 정보와 조종사가 보고하는 위치 정보를 이용하여 수행된다. 이 방법은 레이더의 오차, 처리 지연, 항공기 내 항법 장치를 이용한 수동 위치 통보로 인한 오차 등으로 인해 항공기의 정확한 위치 정보를 얻기 어렵다. 이로 인해 수평 및 수직으로 떨어진 거리가 필요하게 되며, 이는 항공기 수가 증가함에 따라 이착륙 항공기의 지연을 초래하는 요인이 된다. 또한, 모든 항공기 관제가 관제사에 의해 수동으로 이루어지므로 관제사의 업무 부담이 증가한다.

이러한 문제점은 새로운 개념의 통신, 항법, 감시 시스템인 CNS/ATM 의 도입으로 해결하였는데, 이 개념을 바탕으로 개발된 것이 ADS/CPDLC 시스템이다. 이 시스템은 기존 수동 항공관제 업무를 컴퓨터를 이용하여 자동으로 수행하도록 하여, 관제사, 조종사 및 기타 관제 업무 종사자의 업무 부담을 크게 줄이고 있다. 특히, 기존의 음성 메시지를 디지털 시스템을 이용한 데이터 통신으로 대체함으로써 데이터의 속도와 신뢰성을 크게 향상시켰다.

ADS/CPDLC 시스템은 항공기가 위성 GPS 로부터 수신한 위치 정보를 ACARS 또는 AVPAC 시스템을 통해 지상 시스템에 전달하며, 레이더로부터 수신된 정보와 비교하여 정확한 위치를 파악한다. 비행계획서 및 항로와 비교하여 위치를 벗어난 항공기에 대해 경고 신호를 통해 관제사에게 알린다. ADS/CPDLC 시스템의 도입으로 관제사의 업무 부담이 줄어들고, 항공사는 자사 항공기의 위치 및 정보를 실시간으로 파악할 수 있게 된다.

3.4 RVSM (Reduced Vertical Separation Minimum)

RVSM(Reduced Vertical Separation Minimum)은 FL290~FL410 사이에서 항공기 간의 수직 분리 기준을 2,000ft 에서 1,000ft 로 축소하는 ICAO 의 개념이다.

3.4.1 배경

1950 년대 후반까지 고고도 수직분리 기준은 1,000ft 였으나, 고도 상승에 따른 기압고도계의 정확성 감소가 인지되었다. 이에 따라 1966 년 ICAO 는 전 세계적으로 FL290 이상에서 항공기 간 수직분리 기준을 1,000ft 에서 2,000ft 로 설정하였다. 1970 년대 후반, 세계적인 연료파동으로 인한 항공유 가격 상승과 효율적인 공역 관리에 대한 요구가 증가함에 따라, ICAO 는 FL290 이상에서 항공기 간 수직분리 기준을 2,000ft 에서 1,000ft 로 축소하는 가능성에 대한 광범위한 연구를 시작하였다. ICAO 의 지원 아래 캐나다, 유럽, 일본, 미국에서는 고도계기 장비의 고도 유지 정확도와 RVSM 적용을 위한 안전 목표 수립을 위한 다양한 연구가 수행되었다.

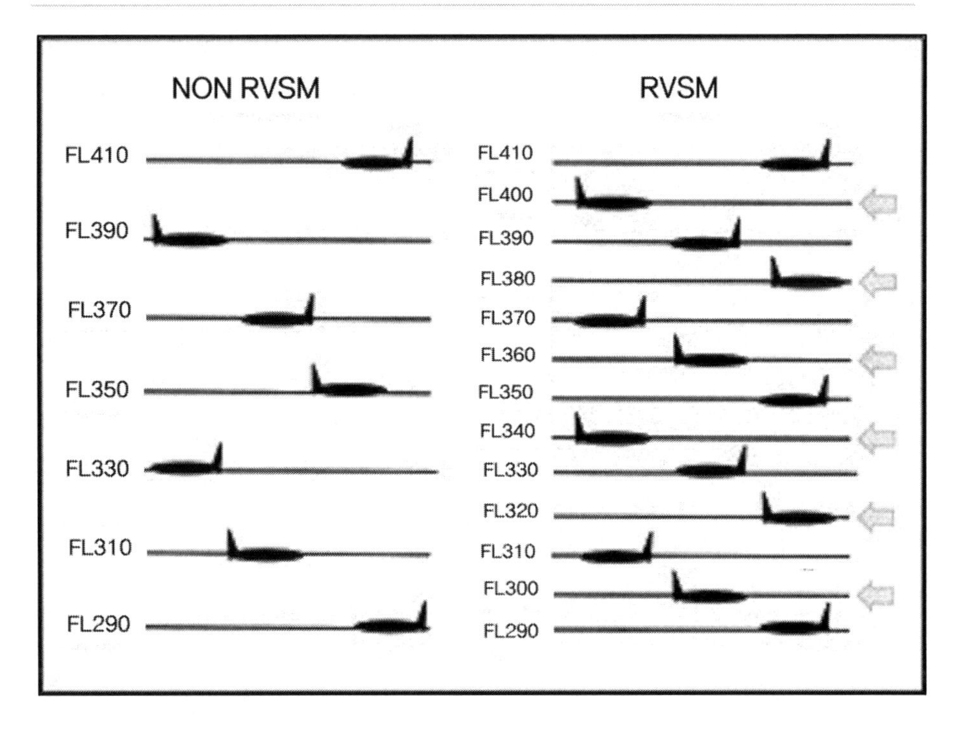

그림 6- 12 RVSM 고도

특히 이 연구를 통해 RVSM 항공기 고도 유지 성능 요건(Minimum Aircraft Systems Performance Specification: MASPS)이 규정되었다. 항공기 고도 유지 성능 요건은 RVSM 운영을 위해 협의된 안전 요건에 부합되는 표준으로, 고도 유지 정확도를 보장하는 요건이다. 안전한 RVSM 운영을 위해 ICAO 에 의해 수립된 조항들은 1990 년대 초반에 이용 가능해졌으며, 철저하고 오랜 연구 결과, 세계적인 수직분리 기준 축소가 안전하고 적용 가능하며 비용 면에서도 큰 이점이 있다는 결론이 나왔다. 또한 이 연구를 통해 다양한 항공기 종류와 단일 방향의 교통 흐름을 가진 북대서양 MNPS 공역에서 1997 년 3 월 FL330 - 370 사이에서 최초로 시행되었다.

3.4.2 RVSM 의 이점

RVSM 프로그램은 공역 사용자, 특히 항공사에게 다양한 경제적 이점을 제공한다. 가장 연료 효율적인 6 개의 순항 고도를 추가함으로써 교통 흐름이 원활하게 되어 약 20%의 교통 정체를 줄일 수 있다. 추가된 고도 할당으로 인해 더 많은 항공기가 가장 연료 효율적인 고도에서 원하는 항로를 이용할 수 있게 되어, RVSM 프로그램은 상당한 연료 비용 절감과 비행 중 지연 감소를 가져온다. 항공기 지연의 1/3 은 비행의 항로에서 발생한다. 항공기 지연을 줄이는 것은 항공사의 항공기 연결을 원활하게 해주며, RVSM 실시로 관제사가 할당할 수 있는 고도가 늘어나면서 원활한 교통 흐름이 가능하게 되었다.

3.4.3 RVSM 공역 고도 할당

RVSM 공역 내에서의 고도할당계획 (FLOS: Flight Level Orientation Scheme)은 ICAO ANNEX 2, APPENDIX 3a 에 있는 순항고도 표에 따라 운영함을 원칙으로 한다. 즉, FL410 이하에서 1,000ft 수직분리를 적용하며, WEST BOUND-EVEN FLIGHT LEVEL[39], EAST BOUND-ODD FLIGHT LEVEL[40] 규칙이 적용된다. 그러나 Dynamic Airway Structure[41]인 OTS (Organized Track System) 항로구조나 CEP (Central East Pacific)의 경우, NOTAM 에 의해 항로 별로 할당고도를 달리 적용하고 있다.

4. 항공로의 이해

항공안전법에 따르면, 항공로는 항공기, 경량항공기 또는 초경량비행장치의 항행에 적합하다고 지정된 지구 표면상의 공간을 의미한다. 이는 조언비행로, 관제 또는 비관제비행로, 도착 또는 출발비행로 등 다양한 형태를 포함하는 총칭이다. 항공로는 인접 항공로 간의 안전 간격과 각 항공로별 보호 범위를 모두 보호하도록 설정되지만, 공역 여건과 교통 상황 등으로 인해 불가피한 경우 안전 평가를 통해 보호구역을 축소할 수 있다.[42] 공역의 복잡성, 혼잡성 및 교통 상황을 고려하여, 낮은 고도로 운항하는 항공기를 위한 특별 비행로를 설정할 수 있다.

항공로는 비행절차업무기준을 따라야 하는 다음의 사항이 있다.

- VOR 을 이용한 항공로의 설정
- 항공로 장애물 회피기준
- RNAV 장착 항공기용 비행로 설정
- RNP 종류와 항공로의 명칭부여
- 표준출발 비행로, 도착 비행로 및 관련절차의 명칭 부여
- 조건부 항공로(CDR1 만 해당)의 설정

---

[39] Even flight level: Magnetic course 180-359degree
[40] Odd flight level: Magnetic course 000-179degree
[41] 제 6 장 4.4.2 에서 더 자세하게 확인한다.
[42] 국토교통부고시 제 2024-361 호 공역관리규정 제 28 조 항공로 설정 기준

- 표준 출발 및 도착 비행로의 설정

4.1 항공로의 발전과정

4.1.1 CONVENTIONAL ROUTE

VOR 은 항공기 항법을 위한 무선항법 시스템으로, 항공기가 지상에 설치된 VOR 국으로부터 신호를 수신하여 위치를 파악하고 경로를 설정하는 데 사용된다. VOR 국을 기준으로 설정된 항로는 지역항법(Area Navigation, RNAV)과 필수항행성능(Required Navigation Performance, RNP)에 대응하는 용어로 Conventional route 라고 한다. 이는 전통적인 항법 방식으로, 항공기가 VOR 수신기를 사용하여 지상 VOR 국의 주파수를 선택하고 해당국에서 송출되는 신호를 기반으로 항로를 설정하는 방식이다. 그러나 지상에 설치할 위치를 확보하기 어렵고, 도달 범위가 VHF 내로 한정되기 때문에 항로 설정에 제한이 많다.

4.1.2 RNAV

RNAV 는 위성을 포함한 항행안전시설의 통달 범위 이내 또는 자체 항행장치의 성능 범위 내에서, 또는 이들을 함께 이용하여 항공기가 의도한 비행 경로를 항행할 수 있는 항행 기법을 가리킨다. RNAV 항공로는 이러한 지역항법 능력이 있는 항공기가 이용할 수 있도록 설정된 ATS 항공로를 말한다. RNAV 는 다양한 위치 정보를 이용하여 항로를 자동으로 생성하고, 항법, 비행계획의 관리, 진로 안내 및 통제, 디스플레이 및 시스템 통제를 수행한다.

4.1.3 RNP

RNP 는 비행 방식은 동일하지만, 항공기 자체 성능 감시 및 경고 기능과 위성 항법 성능을 추가로 요구한다. RNP 는 RNAV 와 동일하게 다양한 위치 정보를 이용하여 항로를 자동으로 생성하고, 항법, 비행계획의 관리, 진로 안내 및 통제, 디스플레이 및 시스템 통제를 수행한다. 여기에 항행 성능 및 정확도에 대한 감시 기능이 추가되어, 위치 정확도가 떨어질 때 경고를 제공한다. RNP 운항은 항공기가 RNP 항행이 적용되는 공역에서 RNP 시스템을 사용하여 운항하는 것을 의미하며, RNP 항행 요건에 따라 항공기가 이용하도록 설정된 ATS 항공로를 RNP 항공로라고 한다.

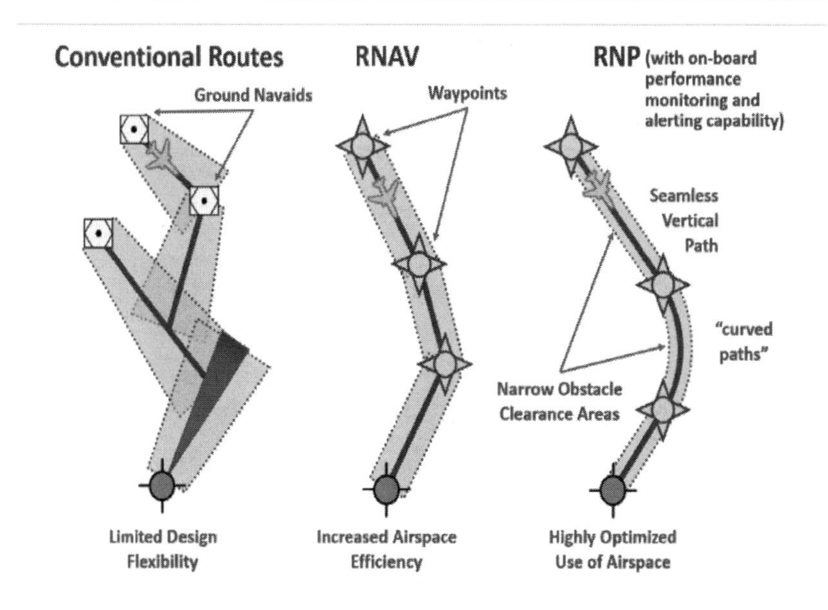

그림 6- 13 Conventional route, RNAV, RNP 차이점

4.2 Airways and Route System

항행 목적을 위해 수립된 세가지의 고정 항로 시스템으로 VOR, L/MF Route 인 저고도의 Victor airway 와 고고도의 Jet route System 이 있고, RNAV Route System 으로 구성된다.

4.2.1 VICTOR AIRWAY

미국의 Victor 항로는 지상 1,200ft 에서 해발 18,000ft 미만의 구역에 설정되며, IFR 저고도 항로 차트에서 확인할 수 있다. VOR 항로는 VOR 또는 VORTAC 만을 사용하고 검은색으로 표시되며, 일반적으로 항로명은 V 로 시작한다. NDB 항로는 갈색으로 표시되고, 색 이름과 숫자로 식별된다.

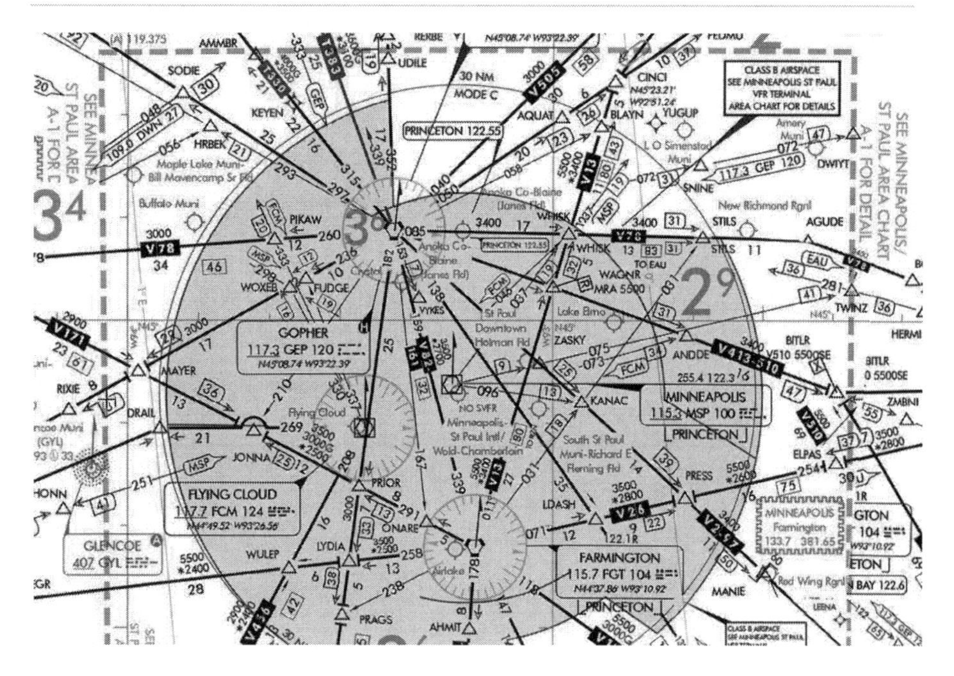

그림 6- 14 Victor airway

4.2.2 JET ROUTE

Jet route 는 18,000ft 에서 FL450 까지 구역에 설정된 항로로 IFR Enroute High Altitude Chart 에서 확인할 수 있다. 검은색으로 표현하고 항로명을 J 로 시작한다. Jet route 는 특정 지역을 제외하면 VOR 이나 VORTAC 으로 구성한다.

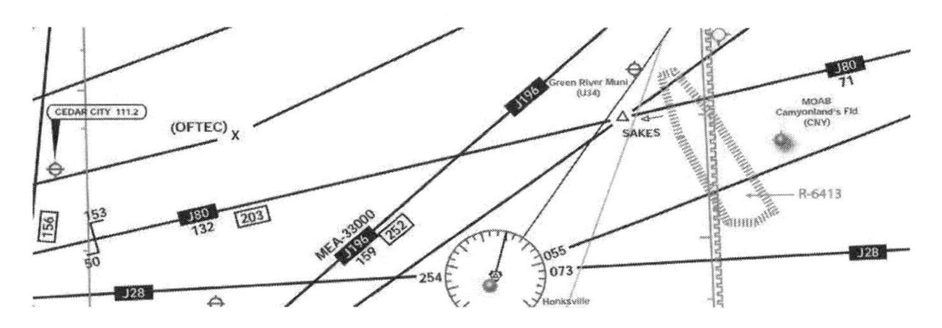

그림 6- 15 Jet route

4.2.3 RNAV ROUTE SYSTEM

RNAV Route 는 RNAV 가 가능한 항공기가 사용하도록 구축되었고, Chart 에 명시된 제한사항과 요구사항을 따라야 한다. 파란색으로 표현하고 숫자 앞에 Q 나 T 를 붙인다. Q route 는 RNAV 가능 항공기가 18,000ft 에서 리 450 까지 구역에서 사용 가능하며 T Route 는 GPS 장착 항공기가 1,200ft 에서 18,000ft 미만의 구역에서 사용 가능하다.

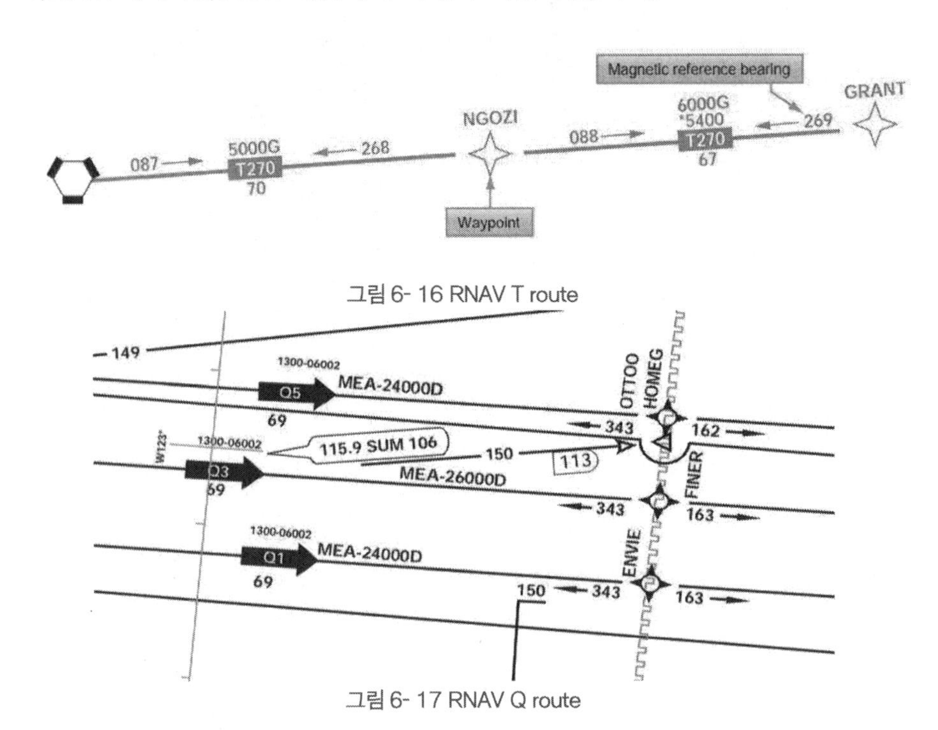

그림 6- 16 RNAV T route

그림 6- 17 RNAV Q route

4.3 조건부 항공로

조건부항공로(Conditional Route, CDR)는 특정한 조건하에서만 비행을 계획하거나 사용할 수 있는 항공로를 말하며 아래와 같이 구분한다.

- Category 1(CDR1): 항공정보간행물(AIP)에 고시된 시간동안 비행계획이 가능한 조건부 항공로
- Category 1(CDR2): 항공고시보(NOTAM) 등 별도의 조치에 의하여 정해진 시간 동안 비행계획이 가능한 조건부 항공로
- Category 3(CDR3): 비행계획이 불가하며, 항공교통관제기관의 허가에 의해서 운용가능한 조건부 항공로

4.4 비행계획시 고려해야 할 항공로

4.4.1 WIND 를 고려한 항공로

비행계획에서 상층풍과 제트 기류를 고려하는 것은 항공기 운항의 효율성을 높이는 데 필수적이다. 상층풍은 비행하는 고도에서 부는 강한 바람으로, 비행 경로에 따라 항공기의 속도와 연료 소비에 큰 영향을 미친다. 비행 전 기상 데이터를 분석하여 풍향과 풍속을 파악함으로써 비행 경로를 최적화할 수 있다. 특히 제트 기류가 항공기의 운항 방향과 일치할 경우, 비행 속도를 증가시켜 연료 비용을 절감할 수 있다. 따라서 비행 중에도 기상 정보를 지속적으로 모니터링하여 필요시 비행계획을 수정하고 안전을 확보하는 것이 중요하다(그림 6- 18).

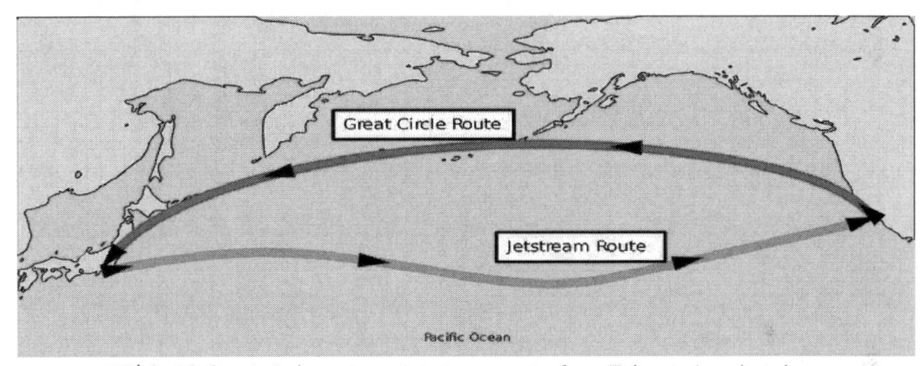

그림 6- 18 Great circle route vs. jet stream route, from Tokyo to Los Angeles (Source: Wikipedia)

4.4.2 DYNAMIC AIRWAY STRUCTURE

항공기가 운항하기 위해서는 항공로가 필요하며, 항공로는 VOR 을 연결하는 등 지상의 항행안전시설을 이용하여 구성하거나, 지역항법과 같이 지상의 항행안전시설과 위성을 이용하여 유연하게 운영할 수 있다. 이러한 형태는 일반적으로 고정된 항공로 구조인 Static Airway Structure 라고 한다. 그러나 태평양과 대서양에서와 같이 상층의 제트기류를 고려한 항로를 일일 단위로 구성하여 운영하는 항로를 Dynamic Airway Structure 라고 하며, 여기에는 대서양 항로, 북태평양, 하와이-아시아 연결, 남아시아-호주, 북캐나다에서의 Organized Track Structure(OTS) 등이 포함된다(그림 6- 19 그림 6- 20).

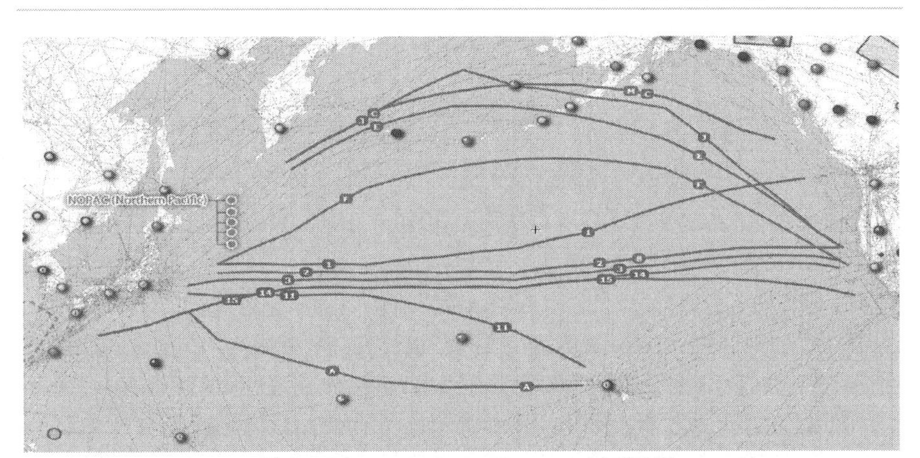

그림 6- 19 Dynamic Airway Structure(북태평양)

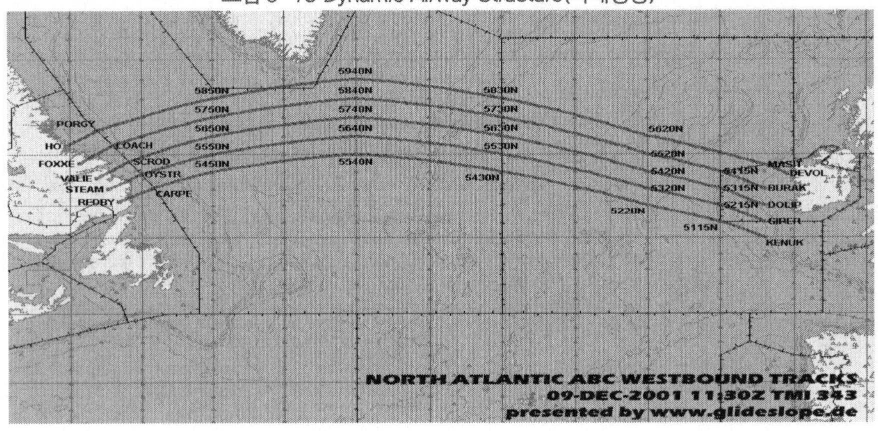

그림 6- 20 Dynamic Airway Structure(대서양)

4.4.3 영공통과료

비행계획을 작성할 때 항로를 구성하면서 영공통과료를 고려하는 것은 항공사의 비용 관리에 필수적이다. 특정 국가나 지역의 공역을 통과할 때 발생하는 추가 비용을 피하기 위해 대체 경로를 선택할 수 있다. 각 국가별 영공통과료를 사전에 분석하여 예산을 계획함으로써 예상 비용을 줄이고 수익성을 높일 수 있다. 국가 영공통과료에 대한 정책이 다를 수 있으므로 이를 이해하고 반영하는 것이 중요하다. 비행 중에도 기상 상황에 따라 경로를 조정하고, 이때 영공통과료를 재검토하여 추가 비용 발생을 최소화해야 한다(그림 6- 21).

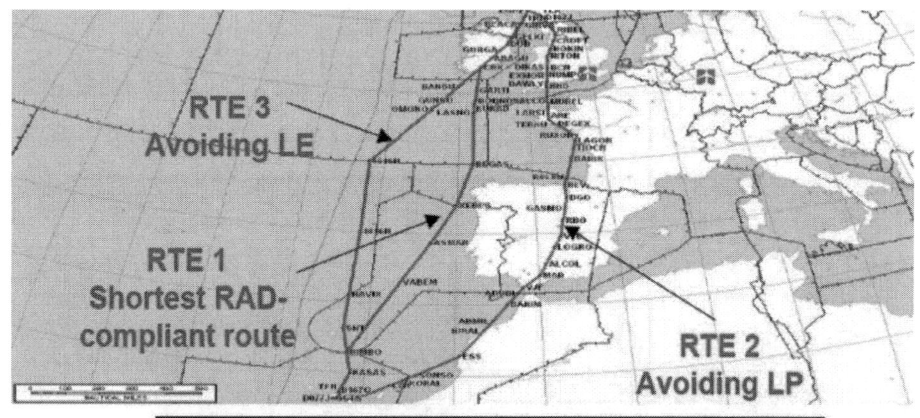

Route	Distance	Fuel	Time	Overflt Chgs	Total Cost
RTE 3	1846	27123	4:19	1968	15543
RTE 1	1815	26379	4:12	2823	16026
RTE 2	2061	29838	4:43	3819	18726

그림 6- 21 영공통과료를 고려한 항로 선정

5. 항공지도

5.1 일반사항(General)

계기비행(IFR Flight)에 사용되는 Chart 는 대체적으로 Aerodrome Information Charts, SIDs, Standard Instrument Departure charts, 항로차트(En-route charts), STARs, Standard Terminal Arrival charts, 계기접근 절차차트(Instrument Approach charts), Area charts 등이 있다.

5.2 공항 차트(Airport Chart)

Airport Chart 는 각 공항에 대한 정보를 제공하는 차트로, 공항의 호출부호, 위치, 고도, 통신 주파수 등의 기본 정보와 공항의 단면도를 포함한다. 또한 각 활주로에 대한 정보, 이륙 및 계기 출발 절차 시 시계 조건, 교체 공항에 대한 제한 사항 등의 정보도 포함된다. 단면도에는 활주로뿐만 아니라 유도로, 터미널, 게이트, 타워 등 공항의 부대시설에 대한 자세한 사항이 실린다.

5.2.1 AIRPORT INFORMATION

Details for INCHEON INTL	
City	SEOUL/INCHEON
State/Province	
Country	KOR
Latitude	N 37° 27' 45.00"
Longitude	E 126° 26' 21.00"
Elevation	23
Longest Runway	13100
Magnetic Variance	W 8.0°
Fuel Type	JET A-1 fuel is available
Oxygen	Unspecified oxygen facilities are available.
Repair Facility	Minor airframe repairs are available. Minor engine repairs are available.
Landing Fee	Unknown.
Jet Start Unit	A starting unit is not available at the airport.
Precision Approach	Availability is Unknown.
Beacon Light	A beacon light is available.
Customs Facilities	Customs are available without restriction
Usage Type	Airport/Heliport is open to the public.
Time Zone Conversion	-9:00=UTC
Daylight Savings	Airport does not observe daylight savings time
Change Notices Available	none

그림 6- 22 Airport Information(출처: Jeppesen chart)

그림 6- 23 에서는 Jeppesen Chart 의 인천국제공항 정보를 제공하고 있다. 도시명, 국가, 경도, 위도, 표고, 가장 긴 활주로 길이 등 운항에 필요한 자료들이 표시되어 있다.

5.2.2 AIRPORT CHART 의 해설

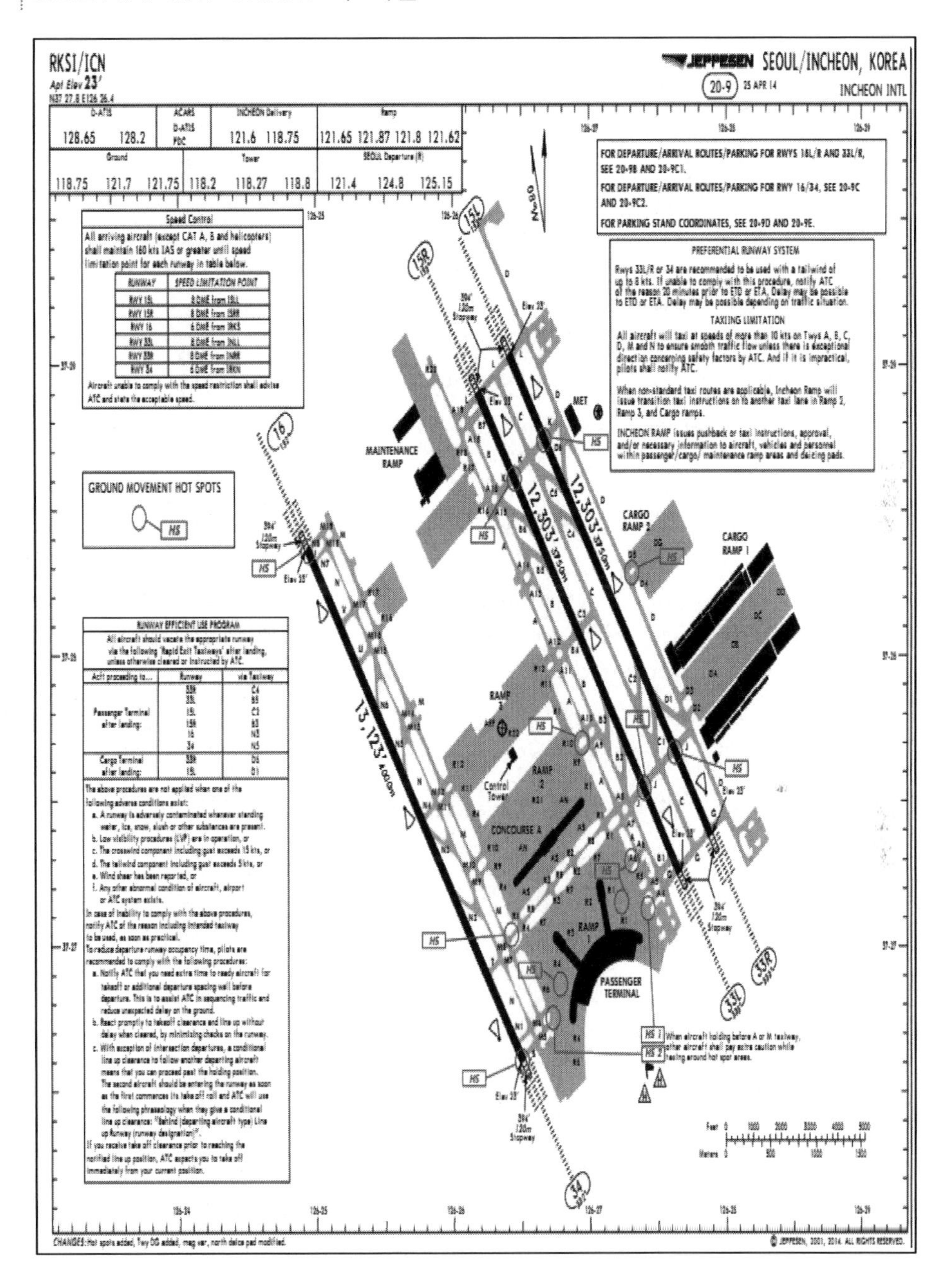

그림 6- 23 Jeppesen Airport Chart

Airport Chart 의 내용	해설
RKSI/ICN Apt Elev 23′ N37 27.8 E126 26.4	Jeppesen Chart Navigation data 로 ICAO/IATA 의 공항 식별부호 공항표고 공항 참조점의 위도와 경도
D-ATIS 128.65 128.2 / ACARS D-ATIS PDC / INCHEON Delivery 121.6 118.75 / Ramp 121.65 121.87 121.8 121.62 Ground 118.75 121.7 121.75 / Tower 118.2 118.27 118.8 / SEOUL Departure (R) 121.4 124.8 125.15	각 주파수

표 6- 5 airport chart 해설(출처: Jeppesen chart)

5.3 표준계기출발도(Standard Instrument Departure chart, SID)

대부분의 주요 공항은 각 활주로에서 주로 이용하는 항로까지 몇 가지 정형화된 표준 출발 항로를 발행한다. 차트의 상단에는 활주로의 이름이 표시된다. 표준계기출발도(SIDs, Standard Instrument Departure charts)는 보고 지점, 선회 지점의 자방위, 해당 지점까지의 거리와 도달해야 하거나 유지해야 하는 고도를 함께 표시한다. 항행안전시설의 주파수와 식별부호도 표시되며, 해당 공항에서 주로 사용되는 통신 주파수는 차트의 가장 위에 표기된다.

5.4 항로차트 (En-route Chart)

일반적으로 국가 간 또는 장거리 계기비행에 주로 사용되는 Enroute Chart 는 가장 큰 영역을 포함하며, 항로는 고도에 따라 크게 두 가지로 나눌 수 있다. 평균 해면 고도(Mean Sea Level) 18,000ft 미만의 Victor Airway 와 MSL 18,000ft 이상 FL450(Flight Level 450) 미만의 Jet Route 가 있다. 이러한 항로에 따라 Enroute Chart 는 Low Altitude Enroute Chart 와 High Altitude Enroute Chart 로 나뉜다. 대부분의 차트는 양면으로 구성되어 있으며, 앞면에는 도표와 차트의 범위가 표시되어 있고, 뒷면에는 항로 구조, 모든 공항, 항행안전시설(NAVAIDs), 비행정보구역(FIR), 국가 간 경계, 통신구역 경계와 해당 주파수가 관제사 식별부호와 함께 표시되어 있다.

또한 최저직항로고도(MORA, Minimum Off Route Altitude) [43], 최저안전항로고도(MEA, Minimum safe En-route Altitude), 통제공역(Controlled Airspace)의 고도 제한사항 등도 표시된다.

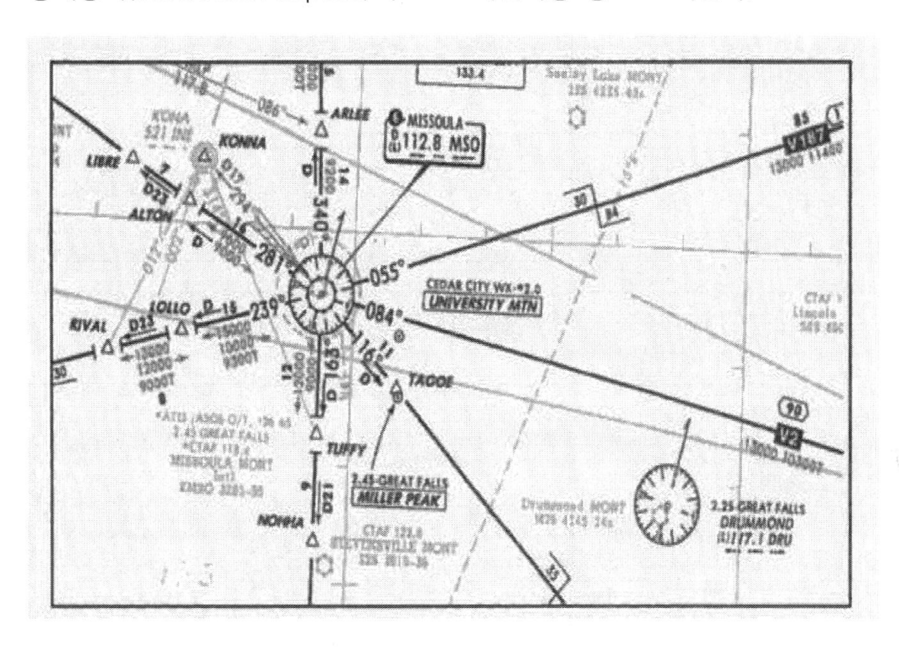

그림 6- 24 Enroute Chart(출처: Jeppesen chart)

5.5 표준계기도착도(Standard Terminal Arrival chart, STAR)

표준계기도착도(STARs, Standard Terminal Arrival charts)는 항로에서 도착 공항의 지정 활주로에 착륙하기 위해 보고지점까지의 과정을 기술한 것이다. 차트 상단에는 지정된 착륙 활주로가 표기되어 있다. 보고지점, 선회지점, 자방위의 트랙과 거리, 해당 지점까지 도달하거나 유지해야 하는 고도가 함께 지시된다. 항행안전시설의 주파수와 식별부호가 표시되며, 해당 공항에서 주로 사용되는 통신 주파수는 차트의 가장 상단에 표기된다.

---

[43] MORA(Minimum Off-Route Altitude: 항로 중앙 및 FIX 가장 자리 10NM 이내에 참조점으로 인가를 주는 고도로 위도, 경도로 구획된 구역 내 참조점에 대한 인가를 제공해준다.

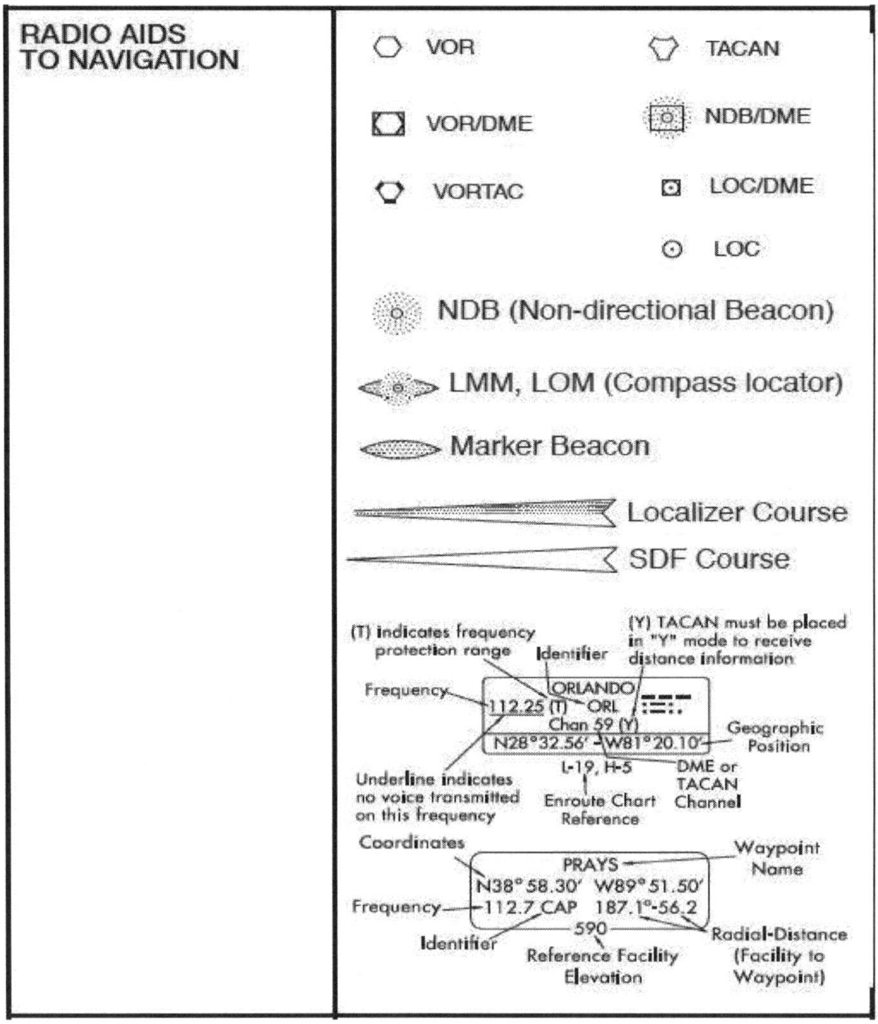

RADIO AIDS TO NAVIGATION	
	VOR TACAN VOR/DME NDB/DME VORTAC LOC/DME LOC NDB (Non-directional Beacon) LMM, LOM (Compass locator) Marker Beacon Localizer Course SDF Course (T) indicates frequency protection range Identifier (Y) TACAN must be placed in "Y" mode to receive distance information Frequency ORLANDO 112.25 (T) ORL Chan 59 (Y) N28°32.56' W81°20.10' Geographic Position Underline indicates no voice transmitted on this frequency L-19, H-5 Enroute Chart Reference DME or TACAN Channel Coordinates PRAYS Waypoint Name N38°58.30' W89°51.50' Frequency 112.7 CAP 187.1°-56.2 590 Identifier Reference Facility Elevation Radial-Distance (Facility to Waypoint)

그림 6- 25 Radio AIDS to Navigation(출처: Jeppesen chart)

REPORTING POINTS/FIXES WAYPOINTS	Reporting Points N00° 00.00′ W00° 00.00′ 75 DME Mileage (when not obvious) ▲ Name (Compulsory) △ Name (Non-Compulsory) DME fix x Mileage Breakdown/ Computer Navigation Fix (CNF) N00° 00.00′ W00° 00.00′ WAYPOINT FLYOVER WAYPOINT
ROUTES	4500 MEA-Minimum Enroute Altitude *3500 MOCA-Minimum Obstruction Clearance Altitude 270° Departure Route - Arrival Route (65) Mileage between Radio Aids, Reporting Points, and Route Breaks Distance not to scale Transition Route R-275 Radial line and value Lost Communications Track V12 J80 Airway/Jet Route Identification (IAS) Holding Pattern Changeover Point Holding pattern with max. restricted airspeed (175K) applies to all altitudes (210K) applies to altitudes above 6000′ to and including 14000′

그림 6- 26 Reporting Points/Fixes waypoints, Routes(출처: Jeppesen chart)

SPECIAL USE AIRSPACE	R-352 R-Restricted W-Warning P-Prohibited A-Alert
ALTITUDES	5500 Mandatory Altitude 2300 Minimum Altitude 4800 Maximum Altitude 2200 Recommended Altitude MCA (Minimum Crossing Altitude) Altitude change at other than Radio Aids All altitudes/elevations are in feet-MSL. MRA- Minimum Reception Altitude. MAA- Maximum Authorized Altitude.
AIRPORTS	Civil Military Joint Civil-Military

그림 6- 27 Special use airspace, Altitudes, Airports(출처: Jeppesen chart)

5.6 계기접근절차도(Instrument Approach chart)

계기접근절차도(Instrument Approach chart)는 항로에서 강하하여 도착 공항으로의 계기 접근 절차를 기록한 차트로, 공항에서 지원하는 접근 절차에 대한 접근 경로(Approach path)와 프로파일 뷰(Profile view)를 나타난다. 즉, 최초 접근 지점인 Initial Approach Fix(IAF)부터 활주로까지의 접근 절차를 나타낸 차트이다. 따라서 최초 접근 구간(Initial Approach Segment), 중간 접근 구간(Intermediate Approach Segment), 최종 접근 구간(Final Approach Segment), 그리고 실패 접근 구간(Missed Approach Segment)까지 포함된다(그림 6- 28).

계기접근절차 차트의 상단에는 왼쪽부터 ICAO 4 자리 도시 코드(RKSI), IATA 의 3 자리 도시 코드(ICN), 공항 공식 명칭이 표기되며, 오른쪽에는 해당 공항의 도시명, 국가, 계기착륙시스템(ILS)을 이용한 접근 절차 이름과 활주로가 표기된다. ILS 외에도 PAR(Precision Approach Radar), ASR(Approach Surveillance Radar) 정밀 접근 절차에 대한 차트와 VOR 을 이용한 비정밀 접근 절차 차트도 있다.

하단에는 결심고도, ILS 나 VOR 등의 계기 착륙에 필요한 활주로 길이 정보와 착륙을 위한 선회 시의 최저 고도 정보가 포함되며, 그 아래에는 시계비행으로의 전환 없이 항공기가 비행할 수 있는 경사면에 대한 고도(Altitude)와 높이(Height)가 표기된다.

5.7 Area chart

일부 항공 교통이 복잡한 대형 공항에 대해서 Area chart 가 발행되는데 도착 공항 주변지역의 항로에 대해 큰 축척으로 지시하는 차트이다. Area chart 는 등고선과 옅은 색의 층을 이용하여 고고도 지면의 위치를 나타내고, 항법시설과 통신에 대한 정보는 항로차트(En-route chart)와 같은 방법으로 표기된다.

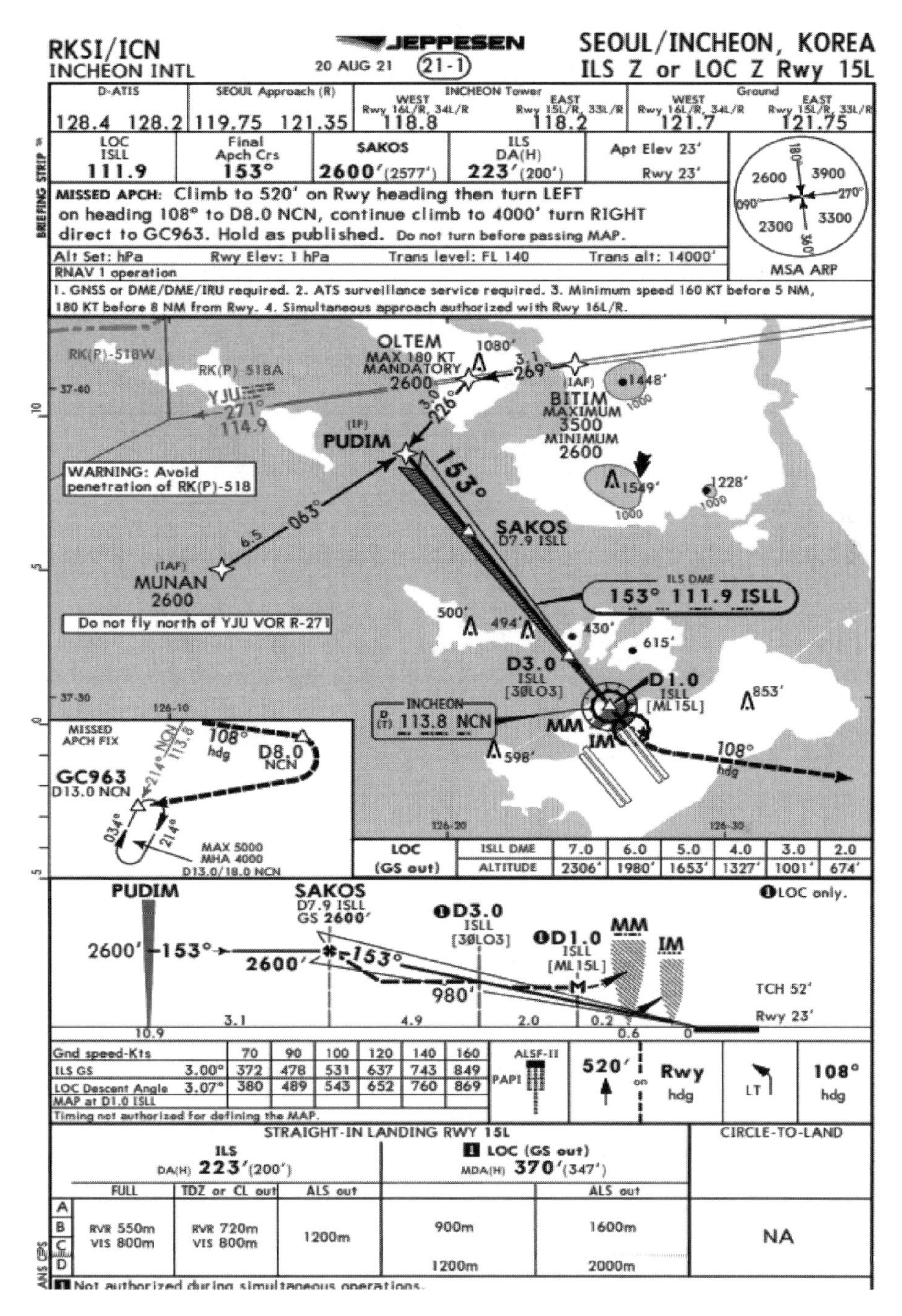

그림 6- 28 ICN Instrument Approach chart (출처: Jeppesen, Not for navigational purpose)

제 7 장 비행계획서 작성

비행계획은 출발지점에서 도착지점까지의 안전한 비행을 위해 관련 정보를 수집, 정리, 반영하며, 비행의 각 단계에 대한 절차와 규정을 점검하는 것을 목적으로 한다. 즉, 비행계획은 예정된 노선에 대해 비행 시간을 산정하고 최적의 연료량을 산출하여 안전하고 경제적인 운항을 최적화하는 작업이다. 비행계획을 수행할 때는 다음과 같은 사항을 확인해야 한다.

- 출발지점에서 도착지점까지의 항로
- 교체 공항 선정
- 출발 및 도착 활주로와 절차
- 필요하다면 항로상 교체 공항
- 최소장비목록 및 외형변경목록(Minimum Equipment List and Configuration Deviation List)
- 활주로 성능 한계
- 출발, 항로, 도착, 교체 공항 기상 및 NOTAM
- ATC 항로와 공항 제한
- 영업적 측면 고려- 도착 시간, 유상 하중, 승객 연결 조건

안전하고 효율적인 비행계획을 세우기 위해 가장 기본이 되는 것은 법적 요건이다. 일반적으로 항공에 관한 법, 규정이라는 큰 틀에서 기본적인 규정들이 결정되며, 일부 세부 사항은 항공사 내부 규정을 정부 기관에 인가를 받아 사용한다. 따라서 항공사 간에는 내부적으로 약간씩 다른 규정을 적용할 수 있다. 비행계획을 수행할 때 법적으로 명시된 규정 사항을 숙지하고 이를 정확하게 확인, 반영하는 것이 중요하다. 과거 운항관리사는 필요한 정보를 수집하고 규정된 절차에 따라 수작업으로 비행계획을 작성했으나, 이제는 컴퓨터 프로그램을 이용해 변수들을 입력하여 작성할 수 있다. 하지만 운항관리사가 비행계획 업무를 수행하는 데 있어 기본 원리는 과거 수작업으로 수행했던 업무에 대한 이해가 매우 중요하다. 따라서 비행계획을 단계별로 수행하여 그 업무 절차를 확인한다.

1. 항공기 제원

항공기 제원은 항공기의 크기, 중량 및 성능을 수치로 나타낸 것이다. 일반적으로 항공기 제작사에서 제작 시에 정해지며, 항공사별 좌석 배치, 엔진 형식, 윙렛 장착 여부 등에 따라 차이가 있다. 항공사가 속한 국가의 정부는 각 항공기를 인증하기 위한 기준으로 이를 사용하기도 한다. 운항관리사는 각 항공편의 비행계획을 작성하고, 전반적인 항공기 운항을 통제하기 때문에 항공기 제원에 대한 이해가 필수적이다. 이를 통해 운항에 필요한 연료량, 화물 탑재량, 순항 고도/속도 등을 산출한다. 이 장에서는 비행계획서 작성을 위해 미국 보잉 항공사의 737-800 항공기를 예시로 사용할 예정이다. 아래 표 7- 1 은 B737-800 제원에 대한 요약이며, 중량에 대한 사항은 160 석을 기준으로 한다.

제작사	Boeing
좌석 수	189
전장(Length)	39.5m
전폭(Span)	34.3m
순항속도	848km/h (마하 0.78)
항속거리	5,765km (2,926NM)
이륙활주길이	2,482m
착륙활주길이	1,700m
항공기등급	C
최대이륙중량(MTOW)	174,200lbs
최대착륙중량(MLDW)	146,300lbs
최대무연료중량(MZFW)	138,300lbs
표준운항중량(SOW)[44]	91,300lbs
시간당 평균 연료소모량	5,700lbs

표 7- 1 Boeing 737-800 제원 요약[45]

[44] 운영하는 항공사, 노선 등에 따라 달라지므로 절대적인 수치가 아닌 이 장에서 적용할 중량

[45] 항공정보포털시스템, 한국공항공사_운송용 항공기 주요제원_20220906

2. 공항의 선정

2.1 출발공항과 목적공항

비행계획을 할 때 출발공항과 목적공항의 여러가지 고려해야 할 사항이 있다.

- 공항시설: 활주로 길이, 터미널 시설, 주기장 등 기본 인프라의 확인
- 기상조건: METAR, TAF 등 기상 상황을 고려하여 안전한 운항이 가능한지 평가
- 항공교통 흐름: 해당 공항의 출발 및 도착시간 대에 기상, 혼잡도로 인해 항공교통흐름에 따른 지연 발생 가능성 여부 확인
- 비행경로: 출발공항과 목적공항 간의 최적 비행 경로 설정하고, NOTAM 에 의한 항로 제한이나 태풍의 접근 등 필요한 경우 우회 경로 검토
- 연료소모: 비행경로 상의 상층풍과 제트기류에 따라 연료소모량을 계산하고 비상 상황을 대비한 연료 산정
- 안전규정: 공항 별 안전 규정 및 절차 숙지하고 준수
- 지상조업: 출발 및 도착공항에서 제공되는 연료보급, 정비 등 지상조업

2.2 이륙교체공항(Take-off alternate aerodrome)

이륙교체공항(Take-off alternate aerodrome)이란, 이륙 후 얼마 안 있어 착륙해야 하나 출발지 공항의 기상상태가 비행장 착륙 최저치(aerodrome landing minima) 이하이거나 그 밖의 이유로 출발비행장으로 되돌아올 수 없는 경우에 항공기가 착륙할 수 있는 교체공항을 말한다.

이륙교체공항은 실제이륙중량을 사용하여 표준대기상태(ISA)에서 항속 거리 내에서 다음의 시간 내에 위치하도록 설정해야 한다.

- 쌍발 엔진 항공기 - 1 시간(한 개 엔진이 작동하지 않음)
- 3 발이상의 엔진 항공기 - 2 시간(모든 엔진이 작동)
- 회항시간연장운항(EDTO) 승인은 받은 항공기 실제이륙중량을 감안하여 운영자가 인가를 받은 최대회항시간

기상 조건은 예상되는 이용 시간 동안 비행장 운영 최저치 이상이어야 한다. 운항관리사는 기상이나 성능상의 이유로 항공기가 출발 공항으로 되돌아오지 못할 경우를 대비해 ATC 비행계획서에 이륙 교체 공항을 선택하고 지정해야 한다. 만약 AFM 에 한 개의 엔진이 작동하지 않을 경우의 속도(one-engine inoperative speed)에 대한 사항이 포함되어 있지 않다면, 나머지 사용 가능한 엔진을 최대한 지속 가능한 추력(maximum continuous power)으로 사용한다. 이륙 교체 공항을 선정하기 위해서는 기상 보고, 예보 또는 기상 보고와 예보를 혼합한 정보가 해당 공항의 ETA ± 1 시간 동안 최소 항공기와 지상 장비들이 모두 작동할 때의 접근 방식의 기상과 관련한 제한 사항(RVR, Ceiling, Visibility 등)과 같거나 그 이상이어야 한다. 비 정밀 또는 선회 접근이 가능하다면 해당 공항의 운고(ceiling)를 반드시 고려해야 하며, 한 개 엔진이 작동하지 않는 상황일 경우의 제한 사항도 반드시 고려해야 한다.

2.3 목적지교체공항(Destination alternate aerodrome)

제 2 장 4.2.2 계기비행방식 비행을 위한 교체비행장 요건에 따라 계기비행방식으로 비행을 계획할 때, 비행계획서에는 보통 최소한 하나의 목적지교체공항을 지정해야 한다. 국토교통부훈령 제 1729 호 회항시간 연장운항 승인요령 별표 2 에서 교체공항은 다음과 같은 요건을 만족해야 한다고 되어 있다.

- 출발예정시간을 기준으로 가장 빠른 비상착륙 예정시간부터 가장 늦은 비상착륙 예정시간까지 이용 가능할 것
- 활주로는 착륙에 적합할 것
- 적절한 관제, 조명, 통신, 기상업무, 항행안전시설, 착륙보조시설, 소방구조체제 등이 갖추어져 있을 것

2.4 항로상교체공항(En-route alternate aerodromes)

항로상교체공항(En-route alternate aerodrome)이란, 항로 비행 중 노선 변경이 필요할 때 항공기가 착륙할 수 있는 교체공항을 말한다. 항공당국이 정하는 시간을 초과하는 지점이 있는 노선을 운항하려는 경우 항공로교체비행장을 지정하여야 한다. 그리고 회항시간 연장운항의 승인을 받은 최대회항시간 이내에 도착 가능한 지역에 위치해야 한다. 항로상 교체공항은 출발 전의 최신정보를 바탕으로 당해 운항편의 출발예정시간을

기준으로 가장 빠른 비상착륙 예정시간부터 가장 늦은 비상착륙 예정시간까지의 시간 사이에 출발예정시간을 기준으로 가장 빠른 비상착륙 예정시간부터 가장 늦은 비상착륙 예정시간 사이에 항로상 교체공항 기상 최저치를 만족하여야 한다. 항로상 교체공항으로 지정된 공항은 당해 비행기가 안전하게 착륙할 수 있도록 지원할 능력, 업무 및 시설을 갖추어야 하고, 도착시각의 기상 상태는 결심고도(DH) 또는 최저강하고도(MDA)에서 시각 참조물(VISUAL REFERENCE) 식별이 가능하다는 확신이 있어야 한다.

지표면의 바람상태 및 사용 활주로 표면상태는 1 개의 발동기 또는 비행기 계통상의 고장 상황에서도 안전하게 접근과 착륙할 수 있어야 한다. 회항시간 연장운항 승인을 위한 신청자는 비행계획 및 운항관리 목적을 위하여 항로상 교체공항 기상 최저치를 명시하여야 한다. 신청자는 계기비행방식을 위한 교체공항 기상 최저치로 아래의 표 7- 2 를 선택할 수 있다.

제2장, 5.3 보정연료에서 언급한 바와 같이 항로상 교체공항은 항로 비행 중 비정상 또는 비상 상태가 발생할 경우 설정해야 하는 착륙 가능한 교체공항으로써 적절한 항로상 교체공항의 위치는 예비연료(contingency fuel)을 계산하는 방법에 따라 다르다. 만약 비행연료(trip fuel)의 3%를 사용하게 되면 예비연료(contingency fuel)로서, 항로상 교체공항은 반드시 총 비행계획 거리의 20%를 반지름으로 하는 원 내에 위치해야 하고, 원의 중심은 항로 도착공항(Destination Airport)으로 부터 항로상에 총 비행거리의 25%의 거리와 총 비행거리의 20% + 50nm 중에서 큰 값 이내에 있어야 한다.

접근 항행안전시설	운고(Ceiling)	기상시정(Visibility)
적어도 1개 이상의 항행시설을 이용한 직진입 비정밀접근절차 또는 CAT I 정밀접근 절차, 또는 계기 접근절차로부터 선회접근절차 이용 가능 공항.	MDA(H) or DA(H) + 400ft, as applicable.	착륙 최저 시정치 + 1 SM or 1600 m
적어도 2개 이상의 항행시설이 운영되고, 각 시설이 서로 다른 활주로에 직진입 접근절차 이용을 가능하게 하는 공항.	사용할 2 개의 접근 절차 중 높은 DA(H) or MDA(H) + 200ft	사용할 2 개의 접근 절차의 착륙 최저 시정치 중 높은 시정치 + ½ SM or 800 m
1개 이상의 CAT II 정밀접근 절차 이용 가능 공항.	300feet	¾ SM (1200 m) or RVR 4,000 feet (1200 m).
1 개 이상의 CAT III 정밀접근 절차 이용 가능 공항.	200feet	½ SM (800 m) or RVR 1800 feet (550 m)

표 7-2 접근항행시설 구성에 다른 계기비행방식 교체공항 기상 최저치

3. 항로의 설정

항공운송의 특성인 안전성, 정시성, 고속성 및 편리성은 항로 설정의 전제조건이라 할 수 있다. 이를 위해 인가된 공역을 기본적으로 사용하여야 하고, 국가간 전쟁 또는 내전, 정치 상황의 불안정, 화산 등과 같이 항공기 운항에 영향을 미치거나 미칠 가능성이 있는 위험요소를 고려하여 항로를 설정해야 한다. 앞선 사항들을 충족할 때, 연료 소모 및 비행시간 절감 측면에서 효율적인 항로의 설정이 가능하다. 항로를 설정할 때 반드시 모든 항로의 경로에서 해당국가 공역에 대한 인가를 받은 항행안전시설들을 가지고 있어야 한다. 따라서 항공기가 적절한 항로상 또는 접근 시에 인가된 최소 항법에 대한 요구사항을 갖추어야 한다. 차트에는 출발공항에서 도착공항까지의 사용 가능한 항로가 표시되어야 하고, 도착교체공항까지의 항로도 설정한다. 적절한 도착차트(Arrival Chart)와 접근차트(Approach chart)는 반드시 계획된 도착공항(Destination aerodrome)과 도착교체공항(Destination alternate aerodrome) 뿐만 아니라 착륙을 할 수 있도록 유도된 모든 공항을 표시해야 한다.

항공기의 성능은 반드시 항로상 최저비행고도 요건을 준수해야 하고, 이륙 및 착륙할 때 규정에 부합하는 요구사항을 만족해야만 한다. 특히 운항기술기준 8.1.11.5 최저안전고도 항목에서 조종사는 이착륙을 제외하고 최저비행고도 미만에서 항공기를 운항하면 안 된다고 규정하고 있다. 대부분의 항로를 설정할 때 위험지역(Danger area)이나 금지구역(Prohibited area)을 통과하지 못한다. 이 공역이 일부만 사용이 가능하기도 하는데 이러한 경우에는 적용되는 시간이 정해져 있다. 또한 항로들 중에는 한쪽 방향으로만 사용이 가능한 경우도 있기 때문에 항로 차트(En-route chart)를 보고 항로를 결정할 때 이러한 항로들의 제한 사항에 대하여 숙지하여 설정해야 한다. 추가적으로, 표준계기출발도(SIDs, Standard Instrument Departure charts)와 표준계기도착도(STARs, Standard Terminal Arrival charts)를 비행계획을 수행할 때 적용해야 한다. 많은 항공사들이 항공기 내의 장비인 비행관리시스템(FMS, Flight Management System)에 이와 같은 표준 항로들에 대한 Database 를 가지고 있어 이 시스템을 이용하면 항로에 대한 준비사항을 최소화할 수 있다. 조종사는 해당 항로를 운항하면서 관련 제반사항들을 실시간으로 확인하는 데에 어려움이 있다. 따라서 운항관리사는 해당 공역 및 항로의 NOTAM, AIP, 기상상태 등을 고려하여 항로를 설정하여야 한다. 설정한 항로의 길이가 늘어날수록 승객이 체감하는 고속성 및 편리성은 저하된다. 또한, 같은 구간을 운항함에도 더 많은 연료를 소모하기에 효율성 및 경제성 측면에서도 반하게 된다.

국제선 구간 중 인천국제공항에서 출발하여 후쿠오카국제공항에 도착하는 항공편에 대한 비행계획을 작성하고자 한다.

3.1 표준계기출발절차 (SID, Standard Instrument Departure)

공항의 활주로 사용 방향은 실제 출발 시간의 풍향 및 풍속에 따라 달라질 수 있고, 교통량, 관제사의 지시, 기상 악화 등으로 인해 사용할 SID 절차도 미리 알 수 없다. 항공사는 주로 출발 예정 시간으로부터 1-3 시간 전에 비행계획서를 제출하기 때문에, 비행계획 시 이러한 점을 고려하여 OSPOT 픽스까지의 SID 중 거리가 가장 긴 절차를 적용하도록 한다. 그림 7- 1 에는 RWY 33L 또는 33R 에서 시작되는 두 개의 SID 절차가 하나의 도면에 표시되어 있다. 이번 장에서는 RWY 33L/R RNAV OSPOT 2A 절차를 사용할 것이며, 그림 7- 2 와 같이 거리는 92.8NM 이다.

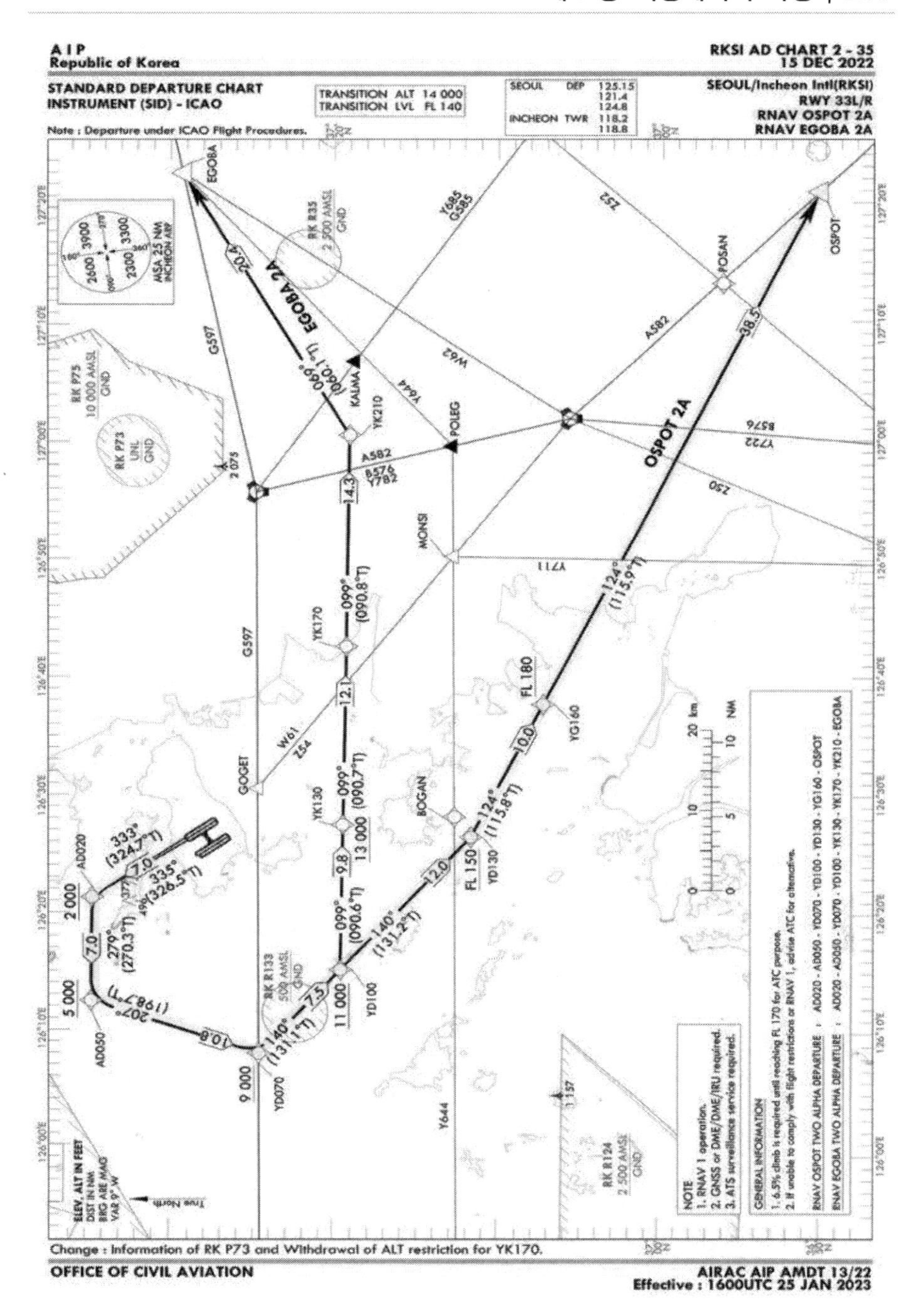

그림 7- 1 ICN SID(대한민국 AIP)

SID 구간별 거리 정보

RNAV OSPOT 2A

Serial Number	Path Descriptor	Waypoint Identifier	Fly-over	Course/Track °M(°T)	Distance (NM)	Turn direction	Altitude (ft)	Speed (kt)	Coordinates	VPA/ RDH	Navigation specification	Remarks
001	CF	AD020	-	33L-335(326.5) 33R-333(324.7)	7.0	L	+2 000	-	37°34'45.1"N 126°21'19.0"E	-	RNAV 1	-
002	TF	AD050	-	279 (270.3)	7.0	-	+5 000	-	37°34'46.7"N 126°12'30.6"E	-	RNAV 1	-
003	TF	YD070	-	207 (198.7)	10.8	-	+9 000	-	37°24'31.4"N 126°08'09.0"E	-	RNAV 1	-
004	TF	YD100	-	140 (131.1)	7.5	-	+11 000	-	37°19'35.0"N 126°15'14.0"E	-	RNAV 1	-
005	TF	YD130	-	140 (131.2)	12.0	-	+FL 150	-	37°11'39.7"N 126°26'32.1"E	-	RNAV 1	-
006	TF	YG160	-	124 (115.8)	10.0	-	+FL 180	-	37°07'18.5"N 126°37'44.9"E	-	RNAV 1	-
007	TF	OSPOT	-	124 (115.9)	38.5	-	-	-	36°50'18.1"N 127°20'54.9"E	-	RNAV 1	-

총 92.8 NM

그림 7- 2 SID 구간별 및 총 거리(대한민국 AIP)

3.2 표준계기도착절차 (STAR, Standard Terminal Arrival Route) 및 계기접근절차 (IAP, Instrument Approach Procedure)

표준계기도착절차(STAR) 및 계기접근절차(IAP)도 표준계기출발절차(SID)와 마찬가지로 실제 도착 시간의 풍향, 풍속, 기상, 교통량 등에 따라 달라질 수 있다. 후쿠오카국제공항(RJFF)의 ILS 또는 LOC 가 정상적으로 작동한다는 가정하에, 위에서 설정한 항로의 마지막 FIX 인 IKE 부터 시작하여 거리가 가장 긴 표준계기도착절차와 계기접근절차를 적용하도록 한다.

그림 7- 4 는 후쿠오카국제공항(RJFF) AD CHART 2.24-STAR-3 절차이다. 총 3 개의 FIX(KIRIN, IKE, OSTEP)에서 시작하여 RWY 34 를 향하는 서로 다른 4 개의 절차가 하나의 도면에 표시되어 있다. HAWKS WEST ARRIVAL 절차(그림 7- 3)를 사용할 것이며, 거리는 59.5NM 이다.

HAWKS WEST ARRIVAL

From IKE, to ORONN, to NOKOH, to BEAMA, to SOFTO, to BANKU at or above 5000FT, to HAWKS at or above 4000FT.

Critical DME	DGC	IKE - 15.0NM to ORONN 6.0NM to ORONN - 5.0NM to NOKOH
	KUE	IKE - 15.0NM to ORONN
	IKE	6.0NM to ORONN - 5.0NM to NOKOH
	SGE	9.0NM to BEAMA - 6.0NM to BEAMA
DME GAP	15.0NM to ORONN - 6.0NM to ORONN 5.0NM to NOKOH - 9.0NM to BEAMA	
Inappropriate Navaids	See AD1.1.6.10.3. Inappropriate NAVAIDs for RNAV1	

Serial Number	Path Descriptor	Waypoint Identifier	Fly Over	Course °M(°T)	Magnetic Variation	Distance (NM)	Turn Direction	Altitude (FT)	Speed (KIAS)	Vertical Angle	Navigation Specification
001	IF	IKE	–	–	-7.7	–	–	–	–	–	RNAV1
002	TF	ORONN	–	085 (077.7)	-7.7	17.3	–	–	–	–	RNAV1
003	TF	NOKOH	–	152 (144.7)	-7.7	8.2	–	–	–	–	RNAV1
004	TF	BEAMA	–	152 (144.8)	-7.7	9.9	–	–	–	–	RNAV1
005	TF	SOFTO	–	153 (144.9)	-7.7	9.9	–	–	–	–	RNAV1
006	TF	BANKU	–	153 (144.9)	-7.7	9.9	–	+5000	-210	–	RNAV1
007	TF	HAWKS	–	068 (060.2)	-7.7	4.3	–	+4000	–	–	RNAV1

Path	Waypoint Identifier	Inbound Course °M(°T)	Magnetic Variation	Outbound Time (MIN)	Turn Direction	Minimum Altitude (FT)	Maximum Altitude (FT)	Speed (KIAS)	Navigation Specification
Hold	IKE	074 (066.4)	-8.0	1.0(-14000) 1.5(+14001)	L	5000	–	-230(-14000) -240(+14001)	RNAV1
Hold	BANKU	133 (125.0)	-7.7	1.0(-14000) 1.5(+14001)	R	5000	–	-230(-14000) -240(+14001)	RNAV1

그림 7- 3 FUK HAWKS West Arrival 구간별 및 총 거리

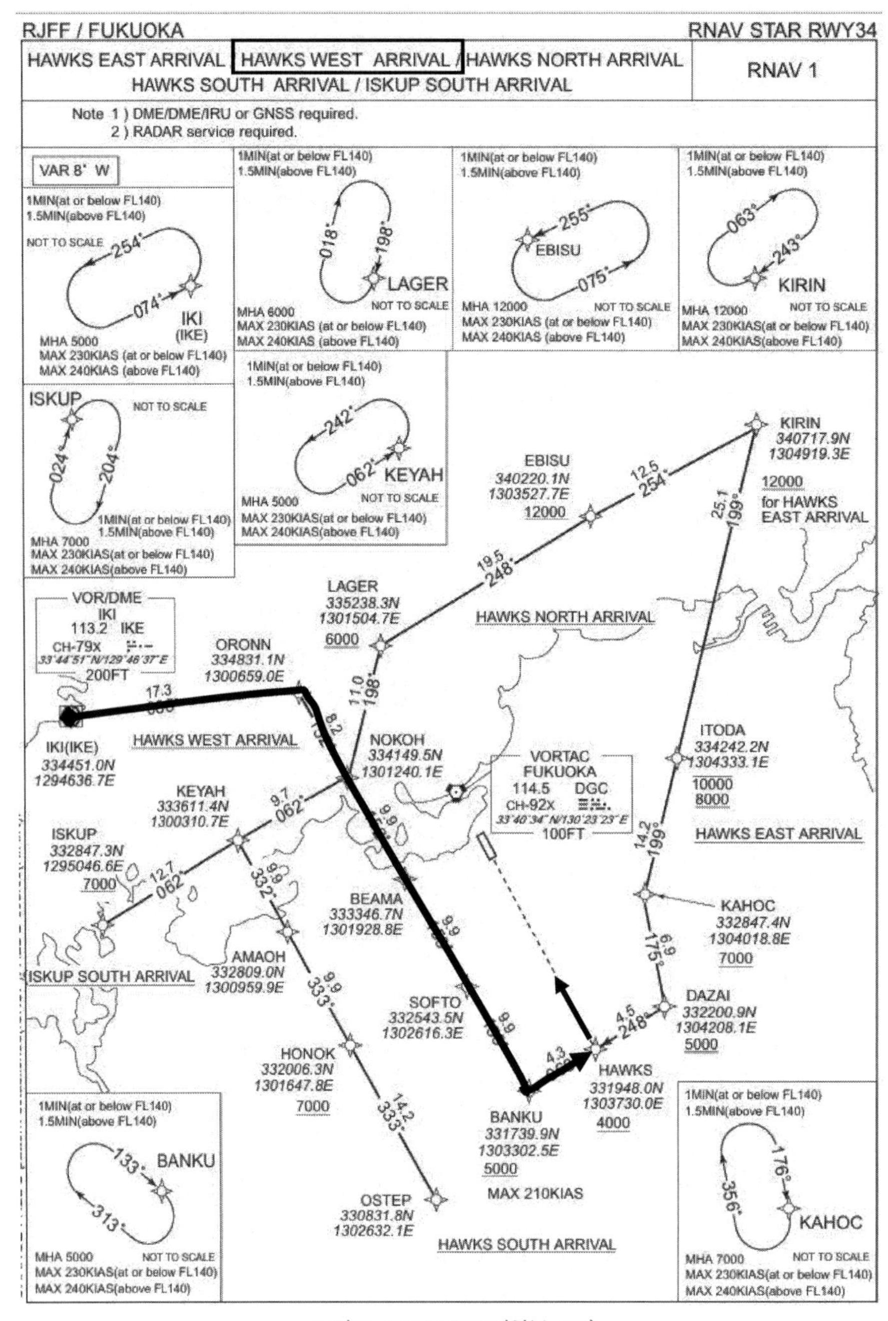

그림 7- 4 FUK STAR(일본 AIP)

그림 7- 5 는 후쿠오카국제공항(RJFF) AD CHART 2.24-IAC-1 으로 ICAO 규정에 따른 항공정보간행물(AIP)이며, 그림 7- 6 은 동일한 절차를 FAA 규정에 따라 만든 JEPPESEN 차트이다. IKE 에서 시작하여 RWY34 로

향하는 ILS or LOC RWY 34 절차를 사용할 것이며, 거리는 그림 7-6 에서와 같이 활주로 시단으로부터 16.9NM 이므로 STAR 를 따라서 공항까지의 거리는 76.4(=59.5+16.9)이므로 77NM 를 적용한다.

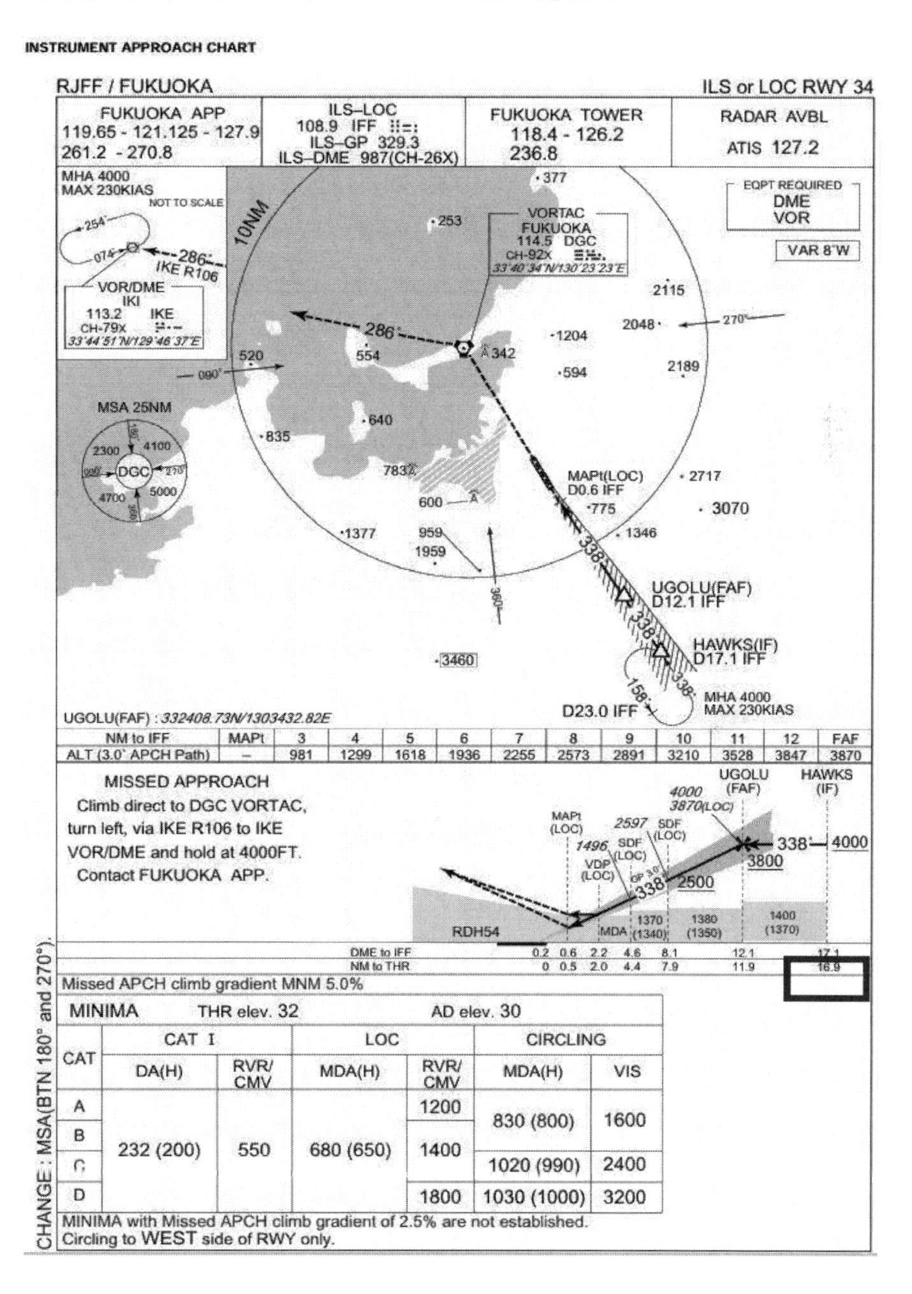

그림 7- 5 FUK ILS or LOC RWY34 계기 접근 차트(일본 AIP)

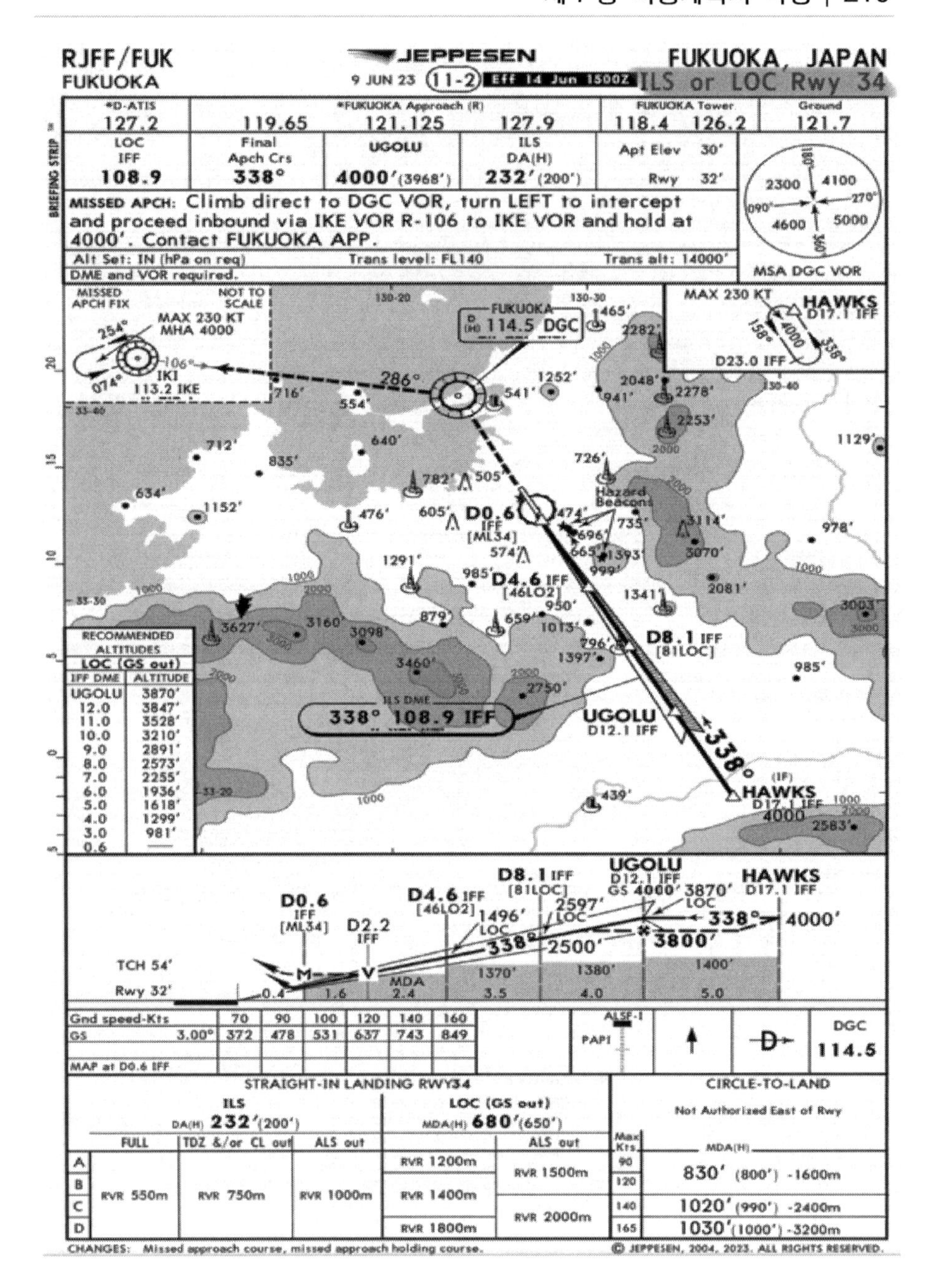

그림 7- 6 FUK ILS or LOC RWY34 계기 접근 차트(Jeppesen Chart)

3.3 항로구간

그림 7- 7 은 RNAV 항로를 이용하여 구성한 항로로 그림 7- 8 우리나라와 그림 7- 9 일본의 AIP En-route 차트를 통해 해당 항로의 이름, Magnetic Course 및 FIX 별 거리를 확인할 수 있다. 표 7- 3 은 항로의 구성과 총 거리이다. 위에서 설정한 항로상 FIX, SID, STAR 및 APPROACH 절차에 대한 거리를 시트에 채우면 표 7- 4 와 같다. 출발공항(RKSI)부터 목적공항(RJFF)까지의 운항거리(Trip Distance)는 397NM 이다.

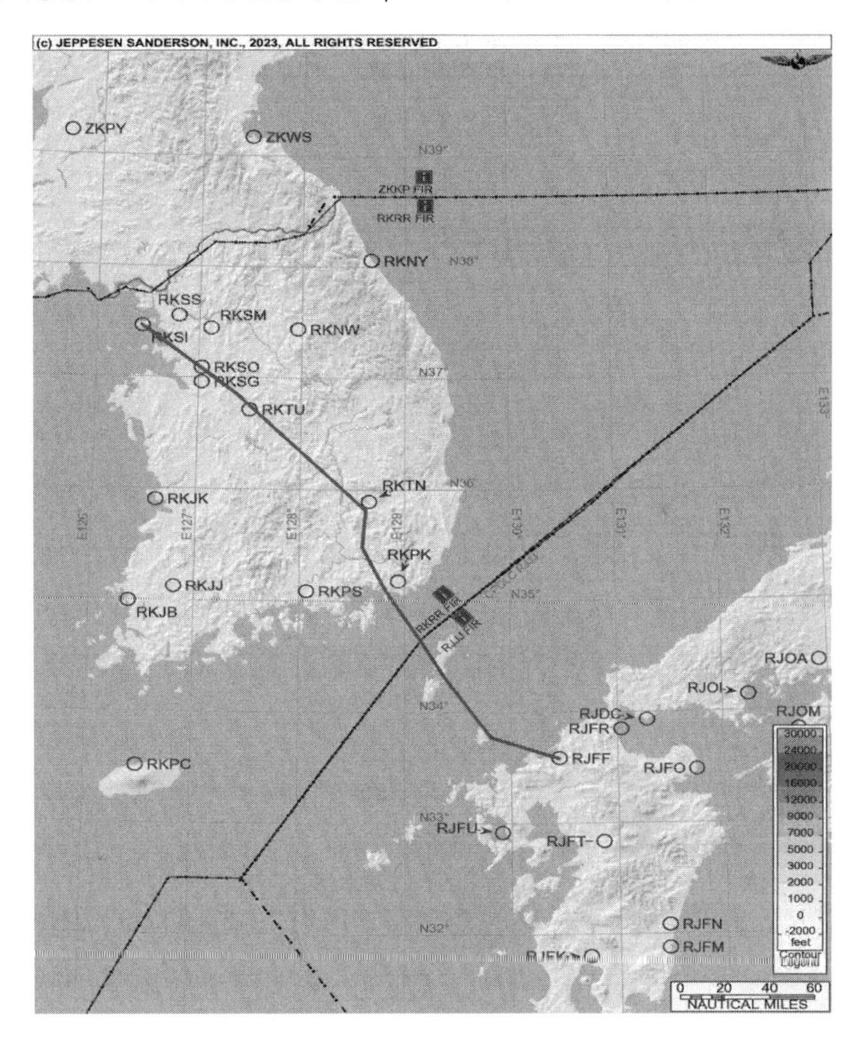

그림 7- 7 ICN-FUK 항로도

Y782 (RNAV 2)	Route availability:	
Δ ANYANG VORTAC (SEL)	372449N 1265542E	
	174° / 354°	12.4
Δ POLEG	371249N 1265935E	
	174° / 354°	7.4
Δ SONGTAN VORTAC (SOT)	370540N 1270154E	
	144° / 324°	21.6
▲ OSPOT	365018N 1272055E	
	144° / 324°	10.4
▲ VASLI	364252N 1273003E	
	144° / 324°	21.9
▲ MAKDU	362712N 1274909E	
	144° / 324°	14.6
▲ BITUX	361645N 1280148E	
	144° / 324°	39.2
Δ DALSEONG VORTAC (TGU)	354835N 1283527E	

Significant Point Name	Significant Point Coordinates	
	Initial Track MAG ↓ ↑	Great Circle Dist (NM)
Y781 (RNAV 2)	Route availability:	
Δ DALSEONG VORTAC (TGU)	354835N 1283527E	
	192° / 012°	19.8
▲ MASTA	352847N 1283340E	
	162° / 342°	23.6
Δ ANKUS		
	162° / 342°	7.7
Δ OMOTU	350033N 1285022E	
	156° / 336°	27.3
▲ BESNA(FIR BDRY)	343718N 1290751E	

그림 7-8 우리나라 Y782, Y781 항로 거리

Y209 (RNAV5) [VOR/DME, DME/DME, INS or IRS, GNSS]			
BESNA *343718N 1290751E*		157 [148.4]	40.0
PAVGA *340311N 1293310E*		157 [148.6]	6.3
FRAIZ *335749N 1293707E*		157 [148.7]	9.0
SARUP *335008N 1294245E*		157 [148.7]	6.2
IKI(IKE) *334451N 1294637E*			

그림 7-9 일본 Y209 항로 거리

ROUTE (회색 선)	DISTANCE
OSPOT Y782 TGU Y781 BESNA Y209 IKE	227NM

표 7-3 항로의 구성과 거리

Waypoint		Route	MC	FL	WIND/TEMP	CRZ	TAS	W/F	G/S	Distance	TIME	S/FUEL	FF/HR
RKSI	OSPOT	VCTR	VCTR							93			
OSPOT	TGU	Y782	144°							86			
TGU	MASTA	Y781	192°							20			
MASTA	BESNA		162°							59			
BESNA	IKE	Y209	156°							62			
IKE	RJFF	STAR	VCTR							77			
TOTAL										397			

표 7- 4 ICN-FUK SID, 항로 구간별, STAR 각 거리

4. 항공 정보

4.1 NOTAM

항로상에 제한구역 또는 금지구역이 존재할 경우, 관제기관의 허가 단계에서 비행계획이 반려될 수 있으며, 비행을 개시하더라도 항공기와 승무원, 승객에게 위험을 초래할 수 있다. 따라서 통과할 공역 또는 항로상의 제한사항 존재 여부를 파악하는 것은 항로 설정의 기본이다. 이는 각국의 AIP ENR 부분의 차트 또는 표를 통해 확인할 수 있으며, 활성화된 제한구역 또는 금지구역과 같은 일시적인 제한사항은 NOTAM 을 참고해야 한다. 항공기가 운항하는 시간대에 영향을 받는 NOTAM 이 존재하지 않는다면 비행계획의 수정 없이 해당 과정을 생략할 수 있다.

표 7-5 와 같이 이번 장에서 계획하는 출발 및 도착 정보에 따라 출발공항인 인천국제공항(RKSI), 목적공항인 후쿠오카국제공항(RJFF), 목적지 교체공항인 나가사키 국제공항(RJFU), 그리고 운항할 항로에서 출발일시 이전부터 도착일시 이후까지의 예상 비행시간에 적용되는 NOTAM 을 확인해야 한다. 확인 결과, 해당 항공편이 운항하는 데 특별히 주의해야 하는 NOTAM 이 존재하지 않으므로 노선 변경 또는 교체공항의 변경이 필요하지 않다.

<table>
<tr><td rowspan="2">DEPARTURE</td><td>RKSI</td><td>STD 0700</td></tr>
<tr><td colspan="2">(SID) RWY 33L/R RNAV OSPOT 2A</td></tr>
<tr><td>ROUTE</td><td colspan="2">OSPOT Y782 TGU Y781 BESNA Y209 IKE</td></tr>
<tr><td rowspan="2">ARRIVAL</td><td>RJFF</td><td>STA 0835</td></tr>
<tr><td colspan="2">HAWKS WEST ARRIVAL
(APPROACH) ILS or LOC RWY 34</td></tr>
<tr><td>ALTERNATE</td><td>RJFU</td><td></td></tr>
</table>

표 7-5 출발공항, 도착공항, 교체공항, 출발, 도착시간, SID, STAR, 항로 정보

4.1.1 EXAMPLE ①

```
GG RKZZNAXX
191039 RJAAYNYX
(0505/23 NOTAMN
Q)RJJJ/QICAS/I/NBO/A/000/999/3335N13027E005
A)RJFF B)2306261330 C)2307102100
D)1330/2100
E)ILS-LOC,GP FOR RWY 16-U/S DUE TO MAINT
RMK/(1)EXC ACFT WITH PRIOR PERMISSION AT LEAST 1HR BFR
     (2)VMC ONLY)
```

표 7-6 NOTAM 예시

구분	내용		설명
전문 우선순위	GG	항공정보업무(AIS) 전문	
수신처	RKZZNAXX	국내에 일괄 배포하는 주소	
작성일시	191039	19 일 10 시 39 분 UTC	
발행처	RJAAYNYX	나리타 국제 항공고시보 취급소	
일련번호	0505/23 NOTAMN	23 년 505 번째, 신규 항공고시보	
비행정보구역	RJJJ	후쿠오카 FIR	
NOTAM code	QICAS	Q	다른 4 자리 코드(SELCAL 등)와 혼동하지 않기 위해 사용
		IC	계기착륙시설(Instrument landing system)
		AS	이용할 수 없는(Unserviceable)
교통(Traffic)	I	계기비행(IFR)	
목적 (Purpose)	NBO	N	즉각적인 주의 필요
		B	비행 전 정보 게시(PIB)를 위함
		O	비행 관련
범위(Scope)	A	비행장	
하한고도	000	특정 고도정보 포함 X (지표면)	
상한고도	999	특정 고도정보 포함 X (무한대)	
좌표 및 반경	3335N13027 E005	북위 33.35°, 동경 13.02°, 반경 5NM	

ICAO 위치부호	RJFF	후쿠오카국제공항
발효일시 (시작)	2306261330	23 년 06 월 26 일 13 시 30 분 UTC
발효일시 (종료)	2307102100	23 년 07 월 10 일 21 시 00 분 UTC
세부일시	1330/2100	1330UTC 부터 2100UTC 사이에만 발효
평문설명	ILS-LOC,GP FOR RWY 16-U/S DUE TO MAINT	
	정비로 인해 RWY 16 의 ILS 장비 중 LOC 와 GP 를 이용할 수 없음	
비고	(1)EXC ACFT WITH PRIOR PERMISSION AT LEAST 1HR BFR (2)VMC ONLY)	
	(1) 최소 1 시간 이전에 허가를 받은 항공기 제외 (2) 시계비행기상상태인 경우에만	

표 7- 7 NOTAM 해석

표 7- 6 NOTAM 을 통해 후쿠오카국제공항(RJFF)에 착륙할 때 RWY 16 활주로로의 계기 접근이 불가능함을 출발 전에 확인할 수 있으며, RWY 34 활주로로 접근하게 될 것임을 비행계획 단계에서 예측할 수 있다. 해당 항공편이 출발하고 도착할 때까지, 그리고 출발 및 도착 예정 시간 전후에 공항뿐만 아니라 항로상에 이러한 제한사항이 있다면 빠짐없이 조종사에게 전달하고 협의해야 한다.

4.1.2 EXAMPLE ②

```
GG RKZZNAXX
DDHHMM RKRRYNYX
(D00XX/23 NOTAMN
Q)RKRR/QRPCA/IV/NBO/W/000/999/3727N12707E016
A)RKRR B)2306300340 C)2307040220
D)30 0340-0445, 04 0120-0220
E)TEMPO PROHIBITED AREA ACT AS FLW:
1. AREA : A CIRCLE RADIUS 5NM CENTERED ON
372645N1270652E(RKSM)
```

2. BUFFER ZONE : TEMPO BUFFER ZONE FM OUTSIDE OF PROHIBITED AREA TO 10NM
3. RMK :
- EXC SKED CIV AIRLINES AND SURVEILLANCE/INFO ASSET FLT
- FOR PRE-COORDINATION AND APV FOR PASSING THROUGH OR ENTERING BUFFER ZONE CTC ROKAF SODO AT 031-669-7020/1 OR 031-661-4471 THEN CTC MCRC/ACC ON FREQ DURING THE FLT
F)SFC G)UNL)

표 7-8 NOTAM 예시 2

전문 우선순위	GG	항공정보업무(AIS) 전문	
수신처	RKZZNAXX	국내에 일괄 배포하는 주소	
작성일시	DDHHMM	DD 일 HH 시 MM 분 UTC	
발행처	RKRRYNYX	국제 항공고시보 취급소	
일련번호	D00XX/23 NOTAMN	23 년 XX 번째, 신규 항공고시보	
비행정보구역	RKRR	인천 FIR	
NOTAM code	QRPCA	Q	다른 4 자리 코드(SELCAL 등)와 혼동하지 않기 위해 사용
		RP	금지구역(Prohibited area)
		CA	활성화(Activated)
교통(Traffic)	IV	계기비행(IFR) 및 시계비행(VFR)	
목적(Purpose)	NBO	N	즉각적인 주의 필요
		B	비행 전 정보 게시(PIB)를 위함
		O	비행 관련
범위(Scope)	W	항행경고	
하한고도	000	특정 고도정보 포함하지 않음 (지표면)	
상한고도	999	특정 고도정보 포함하지 않음 (무한대)	
좌표 및 반경	3727N12707E016	북위 37.27°, 동경 12.70°, 반경 16NM	
ICAO 위치부호	RKRR	인천 FIR	

표 7-9 NOTAM 해석 2

발효일시 (시작)	2306300340	23 년 06 월 30 일 03 시 40 분 UTC
발효일시 (종료)	2307040220	23 년 07 월 04 일 02 시 20 분 UTC
세부일시	30 0340-0445, 04 0120-0220	30 일: 0340UTC 부터 0445UTC 까지 04 일: 1020UTC 부터 0220UTC 까지
평문설명	TEMPO PROHIBITED AREA ACT AS FLW: 1. AREA: A CIRCLE RADIUS 5NM CENTERED ON 372645N 1270652E(RKSM) 2. BUFFER ZONE : TEMPO BUFFER ZONE FM OUTSIDE OF PROHIBITED AREA TO 10NM 3. RMK: - EXC SKED CIV AIRLINES AND SURVEILLANCE/INFO ASSET FLT - FOR PRE-COORDINATION AND APV FOR PASSING THROUGH OR ENTERING BUFFER ZONE CTC ROKAF SODO AT 031-669-7020/1 OR 031-661-4471 THEN CTC MCRC/ACC ON FREQ DURING THE FLT	
	다음과 같이 임시 금지구역 활성화함 1. 범위: 372645N 1270652E(서울공항)을 중심으로 반경 5NM 2. 완충지대: 제한구역 바깥으로부터 10NM 까지 임시 완충지대 3. 비고: 정기민간항공기 및 감시/정보 지원 비행 제외 사전 협조, 통과 또는 진입 승인을 위해 해당 연락처로 연락바라며, 비행하는 동안 MCRC 및 ACC 주파수 청취할 것	
하한고도 한계	SFC	지표면(surface)
상한고도 한계	UNL	무한대(Unlimited)

표 7- 10 NOTAM 해석 3

표 7- 8 NOTAM 을 통해 해당 좌표로부터 16mile 까지의 구역으로 진입 및 통과가 금지됨을 확인할 수 있으며, 우리가 비행하게 될 항로와 겹치는지를 확인하여야 한다. 아래 그림 7- 10 과 같이 해당 지점으로부터 반경 5mile 및 완충지대 10mile 을 표시해보면 선정한 SID 절차와 겹치지 않는다. 그리고 NOTAM 의 발효기간에 출발예정시간이 포함되지만 D 항목의 세부일시를 보면 0700UTC 는 해당하지 않다는 점도 알 수 있다. 따라서 해당 NOTAM 은 인천국제공항(RKSI)에서 30 일 0700UTC 에 출발하는 항공편이 운항하는 데에 영향을 주지 않으므로 고려하지 않는다.

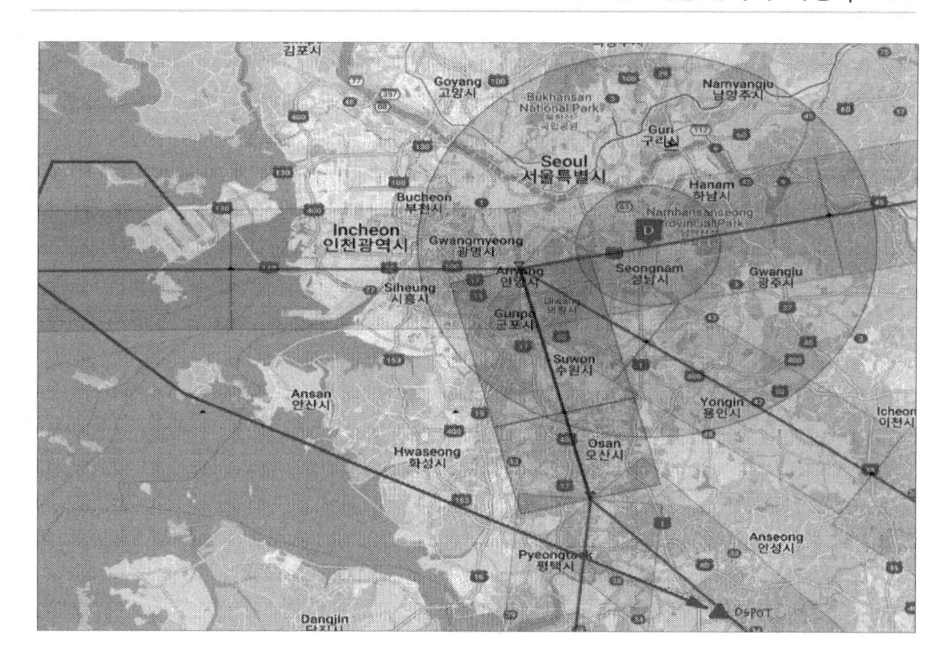

그림 7- 10 SID 와 예시에 다른 NOTAM 지역 지도 상 표시

4.2 METAR 및 TAF

4.2.1 출발공항

METAR RKSI 300630Z 30007KT 270V330 9999 FEW020 24/20 Q1000 NOSIG=		
정시관측보고	METAR	METeorological Aerodrome Reports
ICAO코드(4자리)	RKSI	인천국제공항
발표시간	300630	30일 06시 30분 UTC
바람	30007KT	풍향 300°, 풍속 7knots
	270V330	풍향이 60°이상 180°미만으로 변하고 평균풍
시정	9999	10km 이상
구름	FEW020	운량: 1/8-2/8 oktas, 운고: 2,000ft
기온/이슬점온도	24/20	기온 24도, 이슬점온도 20도
기압	Q1000	1000hPa

-	NOSIG	중요한 변화가 예상되지 않음

표 7- 11 출발공항 METAR 예시

TAF RKSI 300500Z 3006/0112 31006KT 6000 SCT012 TX27/0105Z TN21/3020Z TX31/0305Z
BECMG 3007/3009 27010KT 9999 NSC
BECMG 3013/3015 33006KT 6000
BECMG 3022/0100 05006KT 4000 BR FEW010
BECMG 0102/0104 17005KT 6000 NSW
BECMG 0108/0109 27008KT CAVOK

공항예보	TAF	Terminal Aerodrome Forecasts
ICAO 코드(4 자리)	RKSI	인천국제공항
발표시간	300500Z	30 일 05 시 00 분 UTC
유효시간	3006/0112	3006Z 부터 0112Z 까지 유효
바람	31006KT	풍향 310°, 풍속 6knots
시정	6000	6,000m
구름	SCT012	운량: 3/8-4/8 oktas, 운고: 1,200ft
최고기온	TX27/0105Z	27℃/01 일 05 시 UTC
최저기온	TN21/3020Z	21℃/30 일 20 시 UTC

표 7- 12 출발공항 TAF 예시

RKSI 에서 출발 예정 시간은 2023 년 6 월 30 일 0700UTC 이다. 이륙을 위해 기상 상태가 기상 최저치를 충족하는지 확인하기 위해 METAR 와 TAF 를 확인한다. 0630UTC 에 발표된 METAR 에 따르면, 바람은 300° 방향에서 7 노트로 불고 있어 계획대로 33L/R 활주로를 사용할 수 있다. 또한, 시정이 9999 로 표시되어 10km 이상임을 의미한다. RKSI AD 2.22 FLIGHT PROCEDURES 의 4 번 항목에서 Take-off Weather Minima 를 그림 7- 11 에서 확인할 수 있다. 항공등화시설인 HIRL(High Intensity Runway edge Lights), RCLL(Runway Center Line Lights) 등의 유무에 따라 최저 활주로가시거리(RVR) 및 시정(Visibility)이 다르게 적용된다. 추가적인 항공등화시설이 없고 주간에만 해당하는 마지막 칸을 보면 500m/1,600ft 로 나타나 있는 것을 볼 수 있다. METAR 상으로 이를 충족하기 때문에 해당 항공편은 이륙이 가능하다.

이륙 후 얼마 지나지 않아 출발지 공항으로 다시 착륙해야 하는 경우를 가정하여, TAF 를 통해 예정 출발 시간인 0700UTC 및 그 이후의 기상 상태를 확인해야 한다. 표 7- 12 의 30 일 0500UTC 에 발표된 TAF 를 보면, 해당 TAF 는 0600UTC 부터 유효하며, BECMG 3007/3009 27010KT 9999 NSC 를 통해 0700UTC 부터 0900UTC 까지의 기간 동안 시정은 10km 이상이고 운항상 중요한 구름이 없을 것(No Significant Clouds)으로 예상된다는 것을 확인할 수 있다.

계기 접근이 불가능하여 최저치가 더 높은 VFR 접근을 시도해야 한다고 가정해보자. RKSI VFR 접근의 기상 최저치는 운고 2,500ft, 시정 8km 이다. 계기 접근 또는 시계 접근으로 출발지 공항에 도착할 것으로 예상되는 시간에 출발지 공항의 기상 상태가 비행장 착륙 최저치 이상이기 때문에 이륙 교체 공항은 설정하지 않아도 된다.

4. Take-off Weather Minima

Facilities	RWY	3 RVR REQ			REDL & RCLL	REDL &RCL***	REDL or RCL***	NIL (Day Only)
		TGS*, HIRL & RCLL	HIRL & RCLL	REDL & RCLL				
		RVR / VIS**						
Multi-Engine ACFT	15L	75 m / 300 ft	125 m / 400 ft	150 m / 500 ft	200 m / 600 ft	300 m / 1 000 ft	400 m / 1 200 ft	500 m / 1 600 ft
	33R	75 m / 300 ft	125 m / 400 ft	150 m / 500 ft	200 m / 600 ft	300 m / 1 000 ft	400 m / 1 200 ft	500 m / 1 600 ft
	15R	75 m / 300 ft	125 m / 400 ft	150 m / 500 ft	200 m / 600 ft	300 m / 1 000 ft	400 m / 1 200 ft	500 m / 1 600 ft
	33L	75 m / 300 ft	125 m / 400 ft	150 m / 500 ft	200 m / 600 ft	300 m / 1 000 ft	400 m / 1 200 ft	500 m / 1 600 ft
	16L	75 m / 300 ft	125 m / 400 ft	150 m / 500 ft	200 m / 600 ft	300 m / 1 000 ft	400 m / 1 200 ft	500 m / 1 600 ft
	34R	75 m / 300 ft	125 m / 400 ft	150 m / 500 ft	200 m / 600 ft	300 m / 1 000 ft	400 m / 1 200 ft	500 m / 1 600 ft
	16R	75 m / 300 ft	125 m / 400 ft	150 m / 500 ft	200 m / 600 ft	300 m / 1 000 ft	400 m / 1 200 ft	500 m / 1 600 ft
	34L	75 m / 300 ft	125 m / 400 ft	150 m / 500 ft	200 m / 600 ft	300 m / 1 000 ft	400 m / 1 200 ft	500 m / 1 600 ft

그림 7- 11 ICN 이륙기상 최저치 (ICN AIP)

4.2.2 목적공항

METAR RJFF 300600Z 15014KT 9999 FEW015 SCT030 BKN040 29/24 Q1009 BECMG 31012KT			
정시관측보고	METAR	METeorological Aerodrome Reports	
ICAO 코드(4 자리)	RJFF	후쿠오카국제공항	
발표시간	300600Z	30 일 06 시 00 분 UTC	
바람	15014KT	풍향 150°, 풍속 14knots	
시정	9999	10km 이상	
구름		운량(okta)	운고(ft)
	FEW015 SCT030 BKN040	1/8-2/8 3/8-4/8 5/8-7/8	1,500 3,000 4,000
기온/이슬점온도	29/24	기온 29 도, 이슬점온도 24 도	
기압	Q1009	1009hPa	
변화군	BECMG	풍향 310° 풍속 12knots 로의 변화가 예상됨	

표 7- 13 목적공항 METAR 예시

TAF AMD RJFF 300634Z 3007/0112 18010KT 9999 FEW015 SCT030 BECMG 3006/3008 31011KT BECMG 3016/3018 15011KT TEMPO 3019/0101 3000 TSRA BR FEW008 SCT010 BKN015 FEW025CB		
수정예보	TAF AMD	Terminal Aerodrome Forecasts AMD
ICAO 코드 (4 자리)	RJFF	후쿠오카국제공항
발표시간	300634Z	30 일 06 시 34 분 UTC
유효시간	3007/0112	30 일 07 시 UTC 부터 01 일 12 시 UTC 까지 유효

바람	18010KT	풍향 180°, 풍속 10knots	
시정	9999	10km 이상	
구름		운량(okta)	운고(ft)
	FEW015 SCT030	1/8-2/8 3/8-4/8	1,500 3,000
변화군	BECMG	특정기간동안 기상요소가 변하여 특정 값에 도달할 것으로 예상	
		BECMG 3006/3008 31011KT 30 일 06 시부터 30 일 08 시까지 바람 변화 예상	
	TEMPO	특정기간동안 일시적으로 기상요소가 변할 것으로 예상	
		TEMPO 3019/0101 3000 TSRA BR FEW008 SCT010 BKN015 FEW025CB 30 일 19 시와 01 일 01 시 사이 일시적으로 시정, 일기현상, 구름 변화 예상	

표 7- 14 목적공항 TAF 예시

그림 7- 12 는 후쿠오카국제공항(RJFF)의 ILS or LOC RWY 34 차트의 Profile View 부분을 확대한 것이다. 그림 7- 12 는 AIP 차트, 그림 7- 13 은 JEPPESEN 차트이다. 먼저, ILS CAT I 접근 시 결심고도(DA/H) 232/200ft 에서 RVR 이 550m 이상이어야 한다. 다음으로, LOC 접근 시 최저강하고도(MDA/H) 680/650ft 에서 접근 속도 카테고리별로 분류된 최저 RVR 이상이어야 한다. JEPPESEN 차트에서는 ILS CAT I 접근 시 모든 시설이 정상 작동할 때, TDZ 및/또는 CL 등화가 작동하지 않을 때, ALS 가 작동하지 않을 때로 구분되어 각각 RVR 값이 다르게 적용되는 것을 주의해야 한다.

30 일 06 시 34 분 UTC 에 수정된 TAF 를 보면 BECMG 3006/3008 31011KT 라고 쓰여 있는 것을 확인할 수 있다. 도착 예정 시간인 0805UTC 에는 방향 310°에서 11 노트로 바람이 불 것으로 예상되므로 RWY34 를 사용할 것임을 예상할 수 있다. 바람 외의 정보는 변화가 예상되지 않으므로 시정 10km 이상, 운량이 1/8-2/8 인 구름이 1,500ft 에,

운량이 3/8-4/8 인 구름이 3,000ft 에 존재할 것임을 알 수 있다. 이를 통해 해당 항공편이 착륙하는 데 지장이 없을 것이다.

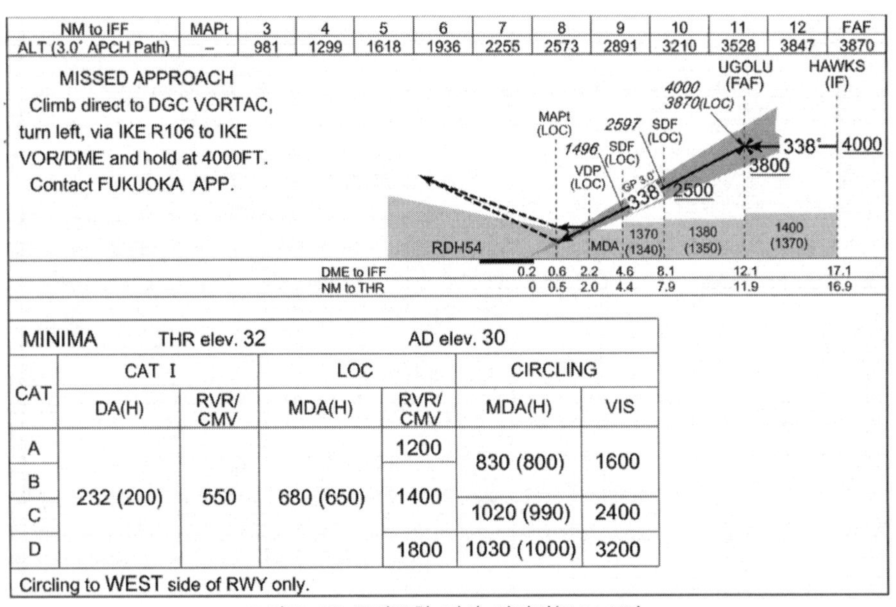

NM to IFF	MAPt	3	4	5	6	7	8	9	10	11	12	FAF
ALT (3.0° APCH Path)	–	981	1299	1618	1936	2255	2573	2891	3210	3528	3847	3870

MINIMA THR elev. 32 AD elev. 30

CAT	CAT I		LOC		CIRCLING	
	DA(H)	RVR/CMV	MDA(H)	RVR/CMV	MDA(H)	VIS
A	232 (200)	550	680 (650)	1200	830 (800)	1600
B				1400		
C					1020 (990)	2400
D				1800	1030 (1000)	3200

Circling to WEST side of RWY only.

그림 7- 12 목적공항 기상 최저치(FUK AIP)

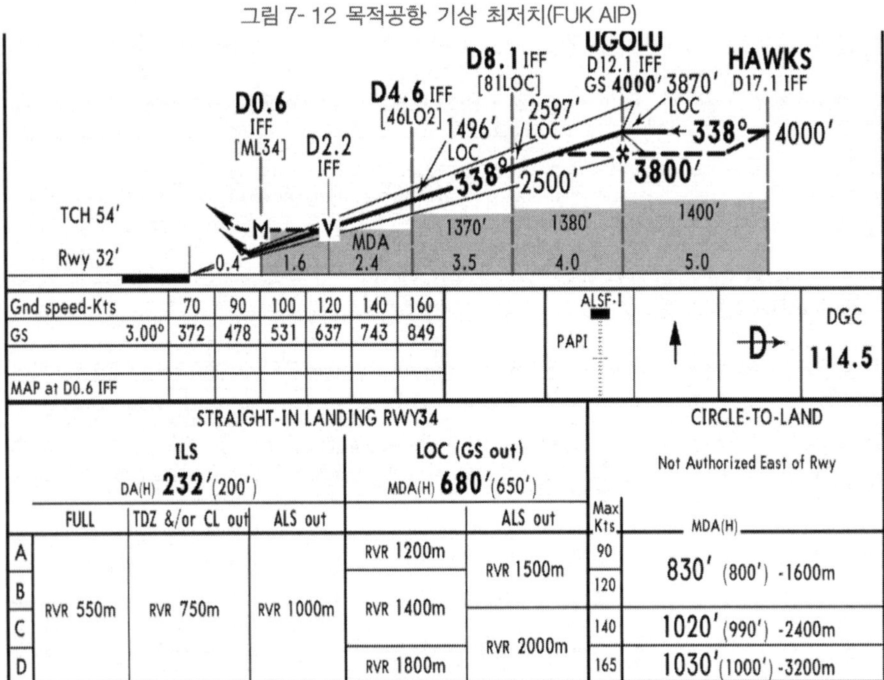

Gnd speed-Kts	70	90	100	120	140	160
GS 3.00°	372	478	531	637	743	849
MAP at D0.6 IFF						

	STRAIGHT-IN LANDING RWY34					CIRCLE-TO-LAND	
	ILS DA(H) 232'(200')			LOC (GS out) MDA(H) 680'(650')		Not Authorized East of Rwy	
	FULL	TDZ &/or CL out	ALS out		ALS out	Max Kts	MDA(H)
A	RVR 550m	RVR 750m	RVR 1000m	RVR 1200m	RVR 1500m	90	830' (800') -1600m
B				RVR 1400m		120	
C					RVR 2000m	140	1020'(990') -2400m
D				RVR 1800m		165	1030'(1000') -3200m

그림 7- 13 목적공항 기상 최저치(Jeppesen chart)

4.2.3 목적지교체공항

<table>
<tr><td colspan="4">TAF AMD RJFU 300237Z 3003/0103 20008KT 9999 FEW030 BKN050 BKN250
BECMG 3006/3008 23008KT FEW040 BKN240
FM302000 28005KT 9999 FEW025 SCT040 BKN050 BKN120
BECMG 3022/0100 VRB06KT 9000 -RA BR FEW015 BKN025 OVC035</td></tr>
<tr><td>수정예보</td><td>TAF AMD</td><td colspan="2">Terminal Aerodrome Forecasts AMD</td></tr>
<tr><td>ICAO 코드(4 자리)</td><td>RJFU</td><td colspan="2">나가사키 국제공항</td></tr>
<tr><td>발표시간</td><td>300237Z</td><td colspan="2">30 일 02 시 37 분 UTC</td></tr>
<tr><td>유효시간</td><td>3003/0103</td><td colspan="2">30 일 03 시 UTC 부터 01 일 03 시 UTC 까지 유효</td></tr>
<tr><td>바람</td><td>20008KT</td><td colspan="2">풍향 200°, 풍속 08knots</td></tr>
<tr><td>시정</td><td>9999</td><td colspan="2">10km 이상</td></tr>
<tr><td rowspan="2">구름</td><td></td><td>운량(okta)</td><td>운고(ft)</td></tr>
<tr><td>FEW030
BKN050
BKN250</td><td>1/8-2/8
4/8-7/8
4/8-7/8</td><td>3,000
5,000
25,000</td></tr>
<tr><td rowspan="4">변화군</td><td rowspan="2">BECMG</td><td colspan="2">특정기간동안 기상요소가 변하여 특정 값에 도달할 것으로 예상</td></tr>
<tr><td colspan="2">BECMG 3006/3008 23008KT FEW040 BKN240
30 일 06 시부터 30 일 08 시까지 바람, 구름 변화 예상</td></tr>
<tr><td rowspan="2">FM</td><td colspan="2">특정시간에 다른 기상현상으로 뚜렷하게 변화할 것으로 예상</td></tr>
<tr><td colspan="2">FM302000 28005KT 9999 FEW025 SCT040 BKN050 BKN120
30 일 20 시 00 분에 바람, 시정, 구름이 이와 같이 변화할 것으로 예상</td></tr>
</table>

표 7- 15 목적지 교체공항 TAF 예시 및 해석

VOR APP

MINIMA	THR elev. 15		AD elev. 8	
CAT			CIRCLING	
	MDA(H)	RVR/CMV	MDA(H)	VIS
A	570 (562)	1000	620 (612)	1600
B		1200		
C				2400
D		1600	890 (882)	3200

ILS or LOC APP

MINIMA		THR elev. 15			AD elev. 8	
CAT	CAT I		LOC		CIRCLING	
	DA(H)	RVR/CMV	MDA(H)	RVR/CMV	MDA(H)	VIS
A	215 (200)	550	430 (422)	900	620 (612)	1600
B				1000		
C						2400
D				1400	890 (882)	3200

표 7- 16 나가사키공항 착륙기상 최저치

목적공항 뿐만 아니라 목적지 교체공항 도착 예정 시간의 기상 상태도 기상 최저치 이상이어야 한다. 만약 기상 최저치 미만일 경우, 목적지 교체공항의 변경이 필요하다. 도착 예정 시간의 기상 상태를 파악하기 위해 표 7-15 나가사키국제공항(RJFU) TAF 에서 30 일 08 시 UTC 이후의 기상 상태를 확인해야 한다. 두 번째 줄 BECMG 3006/3008 23008KT FEW030 FEW040 BKN240 를 통해 30 일 06 시 UTC 와 30 일 08 시 UTC 사이에 시정은 9999 로 변화가 없으며, 풍향, 운고, 기압만 변화하는 것을 확인할 수 있다. 이를 표 7- 16 착륙 최저치와 비교해보면 각 접근 방식의 MDA(H) 또는 DA(H)에서의 최소 RVR/CMV 값 이상일 것으로 예상되므로 해당 항공편의 이륙이 가능하다. RVR 은 등화시설의 강도 등에 따라 조종사가 시각적으로 볼 수 있는 수평적 거리를 가장 잘 나타내는 값이다. 그러나 RVR 을 이용할 수 없는 경우, 조종사는 RVR/CMV 을 확인한다. CMV(Converted Meteorological Visibility)를 계산하기 위해서는 주간/야간, 등화 종류에 따라 보고된 기상 시정에 해당 수치만큼 곱해서 적용한다. RVR/CMV 는 이륙, 시계 접근, 선회 접근 최저치를 계산하거나 RVR 이 이용 가능할 때에는 사용할 수 없다.

운영중인 등화 요소	주간	야간
Hi approach and runway lighting	1.5	2.0
Any type of lighting installation other than above	1.0	1.5
No lighting	1.0	No applicable

표 7- 17 Reported Meteorological Visibility

CAT	APPROACH SPEED	
A	91 노트 미만	
B	91 노트 이상 121 노트 미만	
C	121 노트 이상 141 노트 미만	← B737-800 기종은 CAT-C 에 해당함
D	141 노트 이상 166 노트 미만	
E	166 노트 이상	← 주로 군용기에 적용됨

← MLDW 으로 착륙 시 실속속도의 1.3 배에 기초함

표 7- 18 항공기 접근 카테고리

4.3 WINTEM

WINTEM 차트는 특정 지역 및 고도 별 기온, 풍향, 풍속 정보를 제공한다. 이는 연료 및 중량 계산 단계에서 비행 경로상의 최적 순항 고도를 찾고, 기상 정보를 보정하여 필요한 연료량을 산출하는 데 사용된다.

고도가 올라갈수록 온도와 공기 밀도는 낮아지며, 이에 따라 엔진의 추력과 항공기에 작용하는 양력 및 항력도 줄어든다. 그러나 엔진 추력 감소로 인한 영향보다 항력 감소로 인한 효과가 더 크기 때문에 대부분의 항공기는 지면 근처가 아닌 대류권계면 부근에서 순항한다. 순항 시 항로 상에서 정풍이 불면 대지속도(GS, Ground Speed)가 감소하여 더 많은 추력이 필요하고 연료 소모량도 증가한다. 반대로 배풍이 불면 대지속도가 증가하여 같은 항로를 운항하더라도 운항 시간과 연료 소모량이 줄어든다. 따라서 온도, 풍향, 풍속을 고려하여 운항 효율성이 높은 최적의 순항 고도를 결정하고, 해당 고도를 순항하는 데 필요한 연료량을 산출하는 것이 중요하다.

그림 7- 14 는 세계공역예보시스템(WAFS, World Area Forecast System)에서 제공하는 KOREA 지역의 고도 30,000ft 에 해당하는 WINTEM 차트이다.

인천국제공항(RKSI)에서 출발하여 후쿠오카국제공항(RJFF)에 도착하는 항공편은 동쪽(0°~179°)으로 운항하기 때문에 홀수 고도를 적용해야 한다 국적 항공사의 RKSI> RJFF 노선의 비행계획서를 확인하면 대부분 FL290 또는 FL310 을 순항 고도로 설정하는 것을 알 수 있다. 비행계획 시 FL290 에서 순항한다고 가정할 때, 이 차트는 FL300 에서의 기상을 나타내므로 표준 기온 감률(1,000ft 당 2℃)을 고려해야 한다. WIND/TEMP 정보를 이용하여 W/F(Wind Factor) 요소를 구하는데, 식 COS(MC-(풍향-

180))×풍속에 대입하면 정풍 또는 배풍 몇 노트인지 알 수 있다. (-)값이 나오면 대지속도가 줄어든다는 것을 의미하고, 배풍이 불고 있다는 의미와 같다. 반대로 (+)값이 나오면 대지속도가 늘어난다는 것을 의미하고, 정풍이 불고 있다는 의미와 같다. 배풍인 경우에는 Plus 의 앞 글자인 P 를 넣고 숫자를 작성한다. 산출한 해당 정보들을 항로 시트에 작성해보면 추가하고 표 7- 19 와 같다.

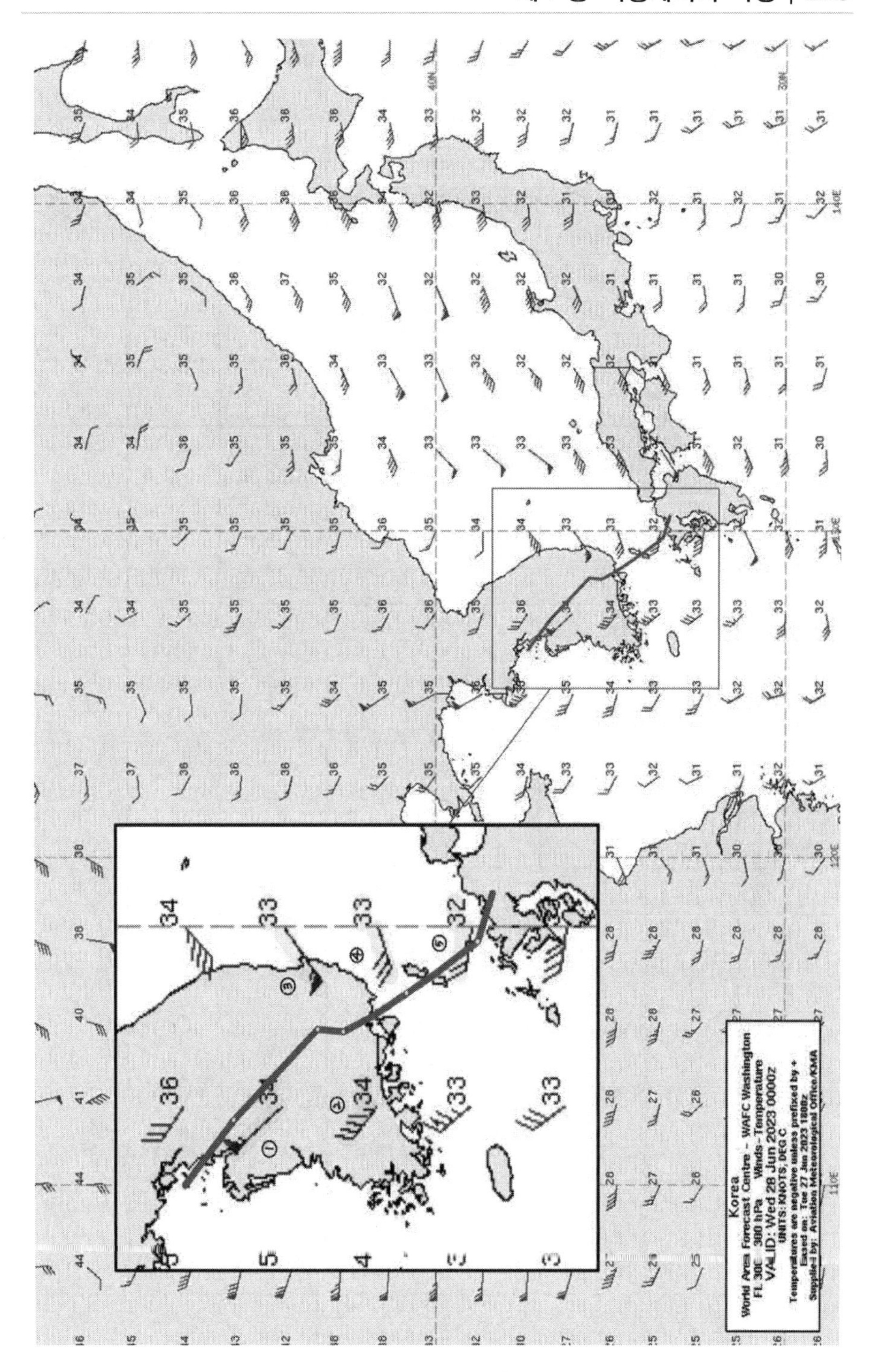

그림 7- 14 WINTEM Char(FL300) 상 항로 표시

Waypoint		Route	MC	FL	WIND/TEMP		CRZ	TAS	W/F	G/S	Distance	TIME	S/FUEL	FF/HR
RKSI	OSPOT	VCTR	VCTR								93			
OSPOT	TGU	Y782	144°	FL290	32055/M32	①	LRC		P54		86			
TGU	MASTA	Y781	192°		27050/M31	②③ 평균			M10		20			
MASTA	BESNA		162°		25030/M31	④			P01		59			
BESNA	IKE	Y209	156°		28025/M30	⑤			P14		62			
IKE	RJFF	STAR	VCTR								77			
TOTAL											397			

표 7-19 FL290 에서의 WIND TEMP 기록

5 연료 및 중량

항공기에 실어야 하는 연료 및 오일은 항공기가 계획된 비행을 안전하게 완수하고, 계획된 운항과의 편차를 감안하여 충분한 양을 탑재해야 한다. 탑재 연료량은 연료 소모 감시 시스템에서 얻은 특정 항공기의 최신 자료 또는 항공기 제작사에서 제공된 자료를 근거로 산출되어야 한다. 또한, 비행계획에 포함되어야 하는 예상 항공기 중량, 항공고시보(NOTAM), 기상 상태, 항공교통업무 절차 및 제한 사항, 정비 등의 조건들을 고려하여 보정해야 한다.

여기서는 연료 및 중량 계산 시 연료는 100lbs 단위로 절상하여 계산한다. B737-800 항공기의 구간별/중량에 따른 연료량과 시간을 산정하기 위해 Flight Planning and Performance manual 을 사용한다. 이 매뉴얼은 보잉 항공운송용 항공기의 서비스를 위해 작성되었으며, 특정 기체, 엔진 등급 및 규제 기관에 적용되는 운항 및 항공기 성능 데이터를 포함하여 참고하기 위해 제작되었다. 모든 경우에 있어 개정과 변경 사항에 대한 것은 운항사가 준수해야 하는 인가된 비행 교범과 호환성을 유지해야 한다. 여기에는 항공기의 비행 연료, 시간, 예비 연료, 항로상 지형을 통과할 수 있는 성능을 결정하는 데이터가 포함되며, 주요 내용은 다음과 같다.

- Aircraft Performance Data: 항공기의 최대 속도, 최대고도, 연료소비율, 이착륙 거리 등 다양한 조건에서의 성능데이터 포함
- Flight planning Guidelines: 목적지까지 가장 효율적인 경로를 계획하는데 도움이 되는 정보와 가이드라인 제공, 예상 기상, 고도, 연료 소비 등을 고려하여 안전하고 효율적인 비행계획 수립 가능
- Operating Limitations: 항공기가 안전하게 운용될 수 있는 한계와 제약 사항이 명시되어 있음(ex. 최대 이착륙을 위한 중량, 연료 용량)
- Emergency Procedures: 비상 상황에서 조종사가 따라야 하는 절차와 지침
- Weight and Balance Information: 각각의 항공기는 정해진 중량 및 균형에 대한 한계가 있으며 이들 정보는 기체의 안정성과 성능에 중요
- Fuel Planning Data: 연료 사용량을 예측하고 관리하기 위해 필요한 데이터와 지침 제공
- Take off and Landing Data: 활주로 길이, 표면상태, 기상 조건 하에서 필요한 이착륙 거리 및 속도 제공

이륙/착륙(Takeoff/landing), 비행계획(flight Planning), 항로(Enroute), 비정상구성(Non-standard Configuration)의 4 개로 구성되어 있고 비정상 구성의 경우 운항 중에 착륙기어가 내려와 있는 상황 즉 비정상 상황에서 항공기가 운항하는 성능 데이터를 포함하고 있다.

5.1 예상 중량

5.1.1 ESTIMATED ZERO FUEL WEIGHT

예상무연료중량(EST ZFW)은 항공기의 표준운항중량(SOW)에 승객, 기내 수하물 및 화물을 합한 Payload 를 더한 값이다. 단일 좌석 등급이며 좌석 수가 189 석인 B737-800 항공기를 기준으로, 빈 좌석 없이 모든 승객이 탑승하고 화물을 최대 Payload 까지 탑재했다고 가정해보자. 기내 수하물을 포함한 승객 1 명당 무게를 200lbs 로 산정하여 계산하면, 다음과 같은 식을 통해 계산되고, 표 7- 20 과 같이 EST ZFW 의 값은 138,300lbs 임을 알 수 있다.

① $\text{Payload} = (200 \times 189) + 9{,}200 = 47{,}000$

② $\text{EST ZFW} = 91{,}300 + 47{,}000 = 138{,}300$ **B737-800 의 SOW 는 표 7-1 에서와 같이 91,300lbs 로 가정한다.*

SOW	91,300	
+PAYLOAD	47,000	
EST ZFW	**138,300**	**≤ MZFW (138,300)**

표 7- 20 Estimated Zero Fuel

5.1.2 ESTIMATED LANDING WEIGHT ALTERNATE

목적지교체공항에서의 예상 착륙중량(EST L/D WT ALTN)은 운항을 계획했던 항공기가 목적지공항까지 가는데 사용했던 비행연료와 목적지교체공항연료를 사용하였기 때문에 예상무연료중량(EST ZFW)에 보정연료, 최종예비연료 및 추가연료를 더한 값이다. RKSI-RJFF 항공편에 필요한 연료량을 산출하면 보정연료(Contingency Fuel)를 계산하기 위해 운항연료(Trip Fuel)를 계산해야 한다. 국적항공사가 인천국제공항에서 출발하여 후쿠오카국제공항에 도착하는 노선을 운항할 때 주로 이용하는 FL290 과 순항속도 LRC(Long Range Cruise)를 기준으로 그림 7- 15 의 FPPM 차트를 통해 운항시간(Trip Time)을 구하고, 평균 연료 소모량을 적용해 산출한다. 운항시간은 Long Range Cruise Trip Fuel and Time 차트를 통해 다음 정보들을 입력하여 산출할 수 있다.

TRIP DISTANCE	397NM
PRESSURE ALTITUDE	29,000ft
WIND	배풍 15kts

표 7- 21 Estimated Landing Weight

그림 7- 15 FPPM Chart 에서 Long Rainge Cruise 비행 연료와 시간 산정

- 맨 아래 TRIP DISTANCE 397NM 에 해당하는 지점에서 REF LINE 까지 직선을 긋는다.
- 가장 가까운 곡선의 기울기와 평행하게 TAIL WIND 15kts 지점까지 대각선을 긋는다. (정풍의 경우 위쪽으로 배풍의 경우 아래쪽으로 평행하게 이동)
- 위쪽의 순항고도인 PRESSURE ALTITUE 29,000ft 까지 직선을 긋는다.
- TRIP TIME 을 향해 왼쪽으로 직선을 긋는다. (표준대기와의 편차는 0 으로 가정함)

예상 운항시간이 66 분이므로 표 7-1 항공기 제원에서의 평균연료소모량 기준 예상 운항연료는 6,270lbs 임을 알 수 있다. 여기에 5%를 적용하면 314lbs 이고, 이 연료량이 탑재해야 할 예상 보정연료이다. 다음으로, 최종예비연료(Final Reserve Fuel)는 B737-800 항공기의 경우 터빈엔진 항공기이기 때문에 공항 상공 450m(1,500ft)에서 30 분간 체공할 수 있는 연료량이다. 그림 7- 16 FPPM 에서 Holding 표 참고하여 산출할 수 있다. 예상무연료중량(EST ZFW)[46] 인 138,300lbs 과 PRESSURE ALTITUDE 1,500ft 에 해당하는 값을 찾는다. 해당 표는 엔진 1 개당 연료소모량(lbs/hr)을 나타냄을 유의해야 한다. 140,000lbs 에 근접하기

[46] Holding Fuel 을 구하기 위하여 ZFW 를 사용하는 이유는 순환 참조 오류가 발생하여 체공 당시 예상되는 Weight 를 산정할 수 없기 때문이다.

때문에 이에 해당하는 2620FF/ENG 를 적용하여 구해보면 2,620 X 2(2 엔진) X 1/2(30 분) = 2,620lbs 임을 알 수 있다.

SOW	91,300	
+PAYLOAD	47,000	
EST ZFW	138,300	≤ MZFW
+CONTINGENCY	400 (314)	
+HOLDING (Final Reserve	2,700 (2,620)	
+EXTRA	-	
Estimated L/D WT	141,400	≤ MLDW

표 7- 22 Estimated Landing weight Alternate

구한 값들을 중량 시트에 작성하면 표 7- 22 와 같으며, 목적지에서 예상되는 착륙중량(EST L/D WT ALTN)은 141,400lbs 임을 알 수 있다.

FLIGHT PLANNING
Simplified Flight Planning

Flight Planning and Performance Manual

737-800/CFM56-7B24
FAA
Category C Brakes

Long Range Cruise Trip Fuel and Time

200 to 1000 NM

Based on 280/.78 climb and .78/280/250 descent

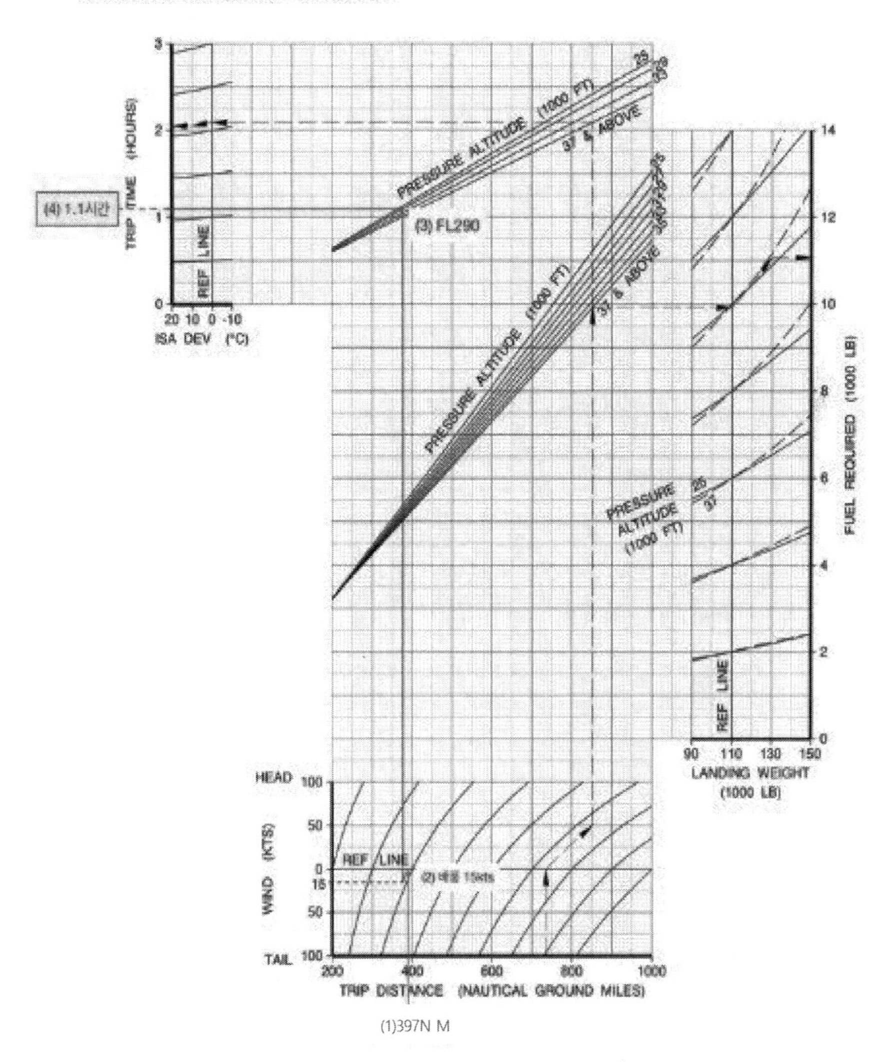

그림 7- 15 FPPM Chart 에서 Long Rainge Cruise 비행 연료와 시간 산정

ENROUTE
All Engine

Flight Planning and Performance Manual

737-800/CFM56-7B24
FAA
Category C Brakes

Holding

Flaps Up

EST ZFW

PRESSURE ALTITUDE (FT)		WEIGHT (1000 LB)									
		180	170	160	150	140	130	120	110	100	90
41000	%N1						93.4	89.4	86.8	84.2	81.6
	KIAS						217	212	203	192	182
	FF/ENG						2600	2290	2070	1860	1660
35000	%N1		91.5	89.1	87.2	85.3	83.4	81.5	79.3	77.0	74.4
	KIAS		250	244	236	227	218	209	199	190	180
	FF/ENG		3220	2950	2720	2500	2300	2110	1950	1770	1590
30000	%N1	87.3	85.8	84.3	82.7	81.0	79.1	77.1	74.9	72.4	69.9
	KIAS	257	249	241	233	224	216	207	198	188	179
	FF/ENG	3230	3030	2830	2640	2450	2270	2080	1930	1760	1610
25000	%N1	83.1	81.7	80.1	78.5	76.7	74.7	72.7	70.6	68.2	65.5
	KIAS	254	246	239	231	223	214	205	196	187	179
	FF/ENG	3150	2960	2770	2580	2400	2220	2060	1910	1790	1630
20000	%N1	78.8	77.3	75.7	74.0	72.3	70.5	68.4	66.2	64.0	61.6
	KIAS	252	245	237	229	221	213	204	195	186	179
	FF/ENG	3130	2950	2780	2610	2450	2290	2120	1950	1820	1660
15000	%N1	74.6	73.1	71.6	69.9	68.0	66.2	64.4	62.4	59.8	57.2
	KIAS	250	243	235	228	220	212	203	195	186	179
	FF/ENG	3180	3010	2830	2660	2490	2320	2160	1990	1860	1700
10000	%N1	70.5	69.0	67.5	66.0	64.4	62.5	60.3	58.1	55.9	53.5
	KIAS	249	242	234	227	219	211	202	194	186	179
	FF/ENG	3200	3020	2860	2690	2520	2360	2200	2030	1870	1750
5000	%N1	66.7	65.4	63.8	62.0	60.1	58.3	56.5	54.5	52.3	49.9
	KIAS	248	241	234	226	218	210	202	193	186	179
	FF/ENG	3220	3050	2890	2730	2560	2400	2240	2080	1920	1810
1500	%N1	64.0	62.4	60.8	59.2	57.5	55.8	54.0	52.0	49.8	47.5
	KIAS	247	240	233	225	218	209	201	192	186	179
	FF/ENG	3270	3110	2940	2780	2620	2460	2300	2140	1990	1870

This table includes 5% additional fuel for holding in a racetrack pattern.

그림 7- 16 FPPM Chart 에서 체공(최종예비연료) 연료 산정

5.1.3 EST L/D WT DEST (ESTIMATED LANDING WEIGHT DESTINATION)

목적지공항에서의 예상 착륙중량(EST L/D WT DEST)은 목적지교체공항에서의 예상 착륙중량(EST L/D WT ALTN)에 목적지교체공항연료를 더한 값이다. 목적지교체공항연료를 구하기 위해서는 그림 7- 17 의 FPPM 에서 Long Range Cruise Short Trip Fuel and Time 차트를 사용한다. 목적지교체공항인 나가사키 국제공항(RJFU)까지의 운항거리는 80NM, 바람은 배풍 10kts 를 적용한다.

- 맨 아래 TRIP DISTANCE 80NM 에 해당하는 지점에서 REF LINE 까지 직선을 긋는다.
- 가장 가까운 곡선의 기울기와 동일한 기울기로 TAIL WIND 10kts 지점까지 대각선을 긋는다.

- 위쪽으로 LANDING WEIGHT 141,400lbs(=EST L/D WT ALTN)까지 직선을 긋는다.
- 오른쪽 끝까지 직선을 그어 TRIP FUEL 값(2,000)을 읽는다.
- 아래에서 올라온 선을 ALL LANDING WEIGHT 까지 연결하고 왼쪽 끝까지 직선을 그어 TRIP TIME 값(0.32)을 읽는다.
- 교체공항연료인 2,000lbs 와 해당되는 비행시간인 0.32 시간(19 분) 값을 얻는다.
- 표 7- 23 을 통해서 목적지에서의 예상착륙중량인 143,400lbs 를 산출할 수 있다.

SOW	91,300	
+PAYLOAD	47,000	
EST ZFW	138,300	≤ MZFW
+CONTINGENCY	400 (314)	
+HOLDING(Final Reserve Fuel)	2,700 (2,620)	
+EXTRA	-	
L/D WT ALTN	141,400	≤ MLDW
+ALTERNATE	2,000	
L/D WT DEST	**143,400**	≤ MLDW

표 7- 23 Estimated Landing weight

737-800/CFM56-7B24
FAA
Category C Brakes

Flight Planning and Performance Manual

FLIGHT PLANNING
Simplified Flight Planning

Long Range Cruise Short Trip Fuel and Time

Based on 280/.78 climb and .78/280/250 descent at short trip cruise altitude

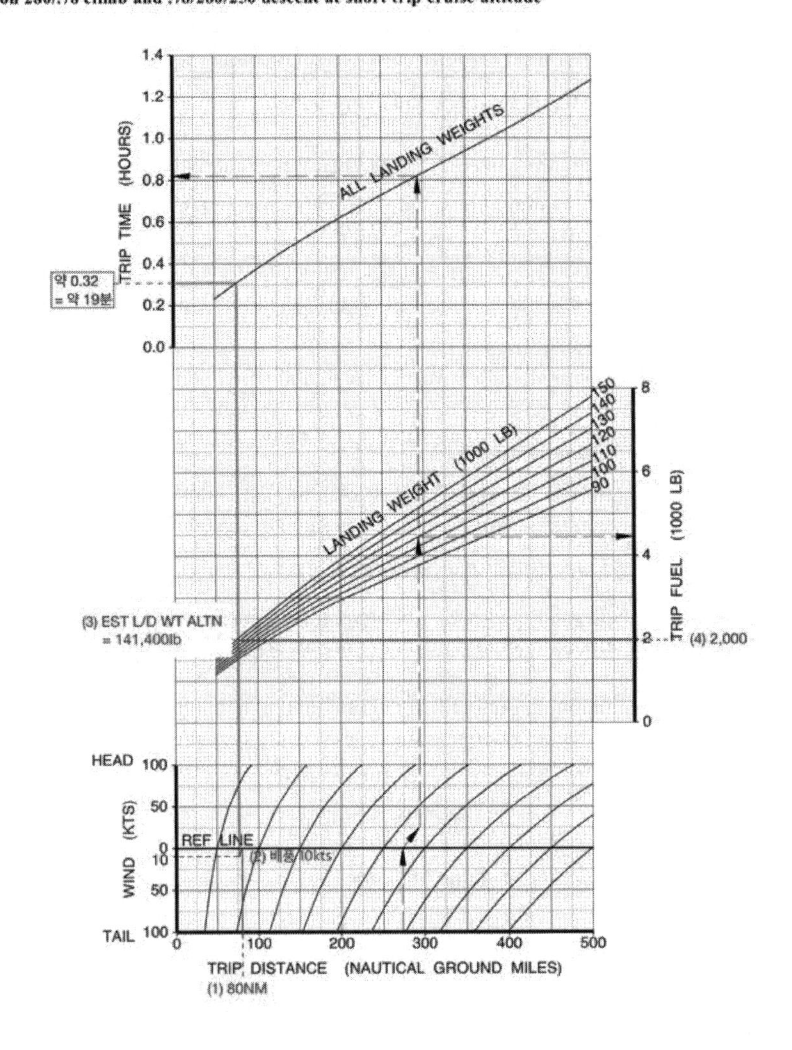

그림 7- 17 FPPM Chart 에서의 목적지교체공항연료 산정

5.1.4 EST T/O WT (ESTIMATED TAKE-OFF WEIGHT)

예상이륙중량(EST T/O WT)은 예상되는 목적지공항착륙중량(EST L/D WT DEST)에 운항연료(Trip Fuel)를 더한 값이다. 5.1.2 에서 보정연료(Contingency Fuel)를 구하기 위해 먼저 구했던 운항연료 산출 시에 사용했던 차트와 동일하게 그림 7- 18 Long Range Cruise Trip Fuel and Time 차트를 사용한다. 위에서는 TRIP TIME 을 구해 평균연료소모량에 대입하였다면, 이번에는 FUEL REQUIRED 를 직접 구해본다. TRIP DISTANCE, WIND, PRESSURE ALTITUE 는 동일하게 적용한다.

- 맨 아래 TRIP DISTANCE 397NM 에 해당하는 지점에서 REF LINE 까지 직선을 긋는다.
- 가장 가까운 곡선의 기울기와 평행하게 TAIL WIND 15kts 지점까지 대각선을 긋는다.
- PRESSURE ALTITUDE 29.000ft 까지 직선을 그어 올리고 오른쪽으로 REF LINE 까지 수직으로 이어 긋는다.
- 순항고도로 설정한 FL290 와 가까운 실선(25,000ft)으로 이루어진 가장 가까운 곡선의 기울기와 평행하게 아래의 LANDING WEIGHT 143,400lbs 에서 올라온 점선과 만나는 지점까지 대각선을 긋는다.
- 오른쪽 끝까지 직선을 그어 FUEL REQUIRED 값(6,120)을 읽는다.
- 표 7- 24 를 통해 비행연료까지 계산하여 예상 이륙 중량을 산출하였다.

SOW	91,300	
+PAYLOAD	47,000	
EST ZFW	138,300	≤ MZFW (138,300)
+CONTINGENCY	400 (314)	
+HOLDING(Final Reserve Fuel)	2,700 (2,620)	
+EXTRA	-	
L/D WT ALTN	141,400	≤ MLDW (146,300)
+ALTERNATE	2,000	
L/D WT DEST	143,400	≤ MLDW (146,300)
+TRIP	6,200 (6,120)	
EST T/O WT	**149,600**	**≤ MTOW (174,200)**

표 7- 24 Estimated Takeoff weight 산정

FLIGHT PLANNING
Simplified Flight Planning

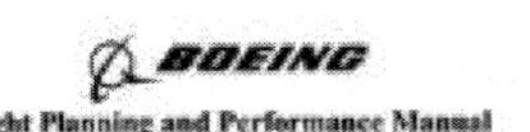

Flight Planning and Performance Manual

737-800/CFM56-7B24
FAA
Category C Brakes

Long Range Cruise Trip Fuel and Time
200 to 1000 NM
Based on 280/.78 climb and .78/280/250 descent

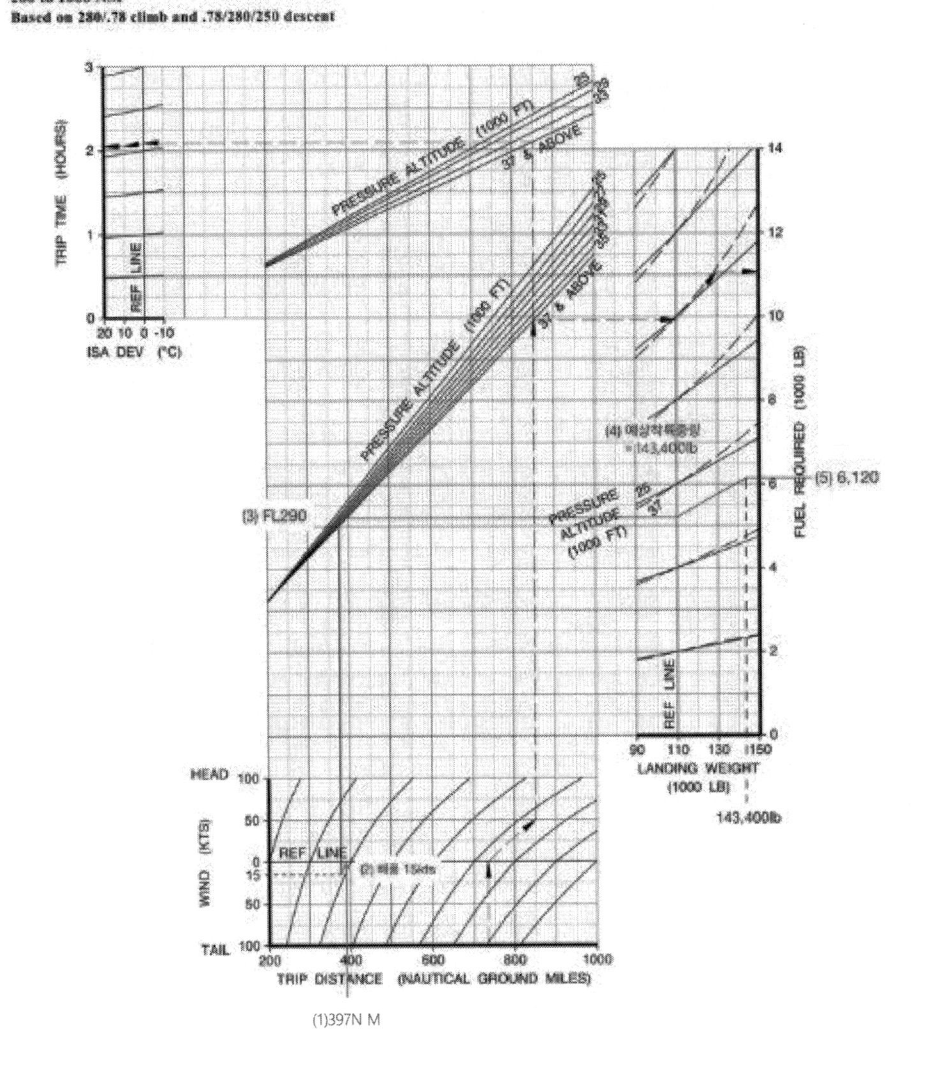

그림 7- 18 FPPM Chart 를 이용한 비행연료 산정

5.2 중량 계산

5.2.1 최적고도

최적고도(Optimum Altitude)는 주어진 추력 설정에서 최대 범위의 속도와 최저 연료소비를 달성할 수 있는 고도를 의미한다. 엔진은 가장 효율적인 RPM(Rotations Per Minute)으로 작동하며, 항공기는 최대 항속거리를 운항할 수 있는 고도로 비행한다. 일반 상업용 항공기의 경우, 운항거리에 따라 다르지만 최적고도는 주로 35,000ft 에서 42,000ft 사이이다. 이는 항공기가 도달할 수 있는 최대 고도와 일치하지 않으며, 기압고도와 같은 대기 조건 및 항공기 중량 감소에 따라 운항 중 변동된다. 최적고도보다 높거나 낮게 비행하면 비행 가능 거리가 짧아지고 연료소모량이 증가한다. 따라서 제트 기류 및 상층풍 등 기상조건과 항공기 중량을 고려하여 최적고도에 가깝게 비행할수록 비행 가능 거리가 증가하고 연비가 절감된다.

최적고도는 그림 7- 19 의 FPPM(Flight Planning and Performance Manual) Optimum Altitude 차트를 이용해 산출할 수 있다. 먼저, BRAKE RELEASE WEIGHT 149,600lbs 에서 순항속도인 LRC 선까지 직선을 그은 후, 왼쪽 끝까지 수직으로 선을 그어 PRESSURE ALTITUDE 값(35.6)을 읽는다. 순항고도는 항공안전법 시행규칙 제 164 조 및 별표 21 수직분리축소공역(RVSM)에서의 순항고도를 적용하여 비행방향이 000°에서 179°사이이므로 최적고도인 35,600ft 와 가장 가까운 홀수 고도인 35,000ft 로 결정한다.

최대이륙중량(MTOW)은 Maximum Brake-release Weight 라고도 한다. 이는 이륙을 위해 브레이크를 놓는 시점 또는 이륙활주를 시작하는 시점에 승인된 최대 중량을 의미한다. 이륙을 위해 모든 엔진이 안정된 후 브레이크를 풀고 추력을 최대로 설정한다. 따라서 Brake-release 와 Take-off 는 같은 시점을 의미하며, FPPM 차트를 읽을 때 BRAKE RELEASE WEIGHT 와 TAKE-OFF WEIGHT 가 같은 무게를 다르게 표현한 것임을 알아야 한다.

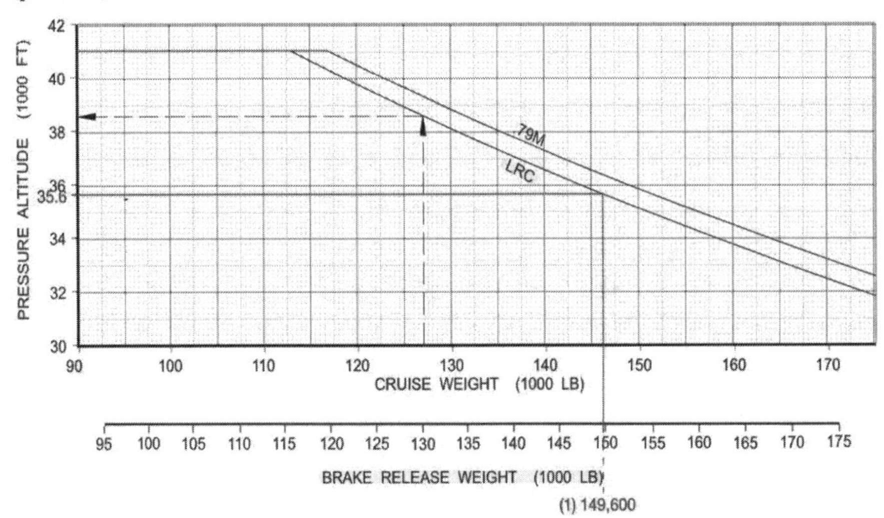

그림 7- 19 Optimum Altitude 산정

위에서 FL290 를 순항고도로 가정하여 작성했던 WIND/TEMP 과 W/F 정보를 순항고도가 FL350 인 경우에 맞춰 수정하여야 한다. FL340 에서의 바람과 기온정보를 제공하는 WINTEM 차트를 통하여 표준기온감률을 적용하여 작성한다. 그리고 앞에서 설명했듯이 항로 상에 부는 바람이 배풍인지 정풍인지를 W/F 식에 대입하여 표 7- 25 와 같이 작성한다.

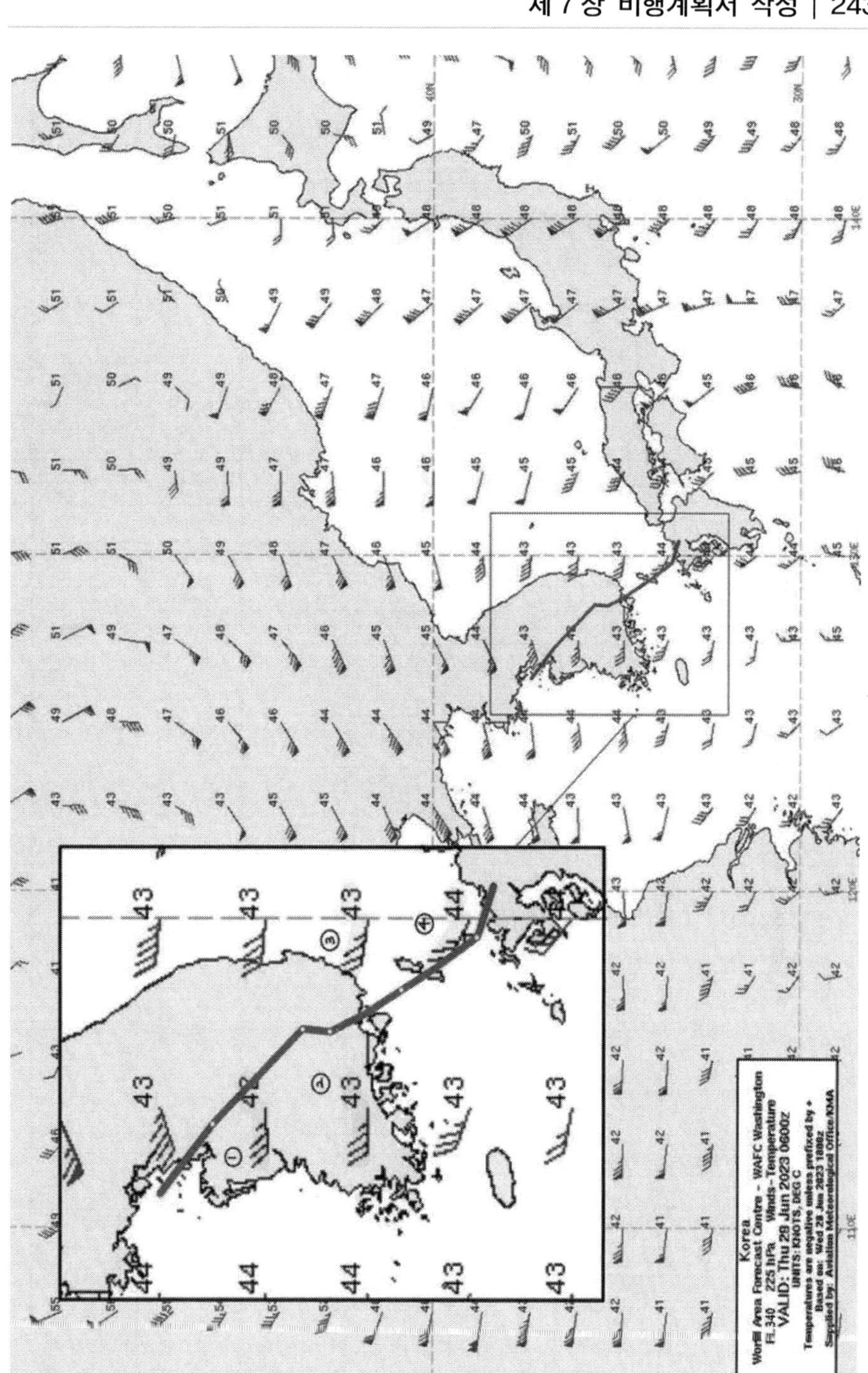

그림 7- 20 WINTEM Chart(FL340)에 항로 표시

Waypoint		Route	MC	FL	WIND/TEMP		CRZ	TAS	W/F	G/S	Distance	TIME	S/FUEL	FF/HR
RKSI	OSPOT	VCTR	VCTR								93			
OSPOT	TGU	Y782	144°	FL350	27035/M44	①	LRC		P20		86			
TGU	MASTA	Y781	192°		28035/M45	② ③ 평균			M01		20			
MASTA	BESNA		162°		28035/M45				P17		59			
BESNA	IKE	Y209	156°		30025/M46	④			P20		62			
IKE	RJFF	STAR	VCTR								77			
TOTAL											397			

표 7- 25 FL350 에서의 WIND/TEMP 작성

5.2.2 TOC 및 TOD

- SPEED: 280/M.78, LRC, M.78/280/250 적용
- CLIMB: ISA+10℃ 적용
- LANDING FLAP 30 적용
- VAR 0° 적용

TOC 는 Top of Climb 의 약어로 항공기가 비행 중 상승단계에서 순항단계로 전환되는 지점을 말한다. 출발 전에 TOC 지점을 결정하는 것은 ATC 와의 협조, 연료량 계산, 항로상 비행계획 목적 등과 같은 요소와 연관되어 있어 중요하다. 연료 효율성을 목적으로 항공사는 최대상승률 또는 경제적인 상승률로 TOC 까지 도달하게 된다. TOD 는 Top of Descent 의 약어로, 항공기가 비해 중 순항단계에서 강하단계로 전환되는 지점 또는 최종접근을 시작하기 위해 계획된 강하지점을 말한다. TOD 는 가장 경제적인 강하율로 목적공항 또는 접근고도까지 강하하기 위해 설정된다. 먼저, TOC 는 FPPM 에서 그림 7- 21 과 같은 Enroute Climb 표를 통해 산출할 수 있다. ISA+10℃에 해당하는 표를 찾아 5.1.4 에서 산출한 예상이륙중량인 149,600lbs 와 근사한 150,000lbs 와 순항고도인 35,000ft 이 만나는 칸에 있는 수치들을 확인한다. 공항에서 이륙하여 TOC 지점까지 걸리는 시간(TIME)은 19 분, 소모되는 연료(FUEL)는 3,800lbs, 거리(DIST)는 116NM. 속도(SPD)는 398KIAS 임을 알 수 있다.

다음으로, TOD 는 그림 7- 22 의 FPPM 에서 Descent 그래프를 통해 산출할 수 있다. .78/280/250 에 해당하는 표를 찾아 5.1.3 에서 산출한 예상착륙중량인 143,400lbs 와 순항고도인 35,000ft 를 확인하여 알 수 있다. 표를 보면 143,400lbs 에 해당하는 칸이 없기 때문에 TOD 부터 목적공항까지의 거리를 바로 확인할 수 없다. 따라서 130,000lbs 와 150,000lbs 중간 143,400lbs 에 해당하는 값을 보정하여 거리를 산출한다. 둘의 차이가 8NM 이므로 8X(13,400/20,000)식을 통해 5.36NM 임을 알 수 있다. 6NM 로 올림하여 계산하면 TOD 지점에서 목적공항까지의 거리는 112+6=118(NM), 소요 시간은 23 분, 소모되는 연료량은 700lbs 이다. 마지막으로, TOC 및 TOD 를 표 7- 26 의 항로시트에 추가한다. 사용할 SID 절차는 출발공항에서 TOC 까지의 거리보다 짧고, STAR 절차 또한 TOD 에서 목적공항까지의 거리보다 짧다. 위에서 구한 거리를 고려하여 Waypoint

항목에서 OSPOT 과 TGU 사이에 TOC 를, BESNA 와 IKE 사이에 TOD 를 추가하여 표 7- 26 과 같이 정리한다.

280/.78 Enroute Climb
ISA + 10°C

PRESSURE ALTITUDE (FT)	UNITS MIN/LB NM/KTAS	BRAKE RELEASE WEIGHT (1000 LB) = Take-off Weight									
		180	170	160	150	140	130	120	110	100	90
41000	TIME/FUEL					29/4800	23/4000	20/3500	17/3000	15/2700	13/2400
	DIST/SPD					194/423	148/417	125/414	108/412	94/410	82/409
40000	TIME/FUEL					25/4300	21/3800	18/3300	16/2900	14/2600	12/2300
	DIST/SPD					158/416	133/413	115/411	100/409	88/407	77/406
39000	TIME/FUEL				26/4700	22/4100	20/3600	17/3200	15/2800	13/2500	12/2200
	DIST/SPD				169/415	141/411	121/409	106/407	93/406	82/405	72/403
38000	TIME/FUEL			28/5100	24/4400	21/3900	18/3500	16/3100	14/2800	13/2500	11/2200
	DIST/SPD			182/415	149/410	128/407	112/405	99/404	87/403	77/402	68/400
37000	TIME/FUEL		30/5500	25/4700	22/4200	19/3700	17/3300	15/3000	14/2700	12/2400	11/2100
	DIST/SPD		194/414	157/409	135/406	118/404	104/402	93/401	82/400	73/399	64/398
36000	TIME/FUEL	33/5900	27/5000	23/4400	21/4000	18/3600	16/3200	15/2900	13/2600	12/2300	10/2100
	DIST/SPD	209/413	165/407	142/404	124/402	110/400	98/399	87/398	77/397	69/396	61/395
35000	TIME/FUEL	28/5400	25/4700	22/4300	19/3800	17/3500	16/3100	14/2800	13/2500	11/2300	10/2000
	DIST/SPD	176/406	150/402	131/400	116/398	103/397	92/396	82/395	73/394	65/393	58/392
34000	TIME/FUEL	26/5100	23/4500	21/4100	19/3700	17/3400	15/3000	13/2700	12/2500	11/2200	10/2000
	DIST/SPD	159/401	138/398	122/396	108/395	97/393	87/392	78/391	69/390	62/389	55/389
33000	TIME/FUEL	24/4800	22/4400	20/4000	18/3600	16/3300	14/2900	13/2700	12/2400	10/2100	9/1900
	DIST/SPD	145/396	128/394	114/392	102/391	91/390	82/389	73/388	66/387	58/386	52/385
32000	TIME/FUEL	23/4600	20/4200	18/3800	17/3500	15/3100	14/2800	12/2600	11/2300	10/2100	9/1900
	DIST/SPD	133/390	118/389	105/387	95/386	85/385	76/384	69/383	61/383	55/382	49/381
31000	TIME/FUEL	21/4400	19/4000	17/3600	16/3300	14/3000	13/2700	12/2500	10/2200	9/2000	8/1800
	DIST/SPD	120/384	107/383	96/382	87/381	78/380	71/379	63/378	57/378	51/377	45/376
30000	TIME/FUEL	20/4100	18/3800	16/3500	15/3200	13/2900	12/2600	11/2400	10/2100	9/1900	8/1700
	DIST/SPD	109/379	98/378	88/377	80/376	72/375	65/374	59/374	53/373	47/372	42/371
29000	TIME/FUEL	18/3900	17/3600	15/3300	14/3000	13/2800	12/2500	10/2300	9/2100	8/1900	8/1700
	DIST/SPD	100/374	90/373	81/372	74/371	67/370	60/370	54/369	49/368	44/368	39/367
28000	TIME/FUEL	17/3800	16/3500	14/3200	13/2900	12/2700	11/2400	10/2200	9/2000	8/1800	7/1600
	DIST/SPD	91/369	83/368	75/367	68/367	62/366	56/365	50/365	45/364	41/363	36/363
27000	TIME/FUEL	16/3600	15/3300	14/3000	12/2800	11/2600	10/2300	9/2100	8/1900	8/1700	7/1500
	DIST/SPD	84/364	76/364	69/363	63/362	57/362	52/361	47/361	42/360	38/359	34/358
26000	TIME/FUEL	15/3400	14/3200	13/2900	12/2700	11/2500	10/2200	9/2000	8/1800	7/1700	6/1500
	DIST/SPD	77/360	70/359	64/359	58/358	53/358	48/357	43/357	39/356	35/355	31/354
25000	TIME/FUEL	14/3300	13/3000	12/2800	11/2600	10/2400	9/2200	8/2000	8/1800	7/1600	6/1400
	DIST/SPD	71/356	64/355	59/355	54/354	49/354	45/353	40/353	36/352	33/351	29/351
24000	TIME/FUEL	13/3100	12/2900	11/2700	11/2500	10/2300	9/2100	8/1900	7/1700	7/1500	6/1400
	DIST/SPD	65/352	59/351	54/351	50/350	45/350	41/349	37/349	34/348	30/348	27/347
23000	TIME/FUEL	13/3000	12/2800	11/2600	10/2400	9/2200	8/2000	8/1800	7/1600	6/1500	6/1300
	DIST/SPD	60/348	55/347	50/347	46/347	42/346	38/346	35/345	31/345	28/344	25/343
22000	TIME/FUEL	12/2900	11/2700	10/2500	9/2300	9/2100	8/1900	7/1700	7/1600	6/1400	5/1300
	DIST/SPD	55/344	51/344	46/343	42/343	39/343	35/342	32/342	29/341	26/340	23/340
21000	TIME/FUEL	11/2700	10/2500	10/2400	9/2200	8/2000	7/1800	7/1700	6/1500	6/1400	5/1200
	DIST/SPD	51/341	47/340	43/340	39/340	36/339	33/339	30/338	27/338	24/337	21/336
20000	TIME/FUEL	11/2600	10/2400	9/2300	8/2100	8/1900	7/1800	6/1600	6/1400	5/1300	5/1200
	DIST/SPD	47/337	43/337	39/337	36/336	33/336	30/335	27/335	25/334	22/334	20/333
18000	TIME/FUEL	9/2400	9/2200	8/2100	8/1900	7/1800	6/1600	6/1500	5/1300	5/1200	4/1100
	DIST/SPD	39/331	36/331	33/330	31/330	28/330	26/329	23/329	21/328	19/327	17/326
16000	TIME/FUEL	8/2100	8/2000	7/1900	7/1700	6/1600	6/1500	5/1300	5/1200	4/1100	4/1000
	DIST/SPD	33/325	30/325	28/324	26/324	23/324	21/323	19/323	18/322	16/321	14/320
14000	TIME/FUEL	7/1900	7/1800	6/1700	6/1600	6/1400	5/1300	5/1200	4/1100	4/1000	3/900
	DIST/SPD	27/319	25/319	23/319	21/318	19/318	18/318	16/317	15/316	13/316	12/315
10000	TIME/FUEL	6/1500	5/1400	5/1300	5/1200	4/1100	4/1000	4/1000	3/900	3/800	3/700
	DIST/SPD	17/309	15/308	14/308	13/308	12/308	11/307	10/307	9/306	8/305	7/304
1500	TIME/FUEL	2/600	2/600	2/600	2/600	2/500	2/500	2/400	1/400	1/400	1/300

FUEL ADJUSTMENT FOR HIGH ELEVATION AIRPORTS	AIRPORT ELEVATION	2000	4000	6000	8000	10000	12000
EFFECT ON TIME AND DISTANCE IS NEGLIGIBLE	FUEL ADJUSTMENT	-100	-300	-400	-600	-700	-900

Shaded area approximates optimum altitude at LRC.

그림 7- 21 Enroute Climb 소요시간 및 연료소모량 산정

Descent

.78/280/250

PRESSURE ALTITUDE (FT)	TIME (MIN)	FUEL (LB)	DISTANCE (NM)			
			LANDING WEIGHT (1000 LB)			
			90	110	130	150
41000	26	730	103	118	129	136
39000	25	720	98	112	123	131
37000	24	710	93	107	118	125
35000	23	700	89	102	112	120
33000	23	690	85	98	108	115
31000	22	680	81	93	102	109
29000	21	660	76	87	96	102
27000	20	650	71	81	89	95
25000	19	630	67	76	83	89
23000	18	610	62	71	77	82
21000	17	590	57	65	71	76
19000	16	570	53	60	65	69
17000	15	540	48	55	59	63
15000	14	520	44	49	54	56
10000	10	430	31	34	36	38
5000	7	330	18	19	20	21
1500	4	250	9	9	9	9

Allowances for a straight-in approach are included.

그림 7- 22 Descent 단계에서의 소요 시간 및 연료량

Waypoint		Route	MC	FL	WIND/TEMP		CRZ	TAS	W/F	G/S	Distance	TIME	S/FUEL	FF/HR
RKSI	OSPOT	SID	VCTR								93	00:19	3800	
OSPOT	TOC	Y782	144°								23			
TOC	TGU	Y782	144°	FL350	27035/M44	①	LRC		P20		63			
TGU	MASTA	Y781	192°		28035/M45	②③ 평균			M01		20			
MASTA	BESNA	Y781	162°		28035/M45				P17		59			
BESNA	TOD	Y209	156°		30025/M46	④			P20		21			
TOD	IKE	Y209	156°								49	00:23	700	
IKE	RJFF	STAR	VCTR								69			
TOTAL											397			

표 7- 26 TOC 와 TOD 까지 거리, 소요시간, 연료량

5.2.3 CRUISE

그림 7- 23 FPPM 에서 Cruise Table 을 통해 순항고도에서의 TAS 및 시간당 연료소모량(FF/HR)을 확인할 수 있다. 예상이륙중량인 149,600lbs 에서 TOC 지점까지 상승하는 데에 필요한 연료량인 3,800lbs 를 감하면 145,800lbs 이다. 이 무게와 순항고도인 35,000ft 를 충족하는 칸에서 TAS 는 453knots, 시간당 연료소모량은 2,765lbs X 2(2 엔진)=5,530lbs 임을 알 수 있다. TAS 에 W/F 를 보정해주면 대지속도(G/S, Ground speed)가 된다. TAS 에서 P 값은 더해주고 M 값은 빼 준다. 시간은 거리를 속력으로 나누어 산출할 수 있다. 거리(NM)를 G/S(NM/hr)로 나눠준 다음 60 을 곱해서 각 구간별로 몇 분이 소요되는지 산출한다. 각 구간별 소모하는 연료량은 시간당 연료소모량인 5,530lbs 를 60 으로 나누고 해당하는 시간(분)을 곱해서 산출한다. 시간과 연료는 소수점을 올림하여 적용하도록 한다. 해당 정보들을 바탕으로 항로 시트와 필요 연료량 표를 채워 작성하면 완성된다.

Long Range Cruise Table

35000 FT to 30000 FT

145,800

PRESS ALT (1000 FT) (STD TAT)		WEIGHT (1000 LB)									
		180	170	160	150	140	130	120	110	100	90
35 (-30)	%N1		91.9	89.7	88.1	86.6	85.3	83.7	81.7	79.4	76.9
	MAX TAT		-10	-4	1						
	KIAS		270	270	268	264	261	255	244	231	219
	MACH		.795	.794	.788	.780	.771	.754	.726	.690	.655
	FF/ENG		3241	3013	2810 2,765	2630	2480	2314	2116	1907	1738
	KTAS		458	458	454 453	450	444	435	419	397	378
34 (-28)	%N1	92.7	90.4	88.7	87.3	86.0	84.6	82.9	80.8	78.5	76.3
	MAX TAT	-11	-5	0	5						
	KIAS	276	276	274	272	268	264	256	243	230	220
	MACH	.794	.795	.790	.783	.774	.762	.740	.707	.672	.644
	FF/ENG	3448	3207	2999	2811	2653	2497	2315	2102	1899	1746
	KTAS	460	460	458	453	448	441	429	409	389	373
33 (-26)	%N1	91.1	89.4	88.0	86.7	85.5	83.9	82.1	80.0	77.7	75.6
	MAX TAT	-5	0	5	9						
	KIAS	283	281	279	276	272	265	255	242	230	221
	MACH	.795	.791	.785	.777	.768	.751	.723	.690	.658	.634
	FF/ENG	3402	3190	2998	2831	2679	2507	2303	2095	1897	1758
	KTAS	462	460	457	452	446	437	421	401	383	369
32 (-24)	%N1	89.9	88.6	87.3	86.2	84.8	83.1	81.2	79.1	77.0	75.0
	MAX TAT	0	4	9							
	KIAS	288	286	283	279	274	265	253	241	231	222
	MACH	.792	.787	.779	.771	.758	.736	.705	.673	.647	.624
	FF/ENG	3381	3185	3010	2858	2692	2503	2290	2085	1902	1769
	KTAS	463	459	455	451	443	430	412	393	378	365
31 (-23)	%N1	89.1	87.9	86.8	85.5	84.1	82.3	80.4	78.3	76.4	74.4
	MAX TAT	4	8	12							
	KIAS	292	290	287	282	275	264	252	241	232	224
	MACH	.788	.781	.774	.763	.745	.718	.688	.659	.637	.615
	FF/ENG	3373	3193	3036	2877	2698	2489	2280	2080	1913	1784
	KTAS	462	458	454	448	437	421	404	387	374	361
30 (-21)	%N1	88.4	87.3	86.2	84.8	83.3	81.5	79.5	77.6	75.8	73.8
	MAX TAT	8	12								
	KIAS	297	294	290	284	275	263	251	242	234	225
	MACH	.782	.775	.767	.752	.729	.700	.671	.647	.627	.606
	FF/ENG	3379	3217	3061	2887	2687	2474	2267	2084	1922	1802
	KTAS	461	457	452	443	430	413	396	381	369	357

Max TAT not shown where %N1 can be set in ISA + 30°C conditions.
Increase/decrease %N1 required by 1% per 5°C above/below standard TAT.
Increase/decrease fuel flow 3% per 10°C above/below standard TAT.
Increase/decrease KTAS by 1 knot per 1°C above/below standard TAT.
Shaded area approximates optimum altitude.

Max Cruise %N1

PRESS ALT (1000 FT)	TAT (°C)													
	-60	-55	-50	-45	-40	-35	-30	-25	-20	-15	-10	-5	0	5
35	87.0	88.0	88.9	89.9	90.8	91.7	92.6	93.4	94.3	93.6	92.8	91.9	91.1	90.2
34	86.3	87.2	88.2	89.2	90.1	91.0	92.0	92.9	93.8	94.0	93.2	92.3	91.5	90.6
33	85.7	86.7	87.7	88.7	89.6	90.6	91.5	92.4	93.3	94.2	93.7	92.8	91.9	91.0
32	85.2	86.2	87.1	88.1	89.0	89.9	90.8	91.7	92.6	93.5	94.1	93.2	92.3	91.5
31	84.8	85.8	86.7	87.6	88.5	89.4	90.3	91.2	92.1	93.0	93.8	93.8	92.9	92.0
30	84.2	85.2	86.1	87.1	88.0	88.9	89.8	90.7	91.6	92.5	93.3	94.2	93.2	92.4

With engine anti-ice on, decrease limit %N1 by 1.1.
With engine and wing anti-ice on, decrease limit %N1 by 3.5.

그림 7- 23 FPPM Chart 를 이용한 순항단계에서의 TAS, 연료량

Waypoint		Route	MC	FL	WIND/TEMP		CRZ	TAS	W/F	G/S	Distance	TIME	S/FUEL	FF/HR
RKSI	OSPOT	SID	VCTR								93	00:19	3800	
OSPOT	TOC	Y782	144°								23			
TOC	TGU	Y782	144°	FL350	27035/M44	①	LRC	453	P20	473	63	00:08	738	5,530
TGU	MASTA	Y781	192°		28035/M45	②③평균			M01	452	20	00:03	277	
MASTA	BESNA		162°		28035/M45				P17	470	59	00:08	738	
BESNA	TOD	Y209	156°		30025/M46	④			P20	473	21	00:03	277	
TOD	IKE	Y209	156°								49	00:23	700	
IKE	RJFF	STAR	VCTR								69			
TOTAL											397	01:04	6,530	

표 7-27 총 거리, 비행시간 및 연료량 산정

연료 종류	FUEL	TIME
TRIP	6,600	1:04
+ALTERNATE	2,000	0:19
+CONTINGENCY	400	0:13
+FINAL RESERVE	2,700	0:30
RQRD FUEL	11,700	2:06

표 7-28 총 필요 연료 및 그에 대한 시간

6 AGTOW 산정

허용최대이륙중량(AGTOW, Allowable Gross Take-off Weight)이란, 항공기의 안정성을 확보하기 위해 비행계획을 할 때마다 새로 산출해야 한다. 다음 4 개의 무게 중 가장 작은 값을 AGTOW 로 적용한다.

6.1 MTOW

엔진의 추력성능과 이륙 시 엔진이 고장나는 경우를 감안하여 제한하는 최대이륙중량을 말한다. 1.항공기 제원에서 B737-800 기종의 MTOW 는 174,200lbs 이다.

6.2 MZFW + Take-off Fuel

비행 중 날개에 탑재한 연료가 모두 소모되면 날개에 작용하는 양력을 통제할 수 없게 되어 날개가 손상되는 상황이 발생할 수 있다. 이를 감안하여 제한하는 중량을 말하며, MZFW(138,300lbs) + Take-off Fuel(11,700lbs)은 150,000lbs 이다.

6.3 MLDW + Trip Fuel

항공기가 활주로에 접지하였을 때, 착륙장치 및 이음새 부분이 파손되지 않도록 제한하는 중량을 말한다. 운항연료(Trip fuel)를 다 소모하였고, MLDW 를 초과하는 경우에는 Fuel Dumpling 또는 Holding 을 통해 연료를 소모하여야 착륙할 수 있다. MLDW(146,300lbs) + Trip Fuel(6,500lbs)은 152,800lbs 이다.

6.4 RTOW

이륙활주로 및 상승경로 상의 장애물 영향을 받는 제한중량으로 다음 중 가장 작은 값으로 적용한다. 5 가지 중량을 비교하기 위해서는 METAR 기상 정보를 기준으로 Airport Analysis Chart 를 이용하여 산출하여야 한다.

- Climb Limited Weight
- Filed Length Limited Weight
- Obstacle Limited Weight
- Tire Speed Limited Weight
- Brake Energy Limited Weight

METAR RKSI 300630Z 30007KT 270V330 9999 FEW020 24/20 Q1000 NOSIG=

표 7- 29 는 표 7- 11 의 예시와 같이 인천국제공항의 30 일 06 시 30 분 UTC 에 발표된 METAR 를 나타낸 것이다.

외기온도	24℃
바람	30007KT
Wind Factor	$\cos(330 - 300) \times 7 = 6.0621 \cdots$
기압	1,000MB

표 7- 29 METAR 에서 RTOW 산정을 위한 정보

그림 7- 24 는 인천국제공항 RWY 33L/R 에서 이륙하는 B737-800 기종에 대한 공항분석차트(Airport Analysis Chart)이다.

ICN
33L/33R

ELEVATION 23 FT RKSI

*** **FLAPS 05** *** AIR COND AUTO ANTI-ICE OFF INCHEON INTL

WINGLET SEOUL/INCHEON,KOR

→ 737-800 CFM56-7B26 **B26** DATED 30-MAR-2020

A INDICATES OAT OUTSIDE ENVIRONMENTAL ENVELOPE

MAX BRAKE RELEASE WT-KG, LIMIT CODE AND TAKEOFF SPEEDS FOR ZERO WIND

TAKEOFF N1	OAT DEG C	CLIMB LIMIT	** RWY WEIGHT	33L V1	VR	** V2	** RWY WEIGHT	33R V1	VR	** V2
95.1	60A	65600	66300*	140	140	144	66300*	140	140	144
95.6	58A	66600	67300*	141	141	145	67400*	141	141	145
96.2	56A	67700	68400*	142	142	146	68500*	142	142	146
96.6	54	68800	69500*	143	143	147	69600*	143	143	147
96.9	52	70100	70800*	144	145	148	70900*	144	145	148
97.2	50	71300	72000*	145	146	150	72100*	145	146	150
97.4	48	72600	73300*	146	147	151	73400*	146	147	151
97.7	46	73900	74600*	147	148	152	74700*	147	148	152
98.0	44	75200	75800*	148	149	153	76000*	148	149	153
98.3	42	76500	77100*	149	150	155	77200*	149	150	155
98.6	40	77900	78400*	150	151	156	78500*	150	151	156
98.9	38	79200	79600*	151	152	157	79800*	151	152	157
99.3	36	80500	80800*	150	152	157	81000*	150	152	157
99.6	34	81900	82100*	150	152	157	82200*	150	152	157
99.9	32	83300	83500*	149	152	157	83600*	149	152	157
100.3	30	84700	84700*	149	152	158	84800*	149	152	158
100.0	28	84800	84800*	149	152	158	85000*	149	152	158
99.4	24	84900	85000*	149	152	158	85100*	149	152	158
98.8	20	85100	85200*	149	151	158	85300*	149	151	158
98.2	16	85200	85300*	149	151	158	85400*	149	151	158
97.5	12	85300	85500*	149	151	158	85600*	149	151	158
96.9	8	85400	85600*	149	151	158	85700*	149	151	158
96.3	4	85500	85700*	149	151	158	85900*	149	151	158
95.7	0	85600	85800*	149	151	158	86000*	149	151	158
94.1	-10	85700	86000*	149	151	158	86200F	149	151	158
92.4	-20	85800	86200F	149	151	158	86200F	149	151	158

		33L	33R
ADD KG/KT HEADWIND		0	0
SUB KG/KT TAILWIND		370	380
ADD KG/MB ABV STD QNH	20	0	0
SUB KG/MB BLW STD QNH	84	90	90
MIN FLAP RET. HT-FT		800	800
RUNWAY-FT		12303	12303
SLOPE (GO/STOP)-PCT		0.00/ 0.00	0.00/ 0.00
CLEARWAY/STOPWAY-FT		983/ 394	984/ 394

MAX BRAKE RELEASE WT MUST NOT EXCEED MAX CERT TAKEOFF WT OF 79015 KG
LIMIT CODE IS F=FIELD, T=TIRE SPEED, B=BRAKE ENERGY, V=VMCG
*=OBSTACLE/LEVEL-OFF, W=TAILWIND TAKEOFF NOT ALLOWED
ENG-OUT PROCEDURES:
33L/R : REFER TO ENGINE OUT PROCEDURES

그림 7-24 ICN 공항 Takeoff Analysis Chart

먼저, ①에 해당하는 상승성능 제한중량을 산출한다. 외기온도(OAT) 24℃에 해당하는 CLIMB LIMIT WEIGHT 값은 84,900kg 이다. 여기에 바람 또는 기압 오차를 보정하여야 한다. 바람은 300도 방향에 7kt이므로 정풍 6정도되지만 해당 값을 더하거나 빼지 않고 ADD KG/KT Headwind 에 해당하는 0 을 적용한다. 그리고 표준기압은 1013mb 인데 METAR 상 기압은 1000mb 로 STD QNH 보다 낮다. 차트에 SUB KG/MB BLW STD QNH 라고 적혀 있다. 표준기압보다 13mb 가 더 낮으므로 1092kg(84 x 13)만큼 84,900kg 에서 감해야 한다. 따라서 CLIMB LIMIT WEIGHT는 83,808kg 이며, 파운드(lbs)로 2.205 곱하여 환산하면 약 184,800lbs 이다.

다음으로, ②~⑤에 해당하는 활주로 제한중량을 구한다. 외기온도(OAT) 24℃에 해당하는 RWY 33L WEIGHT 는 85,000kg 이다. 여기에 바람 또는 기압 오차를 보정하여야 한다. 바람성분은 정풍인 경우 1KT 당 0kg 을 적용하므로 변하지 않는다. 그리고 기압은 상승성능 제한중량 산출 시와 같이 1mb 당 90kg 만큼 감해줘야 한다. 따라서 RWY 33L WEIGHT 는 83,830kg 이며, 파운드(lbs)로 환산하면 184,900lbs 이다. RWY 33R 의 경우도 같은 방법으로 계산해보면 83,930kg, 약 185,100lbs 이다. 따라서, 활주로제한이륙중량(RTOW)은 가장 작은 값인 184,800lbs 임을 알 수 있다.

6.5 Take-off Weight

MTOW	174,200 lbs
MZFW + Take-off fuel	150,000 lbs
MLDW + Trip fuel	152,900 lbs
RTOW	184,800 lbs
AGTOW	**150,000 lbs**

표 7- 30 AGTOW 산정

이륙중량은 AGTOW 와 같거나 작아야 이륙이 가능하다. RKSI – RJFF 노선의 이륙중량은 5.1.1 와 같이 표준운항중량(SOW)에 Payload 를 더한 138,300lbs 이다. 최종적으로 산출했던 Required fuel 11,700lbs 와 합하면 150,000lbs 인데, 결국 AGTOW 와 같은 값으로 해당 항공편은 이륙 조건을 충족하게 된다.

7 ATS FPL 해석

7.1 EXAMPLE ①

```
FF RKRRZQZX RKSIZPZX
261810 RKSSKALO
 (FPL-KAL787-IS
-B38M/M-SDE2FGHIJ3J7M3RWXY/LB1
-RKSI2300
-N0464F290 DCT OSPOT Y782 TGU Y781 BESNA Y209 IKE DCT
-RJFF0059 RKPK
-PBN/A1B1C1D1O1S2T1  SUR/260B  DOF/230626  REG/HL8352
EET/RJJJ0034
 SEL/DQES CODE/71C352 RMK/TCAS II EQUIPPED
-E/0312 P/TBN R/UVE S/M J/LF
 A/BLUEWHITE)
```

표 7-31 ATS FPL 예시 1

전문 우선순위	FF
	비행안전전문 (비행계획서 포함)
수신처	RKRRZQZX RKSIZPZX
	인천 ACC, 인천공항 비행정보실
전문 전송시간	261810
	26 일 18 시 10 분 UTC
발신처	RKSSKALO
	김포공항 대한항공
항공기 식별부호	KAL787
	대한항공 787 편
비행규칙/비행형식	IS
	I: 정기업무, S: 정기항공업무
항공기 형식	B38M
	Boeing 737 MAX 8
항공기 후류 등급	M
	MEDIUM (7,000kg ≤ MTOW <136,000kg)

무선통신/항행/접근 보조장비 및 성능	SDE2FGHIJ3J7M3RWXY
	*세부사항은 운항기술기준 참고
감시 장비 및 성능	LB1
	*세부사항은 운항기술기준 참고
출발공항/출발시간	RKSI2300
	인천국제공항, 2300UTC
순항속도	N0464
	464knots
순항고도	F290
	29,000ft
항공로	DCT OSPOT Y782 TGU Y781 BESNA Y209 IKE DCT
목적공항 /예상소요시간	RJFF0059
	후쿠오카국제공항, 59 분
목적지교체공항	RKPK
	김해국제공항
RNAV or/and RNP 성능	PBN/A1B1C1D1O1S2T1
	*세부사항은 운항기술기준 참고
감시 장비 성능	SUR/260B
	*세부사항은 운항기술기준 참고
Date Of Flight	DOF/230626
	23 년 6 월 26 일
항공기 등록부호	REG/HL8352
예상소요시간	EET/RJJJ0034
	후쿠오카 FIR 까지 34 분 소요 예상
SELCAL code	SEL/DQES

항공기 주소	CODE/71C352
비고(평문)	RMK/TCAS II EQUIPPED
	TCAS II 장비 장착
탑재된 연료량 (비행지속시간)	E/0312
	탑재 연료로 3 시간 12 분 비행 가능
탑승객 수	P/TBN
	To Be Notified (추후 통보)
비상장비	R/UVE
	UHF 243.0MHz, VHF 121.5MHz, ELT
생존장비	S/M
	MARINE (해상)
구명동의	J/LF
	LIGHTS(등불), FLUORESCEIN
항공기 색상	A/BLUEWHITE
	파란색 및 하얀색

표 7- 32 ATS FPL 해석 1

7.2 EXAMPLE ②

```
FF RKSIZPZX RKSIZTZX RKRRZQZX
300010 RKSSAARO
 (FPL-AAR133-IS
-A321/M-SDE2E3FGHIJ3J7M3P2RWXYZ/LB1D1
-RJFF0550
-N0474F300 DGC G339 BEETL Y208 INVOK Z91 PSN Y782 BITUX Z53
BASEM Y685 GUKDO GUKDO2E
-RKSI0100 RKSS
-PBN/A1B1C1D1L1O1S2 DAT/1FANSP SUR/RSP180 260B DOF/230630
 REG/HL8060 EET/RKRR0019 SEL/KLAM CODE/71C060 OPR/AAR PER/C
 RMK/TCAS II EQUIPPED)
```

표 7- 33 ATS FPL 예시 2

전문 우선순위	FF
	비행안전전문 (비행계획서 포함)
수신처	RKSIZPZX RKSIZTZX RKRRZQZX
	인천공항 비행정보실, 인천공항 관제탑, 인천 ACC
전문 전송시간	300010
	30 일 00 시 10 분 UTC
발신처	RKSSKAARO
	김포공항 아시아나항공
항공기 식별부호	ARR133
	아시아나항공 133 편
비행규칙/비행형식	IS
	I: 정기업무, S: 정기항공업무
항공기 형식	A321
	Airbus 321-200
항공기 후류 등급	M
	MEDIUM (7,000kg ≤ MTOW <136,000kg)
무선통신/항행/접근 보조장비 및 성능	SDE2E3FGHIJ3J7M3P2RWXYZ
	*세부사항은 운항기술기준 참고
감시 장비 및 성능	LB1D1
	*세부사항은 운항기술기준 참고
출발공항/출발시간	RJFF0550
	후쿠오카국제공항, 0550UTC
순항속도	N0474
	474knots
순항고도	F300
	30,000ft
항공로	DGC G339 BEETL Y208 INVOK Z91 PSN Y782 BITUX Z53 BASEM Y685 GUKDO GUKDO2E
목적공항 /예상소요시간	RKSI0100
	인천국제공항, 1 시간
목적지교체공항	RKSS
	김포국제공항
RNAV or/and RNP 성능	PBN/A1B1C1D1L1O1S2
	*세부사항은 운항기술기준 참고
데이터 장비 및 성능	DAT/1FANSP
	*세부사항은 운항기술기준 참고

감시 장비 성능	SUR/RSP180 260B
	*세부사항은 운항기술기준 참고
Date Of Flight	DOF/230630
	23 년 6 월 30 일 UTC
항공기 등록부호	REG/HL8060
예상소요시간	EET/RKRR0019
	후쿠오카 FIR 까지 19 분 소요 예상
SELCAL code	SEL/KLAM
항공기 주소	CODE/71C060
항공기 운영기관	OPR/AAR
	아시아나항공
항행절차	PER/C
	*세부사항은 운항기술기준 참고
비고(평문)	RMK/TCAS II EQUIPPED
	TCAS II 장비 장착

표 7- 34 ATS FPL 해석 2